ANGLAIS
LE VOCABULAIRE

Wilfrid Rotgé
Agrégé de l'Université
Professeur de linguistique anglaise
à l'université Paris-Ouest Nanterre La Défense

Hatier

@ Cet ouvrage de la collection Bescherelle
est associé à des **compléments numériques**
signalés au fil de l'ouvrage par le pictogramme @.
Tous les dialogues en tête
des chapitres de la seconde partie sont
ainsi proposés dans une version audio.
Pour y accéder, connectez-vous au site
www.bescherelle.com.
Inscrivez-vous en sélectionnant
le titre de l'ouvrage.
Il vous suffira ensuite d'indiquer un mot
de l'ouvrage pour afficher le sommaire
des documents audio.

Vous pourrez également utiliser librement
les ressources liées aux autres ouvrages
de la collection Bescherelle en anglais.

Coordination éditoriale : Claire Dupuis, assistée de Bénédicte Jacamon
Édition : Barthélemy de Lesseps
Correction : Carol Pearson et Bénédicte Jacamon
Iconographie : Hatier illustration
Conception graphique : Marie-Astrid Bailly-Maître, Sterenn Heudiard, Sandrine Albanel & Nicolas Taffin
Mise en page : Ici & ailleurs

Typographie : cet ouvrage est composé principalement avec les polices de caractères
Cicéro (créée par Thierry Puyfoulhoux), Scala sans (créée par Martin Majoor)
et Sassoon (créée par Adrian Williams).

AVANT-PROPOS

→ Plusieurs années d'apprentissage de l'anglais ne permettent pas toujours de **comprendre et se faire comprendre en anglais**. Pour résoudre cette difficulté et répondre à ce besoin, le *Vocabulaire anglais Bescherelle* propose un ouvrage comprenant à la fois un *Lexique thématique* en 50 thèmes et un *Guide de communication* en 68 rubriques.

→ Riche de plus de 6 000 mots, le **Lexique thématique** présente tout le vocabulaire nécessaire pour communiquer dans la vie quotidienne. Chaque chapitre comprend le lexique du thème structuré en sous-thèmes. Les listes sont organisées en trois colonnes : dans la première, le mot, dans la deuxième, sa traduction, dans la troisième, quand c'est pertinent, une locution, un mot de la même famille, un synonyme, etc.
Les listes de mots sont complétées par un choix d'expressions *(Expressions)* ainsi que par des focus grammaticaux *(Notez bien)* ou culturels (titrés selon le thème).

→ Le **Guide de communication** propose 1000 énoncés types, issus de l'observation des échanges de la vie quotidienne et classés par situations de communication.
Les rubriques de cette seconde partie débutent généralement par un dialogue dont la version enregistrée (par des acteurs anglophones à un rythme naturel) est accessible sur le site www.bescherelle.com.
Des blocs lexicaux et des focus sont également présents dans cette partie.

→ Un effort particulier a été fait sur la **phonétique** (→ symboles phonétiques **p. 8**) dans le *Lexique thématique* : tous les mots dont la prononciation peut se révéler délicate sont transcrits phonétiquement. C'est aussi le cas de quelques mots de chaque texte enregistré du *Guide de communication*.

→ Chaque partie est associée à une **couleur différente**, que l'on retrouve dans l'index et les renvois internes. Cette organisation facilite une circulation rapide et efficace à l'intérieur des thèmes et des rubriques ; elle permet une lecture en continu aussi bien qu'une consultation ponctuelle.

→ L'objectif final de cet ouvrage est bien d'offrir à l'utilisateur tous les outils pour **mieux communiquer en anglais**, à l'oral comme à l'écrit.

PRÉSENTATION DES INDICATIONS PHONÉTIQUES ET LEXICALES

■ L'**accent principal** des mots de plus d'une syllabe est systématiquement signalé à l'aide d'un **accent droit avant la syllabe accentuée**. Cet accent est placé soit dans le mot lui-même soit dans la transcription phonétique.

'mankind
L'accent tombe sur la syllabe **man**.

to live to'gether
L'accent tombe sur la syllabe **ge**.

gene'rations
L'accent tombe sur la syllabe **ra**.

society [sə'saɪəti]
L'accent tombe sur la syllabe saɪə.

■ Dans les **transcriptions phonétiques**, seules les syllabes sur lesquelles on souhaite attirer l'attention sont indiquées. Une syllabe qui ne pose pas de problème de prononciation est signalée à l'aide d'un tiret court.

'mankind [-kaɪnd]
La prononciation de la syllabe **man** ne pose pas de problème de prononciation.

'puberty [pjuː--]
Les deux syllabes **ber** et **ty** ne posent pas de problème de prononciation.

■ Dans les traductions des noms s'appliquant à la fois aux hommes et aux femmes, nous avons choisi le masculin, considéré comme un **genre** grammaticalement **neutre**.

'married	*marié*
divorced	*divorcé*
a 'hairdresser	*un coiffeur*
a cook	*un cuisinier*
a lawyer	*un avocat*

Symboles phonétiques utilisés

VOYELLES BRÈVES

[ɪ]	big, which, England
[e]	bed, said
[æ]	hat, that
[ɒ]	sock
[ʊ]	good, would
[ʌ]	duck, something, does
[ə]	an, rhythm

VOYELLES LONGUES

[iː]	see, sea, believe
[ɑː]	car, father, dance
[ɔː]	port, walk, taught, thought, law
[uː]	two, too, whose, rule
[ɜː]	bird, work, heard

DIPHTONGUES

[eɪ]	mail, snake
[aɪ]	might, cry, while
[ɔɪ]	boy
[əʊ]	coat, hope, ago, don't, those
[aʊ]	now, about, down, hour
[ɪə]	here, hear
[eə]	rare, bear, there
[ʊə]	tour

CONSONNES

[θ]	thing
[ð]	this
[z]	dogs
[ʃ]	shop, sugar
[ʒ]	garage
[tʃ]	choose
[dʒ]	just
[ŋ]	king, rang
[j]	yes
[w]	whisky

Sommaire

Abréviations et symboles utilisés 8

LEXIQUE THÉMATIQUE 9

Les êtres humains : caractéristiques collectives et individuelles

1. Les êtres humains 10
2. L'individu 14

Le corps : activité physique et intellectuelle

3. Le corps humain 19
4. L'activité physique 26
5. L'activité intellectuelle 29
6. L'hygiène et la santé 35

La vie quotidienne

7. L'alimentation et la cuisine 41
8. Les repas 48
9. Les vêtements 53
10. La maison 57

La famille, les relations entre individus

11. La vie de famille 64
12. Les relations avec autrui 68
13. Les émotions 73

L'école et la vie professionnelle

14. Les études 76
15. La vie professionnelle 80

L'environnement

16. Décrire son environnement 85
17. L'environnement urbain 91
18. L'environnement naturel 95
19. Les animaux 99
20. Les plantes 106
21. Pollution et défense de l'environnement 109

Le temps libre et les loisirs

22. Jeux et sports 112
23. Le tourisme et les moyens de transport 116
24. Fêtes et traditions 123

Raison, foi et croyances

25. Les sciences 127
26. Religions et croyances 131

Arts et culture

27. La création et les styles artistiques 136
28. La littérature et la lecture 139
29. Les beaux-arts et l'architecture 143
30. La musique 147
31. Les arts du spectacle 150
32. La photographie et le cinéma 154

La communication

33. Les médias 157
34. Les techniques de communication 161

L'économie

35. L'économie et la finance 164
36. Les ressources naturelles 168
37. Les activités de transformation 173
38. Le commerce et les services 176

Politique et société

39. Nations et États 180
40. Le fonctionnement d'une démocratie 184
41. Les sociétés modernes 188

Le monde d'aujourd'hui

42. La population mondiale 192
43. L'économie mondiale 195
44. Les relations internationales 198

Le temps et l'histoire

45. Le temps, la mesure du temps 202
46. Les grandes périodes de l'histoire 205

La Terre

47. Caractéristiques géologiques de notre planète 210
48. Le climat, le temps qu'il fait 213
49. Continents et pays 216
50. La Terre dans l'univers 221

GUIDE DE COMMUNICATION 223

Établir des relations sociales

1. Saluer, prendre congé 224
2. Se présenter, présenter quelqu'un 226
3. Souhaiter la bienvenue 228
4. Inviter, accepter une invitation 230
5. Offrir 232
6. Demander ou donner une permission 235
7. Demander un service, une information 237
8. Remercier 240
9. S'informer sur quelqu'un 242
10. Décrire quelqu'un ou quelque chose 244
11. Conseiller 246
12. S'excuser 249
13. Changer de conversation 251
14. Téléphoner 253
15. Faire une réclamation, des reproches 256

Se situer dans l'espace et dans le temps

16. Situer dans l'espace 259
17. Situer dans le temps 262
18. Parler du temps qui passe 264
19. Parler de l'âge 266
20. Dire l'heure 268
21. Parler d'un événement passé 270
22. Rattacher un événement passé au présent 273
23. Situer un événement dans le présent 275
24. Situer un événement dans l'avenir 277
25. Se souvenir 279
26. Exprimer la durée 281
27. Chiffrer 283

Agir, faire agir

28. Être capable, réussir quelque chose 287
29. Être obligé, avoir besoin de quelque chose 289
30. Exprimer la conséquence ou le résultat 291
31. Faire faire quelque chose 292
32. Insister 294
33. Persuader ou dissuader 296
34. Ordonner, interdire 298

Exprimer ses sentiments

35. Exprimer ses goûts 300
36. Exprimer ses préférences 302
37. Exprimer des souhaits 304
38. Exprimer son espoir ou son désespoir 306
39 Dire qu'on est satisfait ou mécontent 308
40. Exprimer son indifférence 310
41. Exprimer sa surprise 311
42. Exprimer sa déception 313
43. Exprimer ses craintes 314
44. Exprimer sa colère 316
45. Exprimer ses regrets 318

Exprimer son opinion, sa pensée

46. Exprimer son opinion 320
47. Exprimer son accord ou son désaccord 323
48. Donner raison, concéder 325
49. Juger des idées, évaluer, comparer 327
50. Opposer des faits ou des idées 330
51. Déduire 333
52. Énoncer une condition 334
53. Émettre un doute 336
54. Exprimer une certitude, une probabilité 338
55. Dire qu'on sait ou qu'on ne sait pas 341
56. Demander ou donner des explications 343
57. Résumer, reformuler 346
58. Rapporter des paroles ou des pensées 348

Écrire en anglais

59. Écrire un courrier 350
60. Écrire un texte 356

Situations de communication

61. Dans un magasin 359
62. Au restaurant ou dans un pub 362
63. À l'hôtel 365
64. À la gare 368
65. À la banque 371
66. Au spectacle, au cinéma, au musée 373
67. Au garage 375
68. Chez le médecin 377

INDEX 379

Abréviations et symboles utilisés

☞	mot ou expression de la même famille
☞	mot ou expression dérivés
≠	ne pas confondre avec
2.	2e sens d'un mot
ANT.	antonyme
fam.	familier
(GB)	anglais britannique
inv.	invariable
(litt.)	littéraire
(littér.)	littéralement
(péj.)	péjoratif
PL.	pluriel
PL. IRR	pluriel irrégulier
prov.	proverbe
qqch.	quelque chose
qqn	quelqu'un
REM.	remarque
sb	somebody
(sout.)	soutenu
sth	something
SYN.	synonyme
(US)	anglais américain
(v. irr.)	verbe irrégulier

LEXIQUE THÉMATIQUE

Bescherelle
ANGLAIS

1 Human beings

Les êtres humains

Age is not a particularly interesting subjet. Anyone can get old. All you have to do is live long enough.

Groucho Marx (American actor, 1890-1977).

L'âge n'est pas un sujet particulièrement intéressant. N'importe qui peut devenir vieux. Tout ce qu'il y a à faire, c'est de vivre assez longtemps.

Humanity L'humanité

to be *(v. irr.)*	être	**a being :** un être
'animate	vivant, animé	ANT. **inanimate**
'mankind [-kaɪnd]	le genre humain	SYN. **hu'manity** ☞ **the origins of ~ :** l'origine de l'humanité
'womankind	les femmes	
'human	humain	≠ **hu'mane :** humain, compatissant
a 'person	une personne	
to live to'gether	vivre ensemble	☞ **col'lective :** collectif
'ethnic	ethnique	**an ~ minority, ~ cleansing :** une minorité, la purification ethnique
a com'munity	une communauté	PL. **communities**
society [sə'saɪəti]	la société	☞ **life in ~ :** la vie en société
'social	social	**socially :** socialement
'ancestors	les ancêtres	
descent [dɪ'sent]	la descendance	☞ **of Swiss ~ :** d'origine suisse
gene'rations	les générations	
pre'history	la préhistoire	**a prehis'torian :** un préhistorien
a biped ['baɪ-]	un bipède	
Stone Age	l'Âge de pierre	☞ **a tool :** un outil
civili'zation	la civilisation	
bar'barity	la barbarie	**a barbarian :** un barbare ☞ **barbaric** *(adj.)* **:** barbare
crimes against hu'manity	les crimes contre l'humanité	
a 'genocide [--saɪd]	un génocide	

& Notez bien

■ **Man** et **society** s'emploient sans article pour parler de l'homme ou de la société en général.

Man is not as strong as nature. *L'homme n'est pas aussi fort que la nature.*
Society is not responsible for everything. *La société n'est pas responsable de tout.*

■ Il ne faut pas confondre le singulier **a people** (*un peuple*) et le pluriel **people** (*les gens*).

a man of the people : *un homme du peuple*; **the peoples of the east :** *les nations de l'Orient*; **the people at large :** *le grand public.*
People are more important than machines. *Les gens sont plus importants que les machines.*

The stages of life *Les étapes de la vie*

life	*la vie*	PL. **lives** ☞ **to live :** vivre
young	*jeune*	ANT. **old :** vieux
youth [ju:θ]	*la jeunesse*	☞ **in early ~ :** *dans la première jeunesse*
a child	*un enfant*	PL. IRR. **children** SYN. **a kid**
growth [grəʊθ]	*la croissance*	
to grow up *(v. irr.)*	*grandir, devenir adulte*	☞ **a grown-up :** un adulte
'puberty [pju:--]	*la puberté*	
a 'teenager	*un adolescent*	SYN. **an ado'lescent**
'studies ['stʌdiz]	*les études*	
sex life	*la vie sexuelle*	
an a'dult	*un adulte*	☞ **adulthood :** *l'âge adulte*
to earn one's living	*gagner sa vie*	
to move	*déménager*	
to 'marry	*épouser*	☞ **to get married :** se marier
a 'husband	*un mari*	
a wife	*une femme, une épouse*	PL. **wives**
to split up *(v. irr.)*	*se séparer*	SYN. **to break up**
to di'vorce	*divorcer*	☞ **a divor'cee :** un(e) divorcé(e)
mature [mə'tʃʊə]	*mûr*	
ex'perienced	*expérimenté*	
wise	*sage*	☞ **wisdom :** *la sagesse*
age	*l'âge*	☞ **to ~ :** vieillir ☞ **old ~ :** *la vieillesse*
middle age	*la cinquantaine*	☞ **middle-aged :** *d'un certain âge*
'menopause	*la ménopause*	

LEXIQUE THÉMATIQUE

to retire [rɪ'taɪə]	*prendre sa retraite*	
a 'pensioner	*un retraité*	
a 'senior 'citizen	*un senior, une personne du troisième âge*	
'senile ['siːnaɪl]	*sénile*	**se'nility :** *la sénilité*
Alz'heimer's di'sease	*la maladie d'Alzheimer*	
an old peoples' home	*une maison de retraite*	

& Notez bien

■ Pour dire *les jeunes*, on utilise l'adjectif substantivé **the young** ou le nom collectif **the youth**. **A youngster** se traduit par *un jeune*.

The youth of today are mature. *Les jeunes d'aujourd'hui sont mûrs.*

■ Pour désigner les personnes âgées, on utilise **the old** ou **the elderly**. Tous ces noms sont suivis d'un verbe au pluriel.

Our town is building more housing for the elderly. *Notre ville construit davantage de logements pour les personnes âgées.*

Expressions

He's my age, give or take a year. *Il a mon âge, à un an près.* • **What do you want to do when you grow up?** *Qu'est-ce que tu veux faire quand tu seras grand ?* • **to be on the right/wrong side of forty :** *ne pas encore avoir/avoir dépassé la quarantaine.* • **You look young for your age.** *Tu fais jeune pour ton âge.* • **They are past their prime.** *Ils ne sont plus tout jeunes.*

Birth and death *La naissance et la mort*

to repro'duce	*(se) reproduire*	SYN. **to breed** *(v. irr.)*
(be) 'pregnant	*(être) enceinte*	**pregnancy :** *la grossesse*
an a'bortion	*un avortement*	**to abort :** *avorter*
an 'embryo	*un embryon*	
a foetus ['fiːtəs]	*un foetus*	
ma'ternity	*la maternité*	**~ leave :** *congé de maternité*
birth	*la naissance*	≠ **a birth :** *un accouchement*
to be born	*naître*	REM. *Être né* se dit **was/were born**.
a 'baby	*un bébé*	PL. **babies** **a premature ~ :** *un prématuré*
a 'cradle	*un berceau*	
cot (GB), **crib** (US) **death**	*mort subite du nourrisson*	**a cot/crib :** *un lit d'enfant*
alive [ə'laɪv]	*vivant, en vie*	

to sur'vive	survivre	
'mortal	mortel(le)	ANT. **immortal**
death	la mort	☞ **~ agony :** *l'agonie*
to die	mourir	✎ **dying :** mourant
the dead	les morts	
a suicide ['su:ɪsaɪd]	un suicide	☞ **to commit ~ :** se suicider
to kill	tuer	☞ **to ~ oneself :** se suicider
an an'nouncement	*un faire-part*	☞ **a birth/marriage/death ~ :** un *faire-part de naissance/mariage/décès*
an 'autopsy	une autopsie	
an o'bituary	une nécrologie	
a burial ['berɪəl]	un enterrement	✎ **to bury :** enterrer
a 'coffin	un cercueil	
to cre'mate	incinérer	
ashes ['æʃɪz]	des cendres	
a tomb [tu:m]	une tombe	SYN. **a grave**
a 'graveyard	un cimetière	SYN. **a cemetery** ['semɪtri]
'mourning	le deuil	☞ **to go into ~ :** prendre le deuil
an heir [eə]	un héritier, une héritière	
an in'heritance	un héritage	✎ **to inherit :** hériter
a will	un testament	
to bequeath [bɪ'kwi:ð]	léguer	

& Notez bien

■ Le mot maternité se traduit par **maternity** (le fait d'attendre un enfant), **maternity hospital** (lieu où l'on accouche) ou **motherhood** (par opposition à la paternité).

■ **Alive** (en vie) est toujours attribut : **They are alive.** *Ils sont en vie.*
L'équivalent épithète est **living** : **the greatest living guitarist :** *le plus grand guitariste vivant.*

■ **Heir** (héritier, héritière) est l'un des rares mots dont on ne prononce pas le **h**, avec **hour**, **honest**, **honour**.

☞ Expressions

She's expecting. *Elle attend un enfant.* • **to give birth to a child :** *donner naissance à un enfant* • **to be at death's door :** *être à l'article de la mort* • **to pass on/away :** *s'éteindre* • **dead and buried :** *mort et enterré* • **Please accept my deepest sympathy.** *Veuillez accepter toutes mes condoléances.* • **RIP = Rest in peace.** *Qu'il/elle repose en paix.* • **my late husband :** *mon défunt mari (mon feu mari)* • **She died a natural death.** *Elle est morte de mort naturelle.*

2 The individual
L'individu

What a piece of work is a man! How noble in reason! How infinite in faculty! In form and moving how express and admirable! In action how like an angel! In apprehension how like a god! The beauty of the world! The paragon of animals! And yet, to me, what is this quintessence of dust?

Shakespeare (1564-1616), *Hamlet,* Act II, sc. 2.

Quel chef-d'œuvre que l'homme ! Qu'il est noble dans sa raison ! Qu'il est infini dans ses facultés ! Dans sa force et dans ses mouvements, comme il est expressif et admirable ! Par l'action, semblable à un ange ! Par la pensée, semblable à un dieu ! C'est la merveille du monde ! Le parangon des animaux ! Et pourtant, pour moi, qu'est-ce que cette quintessence de la poussière ?

Identity — *L'identité*

an ID (an identification)	*une pièce d'identité*	SYN. **a proof of identification**
i'dentity 'papers	*des papiers d'identité*	☞ **an identity card :** *une carte d'identité*
a 'passport	*un passeport*	
a 'criminal 'record	*un casier judiciaire*	
'finger prints	*les empreintes digitales*	
to sign ['saɪn]	*signer*	☞ **to append one's signature :** *apposer sa signature*
a form	*un formulaire*	
the 'registry 'office (GB)	*le bureau d'état civil*	SYN. **Public Records office** (US)
a birth cer'tificate	*un extrait de naissance*	
a name	*un nom*	
a 'person	*une personne*	
a girl	*une fille*	
a boy	*un garçon*	
a 'woman	*une femme*	PL. IRR. **women** SYN. **a lady**

a man	*un homme*	PL. IRR. **men** SYN. **a 'gentleman**
(of) male/female sex	*(de) sexe masculin/féminin*	REM. Les adjectifs **male** et **female** utilisés devant un nom n'ont rien de péjoratif.
'marital 'status [steɪ-]	*situation de famille, état civil*	
'married	*marié*	ANT. **unmarried, single :** *célibataire*
di'vorced	*divorcé*	
private ['praɪvət]	*privé*	ANT. **public :** public

Civilités

■ On dit **Mr Smith**, **Mrs Smith**, **Miss Smith**, **Ms Smith**. **Ms** [mɪz) est employé à la place de **Mrs** ou **Miss** par les femmes qui ne souhaitent pas préciser si elles sont mariées ou non.

■ Un prénom se dit de plus en plus **a first name** plutôt que **a Christian name**. Notez aussi : **a last name** ou **a surname** *(un nom de famille)*, **a nickname** *(un surnom)*.

Expressions

They call each other by their first names. *Ils s'adressent par leur prénom.* • **She hasn't got a criminal record.** *Elle a un casier judiciaire vierge.* • **Do you want my personal details?** *Vous voulez mes coordonnées ?* • **an identity crisis :** *une crise d'identité.*

Physical appearance *L'apparence physique*

a look	*un air*	☞ **a sad ~ :** *un air triste* ☞ **good-looking :** *beau, belle*
appearance [ə'pɪərəns]	*l'apparence, l'aspect*	
pretty ['prɪti]	*joli(e)*	
'beautiful	*beau, belle*	≠ **'handsome :** *beau [pour un homme]* **beauty :** *la beauté*
at'tractive	*séduisant, attirant*	ANT. **re'pulsive :** *repoussant*
'ugly	*laid*	
height [haɪt]	*la taille*	SYN. **size**
weight [weɪt]	*le poids*	
build	*la carrure*	☞ **of the same ~ as :** *de même carrure que*
'figure	*la silhouette*	☞ **to improve one's ~ :** *soigner sa ligne*

tall/big	*grand*	ANT. **small :** *petit* REM. **big** signifie à la fois *grand* et *fort*
a giant [dʒaɪənt]	*un géant*	**gigantic :** *gigantesque* ANT. **a dwarf :** *un nain*
strong	*fort*	ANT. **weak :** *faible*
fat	*gros*	ANT. **thin/slim/lean :** *mince* **slender :** *svelte*
'skinny	*maigre*	
long	*long*	ANT. **stocky :** *trapu, râblé*
hunch-backed	*bossu*	
(to be) lame	*boiter*	☞ **to go ~ :** *se mettre à boiter*
naked ['neɪkɪd]	*nu*	☞ **~ to the waist :** *torse nu* SYN. **bare**
tanned	*bronzé*	

& Notez bien

■ Petit peut se traduire de trois façons : **little**, **short** et **small**.
Little est surtout épithète et ajoute une nuance subjective (ton affectueux ou méprisant) : **He's my little brother.** *C'est mon petit frère.* ou **What an annoying little man!** *Quel type agaçant !* **Little** est toujours suivi d'un nom : **Poor little thing!** (et non ~~Poor little!~~). *Pauvre petit !*
Little attribut signifie **young** : **When I was little = When I was young.**
Small se veut objectif : **a small apartment :** *un petit appartement.* **Luke is too small to be a policeman.** *Luke est trop petit pour être policier.* **When I was small** signifie *Quand j'étais jeune.*
Pour dire de quelqu'un qu'il est petit, on utilise aussi l'adjectif **short** : **Luke is rather short/small.** *Luke est assez petit. Minuscule* se dit **tiny**.

☞ Expressions

You can't go by looks. *Il ne faut pas se fier aux apparences.* • **Looks aren't everything.** *La beauté n'est pas tout.* • **She looks like/resembles her mother.** *Elle ressemble à sa mère.* • **He takes after his father.** *Il tient de son père.* • **He looks pale/tired/sick/healthy/fit.** *Il est pâle/il a l'air fatigué/malade/en bonne santé/en forme* • **I am as fit as a fiddle.** *Je me porte comme un charme.* • **to be on form/on top form/out of form :** *être en forme/en pleine forme/ne pas être en forme* • **a woman of medium height :** *une femme de taille moyenne* • **She is one metre sixty (tall).** *Elle mesure 1,60 mètre.* • **My weight is eighty kilos** *ou* **I'm 80 kilos.** *Je pèse 80 kilos.* • **I tan easily.** *Je bronze facilement.* • **Think of your figure!** *Pense à ta ligne !* • **a man of mixed race :** *un métis* • **the hunchback of Notre Dame :** *le bossu de Notre-Dame* • **as naked as the day he was born :** *nu comme un ver.*

Personality La personnalité

be'haviour, (US) **behavior**	*le comportement*	✐ **to behave (oneself) :** *bien se tenir, se comporter*
'temperament	*le tempérament*	Syn. **temper** ✐ **temperamental, capricious :** *changeant, capricieux*
'character	*le caractère*	✐ **a characteristic :** *une caractéristique*
a 'manner	*une attitude*	Syn. **an attitude** ☞ **good/bad ~s :** *les bonnes/mauvaises manières*
frame of mind	*la disposition d'esprit*	
a trait [treɪt]	*un trait de caractère*	
a fault [fɔːlt]	*un défaut*	Syn. **a 'defect, a 'shortcoming :** *un travers*
a mood	*une humeur*	☞ **in a good/bad ~ :** *de bonne/mauvaise humeur* ✐ **moody :** *lunatique*
good-'tempered	*qui a bon caractère*	Ant. **bad-tempered** ☞ **short-tempered :** *coléreux*
good-'humoured	*de bonne humeur*	
'friendly	*gentil, amical*	Syn. **nice, likeable :** *sympa (fam.)*
'funny	*drôle*	
'charming	*charmant*	
honest ['ɒnɪst]	*honnête*	✐ **honour :** *l'honneur*
serious ['sɪəriəs]	*sérieux, sérieuse*	Syn. **trustworthy :** *digne de confiance*
decent ['diːsənt]	*décent, comme il faut*	Ant. **casual, offhand :** *désinvolte*
'proper	*convenable, bienséant*	✐ **propriety :** *la bienséance*
'careful	*soigneux, soigneuse*	Ant. **careless :** *négligent(e)*
con'siderate	*attentionné*	Ant. **inconsiderate :** *qui manque d'égards*
polite [pəˈlaɪt]	*poli*	Ant. **impolite, rude, cheeky, saucy :** *effronté, insolent*
wise [waɪz]	*sage*	✐ **wisdom** ['wɪz-] **:** *la sagesse*
self-'confident	*sûr de soi*	
proud [praʊd]	*fier, fière*	✐ **pride :** *la fierté*
brave	*courageux, courageuse*	Syn. **cou'rageous**
in'telligent	*intelligent*	Syn. **clever :** *astucieux*
'sensible	*sensé*	≠ **sensitive :** *sensible*
'skilful	*habile, adroit*	Ant. **clumsy, awkward**
'patient	*patient*	Ant. **impatient**
'cautious	*prudent*	Ant. **rash :** *imprudent, irréfléchi*
'nervous	*nerveux, tendu*	Syn. **tense**

LEXIQUE THÉMATIQUE

cruel [kruːəl]	*cruel*	Syn. **evil, wicked :** *méchant*
naughty	*vilain*	
'sulky	*boudeur, boudeuse*	✐ **to sulk :** bouder
strange	*bizarre*	
'curious	*curieux, bizarre*	≠ **inquisitive :** curieux, qui aime savoir ≠ **nosy :** curieux, fouineur
ri'diculous	ridicule	
'lazy	*fainéant*	
'lonely	solitaire	
shy	timide	✐ **shyness :** timidité Syn. **timid :** *craintif*
touchy ['tʌtʃi]	susceptible	Syn. **huffy** ✐ **touchiness :** susceptibilité
hard	*dur, sévère*	Syn. **harsh, tough :** solide, dur
rough	*brutal, peu raffiné*	
strict	strict	☞ ~ **but fair :** *sévère mais juste*

☞ Expressions

to keep ≠ lose one's temper : *rester calme ≠ s'emporter* • **to lack ≠ to have a lot of personality :** *manquer de ≠ avoir beaucoup de personnalité* • **a pleasant/ strong/compelling/striking/formidable/domineering personality :** une personnalité sympathique/forte/fascinante/remarquable/intimidante/dominatrice • **I'm not in the mood for dancing.** *Je ne suis pas d'humeur à danser.* • **to behave badly/appallingly/ disgracefully/irresponsibly/childishly :** se conduire mal/de façon consternante/ honteuse/irresponsable/puérile • **You have no manners.** Tu n'as aucun savoir-vivre.

3 The human body
Le corps humain

Inhabiting a male body is much like having a bank account; as long as it's healthy, you don't think much about it.

"The Disposable Rocket", John Updike (American writer, born in 1932), in *Michigan Quarterly Review*, 1993.

Pour un homme, habiter son corps c'est vraiment comme posséder un compte en banque. Tant qu'il est sain, on n'y pense pas beaucoup.

the 'body	*le corps*	PL. **bodies** ✐ **an able-bodied person :** *une personne valide*
blood [blʌd]	*le sang*	
the skin	*la peau*	☞ **smooth ≠ rough ~ :** *de la peau douce ≠ rugueuse*
perspi'ration	*la transpiration*	
flesh	*la chair*	
a bone	*un os*	
a muscle [mʌsl]	*un muscle*	
a nerve	*un nerf*	
a vein	*une veine*	☞ **an 'artery :** *une artère*
a 'skeleton	*un squelette*	

La tête *The head*

the neck	*le cou*	☞ **the nape of the ~ :** *la nuque*
the throat	*la gorge*	
the skull	*le crâne*	
the brain	*le cerveau*	☞ **brains :** *intelligence*
the scalp	*le cuir chevelu*	
a temple	*une tempe*	
the 'forehead	*le front*	
the 'profile [-faɪl]	*le profil*	
hair	*les cheveux, les poils*	☞ **pubic ~ :** *les poils pubiens*

hair style	*la coiffure*	
bald [bɔ:ld]	*chauve*	☞ **to be going ~ :** *devenir chauve*
com'plexion	*le teint*	
a 'feature	*un trait* [du visage]	
a wrinkle	*une ride*	SYN. **a line** ✐ **wrinkled :** *ridé*
pale	*pâle*	
a spot	*un bouton*	SYN. **a pimple** ☞ **a beauty ~, a mole :** *un grain de beauté*
an eye	*un œil*	☞ **an eyelid :** *une paupière* ☞ **an eyebrow :** *un sourcil* ☞ **an eyelash :** *un cil*
a pupil ['pju:pəl]	*une pupille*	
an ear	*une oreille*	☞ **the ~ lobe :** *le lobe de l'oreille* ☞ **an eardrum :** *un tympan* ☞ **an ear-splitting noise :** *un bruit perçant*
the nose	*le nez*	
a 'nostril	*une narine*	
a cheek	*une joue*	
a dimple	*une fossette*	
a lip	*une lèvre*	✐ **lipstick :** *du rouge à lèvres*
the mouth	*la bouche*	
the tongue [tʌŋ]	*la langue*	
to 'salivate	*saliver*	✐ **sali'vation :** *la salivation*
a tooth	*une dent*	PL. IRR. **teeth** ☞ **false teeth :** *un dentier* ☞ **a brace [for teeth] :** *un appareil dentaire*
the gums	*les gencives*	
the jaw	*la mâchoire*	
the chin	*le menton*	☞ **a double ~ :** *un double menton*
a beard	*une barbe*	
a mou'stache (GB)	*une moustache*	SYN. **mustache** (US)
to shave	*se raser*	☞ **clean-shaven :** *rasé de près*

& Notez bien

■ Le nom **hair** ne s'emploie pas au pluriel quand il désigne la chevelure de quelqu'un : **Your hair is dirty.** *Tes cheveux sont sales.* Mais on peut dire **There are two blond hairs on the pillow.** *Il y a deux cheveux blonds sur l'oreiller.*

Expressions

to shake one's head : *faire non de la tête* • **to nod :** hocher la tête • **to be red-/white-/dark-haired :** avoir les cheveux roux/blancs/noirs • **to have curly/wavy/straight/blond** *ou* **fair/black/red/grey hair :** avoir les cheveux bouclés/ondulés/raides/blonds/noirs/roux/gris • **to have one's hair cut :** se *faire* couper les cheveux • **to comb one's hair :** se peigner • **to have green/blue/brown eyes** *ou* **to be green-eyed/blue-eyed/brown-eyed :** avoir les yeux verts/bleus/marron • **to blow one's nose :** se moucher • **He's all mouth.** C'est un fort en gueule. • **Me and my big mouth!** J'ai encore perdu une occasion de me taire ! • **to live from hand to mouth :** vivre au jour le jour • **On the one hand... on the other hand...** D'une part... d'autre part... • **It's as plain as the nose on your face.** Ça se voit comme le nez au milieu de la *figure*.

The trunk Le tronc

a 'torso	un torse, un buste	
the chest	la poitrine	SYN. **the breast** ☞ **breasts :** les seins ☞ **breast-feeding :** allaitement au sein
a rib	une côte	
the 'belly	le ventre	SYN. **the tummy**
the back	le dos	
the spine	la colonne vertébrale	SYN. **the backbone**
'organs	les organes	
the heart	le cœur	☞ **a heartbeat :** un battement de cœur
the lungs	les poumons	
to breathe [briːð]	respirer	☞ **breathing :** la respiration
the stomach ['stʌmək]	l'estomac	
the bowels ['baʊəlz]	les intestins	☞ **the small/large in'testine** [--tɪn] : l'intestin grêle/le gros intestin
to di'gest [daɪ-]	digérer	
to 'defecate	déféquer	SYN. *(fam.)* **to shit** *(v. irr.)* : chier
a 'kidney	un rein	
the 'liver	le *foie*	
the spleen	la rate	
the 'pancreas	le pancréas	
the 'bladder	la vessie	
to 'urinate [jʊə--]	uriner	SYN. *(fam.)* **to (have a) pee, to piss :** pisser
'genitals	les organes sexuels	
the penis ['piːnɪs]	le pénis	
the 'testicles	les testicules	
the va'gina [-dʒaɪ-]	le vagin	

Limbs Les membres

a 'shoulder ['ʃəʊldə]	*une épaule*	
a joint	*une articulation*	
an arm	*un bras*	☞ **the armpit :** l'aisselle
a hand	*une main*	
a 'finger	*un doigt*	☞ **the forefinger :** l'index
a thumb	*un pouce*	☞ **Tom Thumb :** le Petit Poucet
a nail	*un ongle*	
an 'elbow	*un coude*	
a fist	*un poing*	
a wrist	*un poignet*	
a hip	*une hanche*	☞ **to sway one's ~s :** se déhancher
the waist	*la taille*	
the buttocks ['bʌtəks]	*les fesses*	SYN. *(fam.)* **the ass :** le cul
a thigh	*une cuisse*	
a leg	*une jambe*	
a knee [ni:]	*un genou*	☞ **a kneecap :** une rotule
a calf	*un mollet*	PL. **calves**
an ankle	*une cheville*	☞ **to sprain one's ~ :** se fouler la cheville
a foot	*un pied*	PL. IRR. **feet**
a heel	*un talon*	☞ **my Achilles' ~ :** mon talon d'Achille
a toe	*un orteil*	

& Notez bien

- En cuisine, le mot **kidney** se traduit par rognon et **leg** par gigot ou cuisse.
- **Organ** signifie organe (**vocal organs :** les organes vocaux, **sexual organs :** les organes génitaux), *ou* orgue (**the grand organ :** les grandes orgues).
- Le pied d'une table, d'un lit se dit **a table leg, a bed leg**...
- Taille 40 se dit **size 40** (et non **waist 40** !).

☞ Expressions

to go on foot : *aller à pied* • **to put one's foot in it :** *mettre les pieds dans le plat* • **to shake hands with sb :** *serrer la main de qqn* • **to go barefoot :** *marcher pieds nus* • **to keep one's nerve :** *garder son sang-froid* • **in her heart (of hearts) :** *au fond d'elle-même* • **My heart isn't in it.** *Mon cœur n'y est pas.* • **You're under his thumb.** *Tu es sous sa coupe.* • **to thumb one's nose at sb :** *faire un pied de nez à qqn* • **Fingers crossed!** *Croisons les doigts.*

The five senses *Les cinq sens*

Eyesight *La vue*

to watch	*regarder, observer*	☞ **~ TV/a film :** *regarder la télé, un film*
to stare at sth	*fixer du regard*	SYN. **to peer at sth :** *scruter du regard*
to make out sth	*distinguer*	
to gaze at sth/sb	*regarder, contempler*	
to frown at sb	*regarder en fronçant les sourcils*	
to gape at sth/sb	*regarder bouche bée*	
to wink at sb	*faire un clin d'œil*	☞ **to blink :** *cligner des yeux*
to glare at sb	*lancer un regard furieux*	
to catch a glimpse of sth	*apercevoir qqch.*	SYN. **to glimpse sth**
to glance at sth/sb	*jeter un coup d'œil à qqch./qqn*	SYN. **to steal a glance at sth/sb**
to peep at sth	*regarder furtivement*	
short-sighted	*myope*	ANT. **long-sighted :** *presbyte*
'glasses	*des lunettes*	☞ **to wear ~ :** *porter des lunettes*
'contact lenses	*des lentilles*	
bi'noculars [baɪ---]	*des jumelles*	
one-eyed	*borgne*	
blind [blaɪnd]	*aveugle*	☞ **a ~ man/woman :** *un(e) aveugle*
the visually impaired	*les malvoyants*	
to squint	*loucher*	☞ **to have a ~ :** *avoir un strabisme*
to see *(v. irr.)*	*voir*	
to look at sth	*regarder qqch.*	☞ **to have a look at sth :** *regarder qqch., jeter un coup d'œil à qqch.*

Hearing *L'ouïe*

to hear *(v. irr.)*	*entendre*	☞ **to ~ from sb :** *avoir des nouvelles de qqn* ☞ **to ~ of, about sth :** *entendre parler de qqch.*
to over'hear	*entendre par hasard, surprendre une conversation*	
deaf [def]	*sourd*	✐ **deafening :** *assourdissant* ☞ **to be stone - ~ :** *être sourd comme un pot*
the hearing impaired	*les malentendants*	

LEXIQUE THÉMATIQUE

to listen to sth/sb	*écouter*	
a sound	*un son, un bruit*	✐ **to ~ :** *sembler* [à l'oreille]
a noise	*un bruit*	✐ **noisy :** *bruyant* ✐ **noiseless :** *silencieux*
a din	*un vacarme, un chahut*	
muffled	*sourd, étouffé*	
'silence	*le silence*	✐ **silent :** *silencieux*
the au'dition	*l'ouïe, l'audition*	
'audible	*audible*	ANT. **inaudible :** *inaudible*

Smell L'odorat

to smell *(v. irr.)*	*sentir, humer*	
an odour ['əʊdə]	*une odeur*	
a 'perfume	*un parfum*	✐ **to perfume :** *parfumer*
a scent	*une senteur, un parfum*	✐ **scentless :** *inodore*
sweet-smelling	*qui sent bon*	ANT. **evil-smelling**
'fragrant [freɪ-]	*odorant*	
to stink *(v. irr.)*	*puer*	
a stench	*une puanteur*	
to sniff	*renifler*	

Taste Le goût

to taste	*goûter*	✐ **tasteless :** *fade* ☞ **to ~ of/like sth :** *avoir goût de*
dis'taste	*le dégoût*	✐ **distasteful :** *dégoûtant, désagréable*
a 'flavour (GB)	*un goût, une saveur*	SYN. **a flavor** (US)
'bitter	*amer*	
sweet	*doux*	
sugary ['ʃʊgəri]	*sucré*	
de'licious	*délicieux*	
'salty [contenant du sel]	*salé*	
'salted [additionné de sel]	*salé*	
sour [saʊə]	*aigre, acide*	SYN. **acid(ic)**
rich	*riche, lourd*	
taste buds	*les papilles gustatives*	
a treat [triːt]	*un régal*	
'sickening	*écœurant*	
re'volting	*dégoûtant*	SYN. **dis'gusting**

Touch Le toucher

to touch [tʌtʃ]	toucher	☞ **~ lightly, to brush against sth/sb :** *effleurer [des doigts]*
to feel *(v. irr.)*	toucher, palper	
to handle	manier, manipuler	
to tickle	chatouiller	
to stroke	caresser	
to grasp	empoigner	
to 'finger	toucher, manier [des doigts]	✎ **fingertips :** le bout des doigts
rough [rʌf]	rugueux, rêche	
smooth [smuːð]	lisse	
soft	doux, mou	ANT. **hard :** dur
cold	froid	ANT. **hot :** chaud ✎ **ice-cold :** glacial, glacé
'burning	brûlant	
dry	sec	ANT. **moist :** humide
'slimy	gluant, visqueux	☞ **'sticky :** poisseux
numb [nʌm]	engourdi, insensible	

& Notez bien

- On dit **the blind :** les aveugles, **the deaf :** les sourds. Ces adjectifs substantivés sont suivis d'un verbe au pluriel. **The blind are sometimes called the visually impaired.** On appelle parfois les aveugles les malvoyants.
- Ne pas confondre **to look at sth :** *regarder qqch.* et **to look :** avoir l'air. **To look like sb :** *ressembler à qqn*/**to look for sth :** chercher qqch.
- Comment décrire un son : **a deafening/faint/jarring/loud/muffled/shrill sound :** un bruit assourdissant/léger/discordant/fort/étouffé/perçant.
- Le mot **caress** s'emploie presque uniquement pour les personnes : **faire des caresses à qqn :** to caress sb.

☞ Expressions

to lose sight of sb : perdre qqn de vue • **It looks as if...** On dirait que... • **I'm all ears!** Je suis tout ouïe ! • **to sound foreign :** avoir un accent étranger • **It smells of petrol.** Ça sent l'essence. • **I smell a rat!** Il y a anguille sous roche. • **It tastes nice/bad.** Ça a bon/mauvais goût. • **It feels rough/soft/smooth.** C'est rugueux/doux/lisse. • **Is it to your taste?** Cela vous plaît ? • **There's no accounting for taste.** Les goûts et les couleurs, ça ne se discute pas.

4 Bodily activity
L'activité physique

Tu vas un peu trop vite à mon goût.

Moving Bouger

to move	*bouger*	Syn. **to make a move :** *faire un mouvement*
'motion	*le mouvement*	☝ **a ~ :** *un geste*
'mobile	*mobile*	Ant. **immobile, motionless, still :** *immobile*
to lie *(v. irr.)*, **to be lying**	*être allongé*	☞ **to ~ down :** *s'allonger*
to sit *(v. irr.)*, **to be sitting**	*être assis*	☞ **to ~ down :** *s'asseoir* ☞ **to ~ up :** *se redresser*
to stand up *(v. irr.)*	*se lever*	
to be standing	*être debout*	Syn. **to stand** *(v. irr.)*
to get up *(v. irr.)*	*se lever*	Rem. de la position horizontale
to rise *(v. irr.)*	*se lever, se mettre debout*	
to kneel *(v. irr.)* **to be kneeling** [ni:l]	*être agenouillé*	☞ **to ~ down :** *s'agenouiller*
to lean (on sth) *(v. irr.)*	*s'appuyer (sur qqch.)*	

to bow [baʊ]	s'incliner	☞ **to bend** *(v. irr.)* **:** se courber
to turn (round/around)	se retourner	
to creep *(v. irr.)*	ramper	Syn. **to crawl :** ramper, se traîner
to squat (down)	s'accroupir	Syn. **to crouch (down)**
to go *(v. irr.)*	aller	
to come *(v. irr.)*	venir	
to 'enter	entrer (dans)	Syn. **to come in(to)**
to walk	marcher	
a step	un pas	✐ **to ~ forward :** *faire un pas en avant*
a gait [geɪt]	une démarche	Syn. **a pace :** une allure
quick	rapide	Ant. **slow :** lent
to stride *(v. irr.)*	marcher à grands pas	
to wander ['wɒndə]	flâner, errer	☞ **to hang around** *(v. irr.)* **:** traîner
to saunter ['sɔːntə]	aller d'un pas nonchalant	
to shuffle along	traîner les pieds	
to 'hurry	se dépêcher	
to rush	se précipiter	Syn. **to dash, to dart, to tear** *(v. irr.)*
to run away *(v. irr.)*	s'enfuir	
to jump	sauter	✐ **to ~ up and down :** sautiller
to leap	bondir	
to skip	sautiller, sauter à la corde	
to bound, to bounce	faire des bonds	
'balance	l'équilibre	☞ **to keep one's ~ :** *garder l'équilibre*
to 'totter	tituber, chanceler	Syn. **to stagger, to reel**
to 'stumble	trébucher	
to trip sb up	faire trébucher qqn	
to slip on sth	glisser sur qqch.	
to fall *(v. irr.)*	tomber	
to slump (down)	s'écrouler	Syn. **to col'lapse**
to wriggle ['rɪgəl]	se tortiller	

Prépositions spatiales → p. 261

☞ Expressions

She always stands up for the poor. *Elle prend toujours la défense des pauvres.* • **It caused quite a stir.** *Ça a fait grand bruit.* • **Their popularity has slumped.** Leur popularité a baissé brutalement. • **They were dropping like flies.** Ils tombaient comme des mouches. • **I never skip school.** Je ne sèche jamais les cours.

Gesturing *Les gestes*

a gesture [ˈdʒestʃə]	*un geste*	
to wave	*faire signe de la main*	☞ **to ~ goodbye :** *faire au-revoir de la main*
to point at sth	*indiquer qqch. du doigt*	
to hand sth to sb	*tendre qqch. à qqn*	☞ **to pass sth to sb :** *passer qqch. à qqn*
to take *(v. irr.)*	*prendre*	
to catch *(v. irr.)*	*attraper*	
to pick sth up	*ramasser qqch.*	
to hold *(v. irr.)*	*tenir*	☞ **to seize, to grab :** *saisir*
to clutch at	*se cramponner à*	☞ **to cling to** *(v. irr.)* **:** *s'accrocher à*
to clasp	*étreindre, serrer*	
to squeeze out	*faire sortir en pressant*	
to wring *(v. irr.)*	*serrer, tordre*	SYN. **to twist :** *entortiller, tordre*
to stretch	*tendre, étirer*	
to reach	*atteindre*	✎ **to ~ out for :** *tendre le bras pour prendre qqch.*
to caˈress	*caresser*	SYN. **to stroke, to pet**
to hug	*étreindre*	SYN. **to embrace**
to push	*pousser*	
to pull, to draw *(v. irr.)*	*tirer*	
to raise, to lift	*lever, soulever*	
to ˈcarry	*transporter, porter*	
to drag along	*entraîner, tirer*	
to throw *(v. irr.)*,	*jeter, lancer*	SYN. **to cast** *(v. irr.)*
to hurl, to fling *(v. irr.)*	*jeter violemment*	
to strike *(v. irr.)*	*frapper*	SYN. **to beat (up)** *(v. irr.)* **:** *battre*
to thrust *(v. irr.)*	*pousser brusquement*	
to punch	*donner un coup*	

☞ Expressions

That's throwing out the baby with the bathwater. *Ça, c'est jeter le bébé avec l'eau du bain.* • **Stop twisting my words!** *Arrête de déformer mes propos !*

5 Intellectual activities
L'activité intellectuelle

Although many mental functions actually begin to fall off or reach their peak at about age 24 to 28, adults do continue to learn, and their mental programming refines itself. What's more, research over the past decades shows that the mind constantly adjusts its way of doing things and compensates nicely for many losses in efficiency. The brain, too, is almost infinitely plastic, containing many more neurons (with more potential connections between them) than we can use. If one neuron fails, those nearby can take on its load.

http://www.psychologytoday.com/

Bien que de nombreuses fonctions mentales commencent en fait à diminuer ou atteignent leur apogée entre 24 à 28 ans environ, les adultes continuent quand même à apprendre, et leur programmation mentale s'affine. De plus, des recherches menées ces dernières décennies montrent que l'esprit réajuste constamment sa manière de faire et compense bien de nombreuses pertes d'efficacité. Le cerveau a également des capacités presque infinies d'adaptation puisqu'il contient beaucoup plus de neurones (dotés d'un potentiel de connexion entre eux plus important) que ce nous pouvons utiliser. Si un neurone est défaillant, ceux qui sont proches peuvent prendre le relais.

Thinking, judging, imagining, remembering
Penser, juger, imaginer, se souvenir

Thinking Penser

to think *(v. irr.)*	penser	**a thinker :** un penseur **thought :** la pensée **a think tank :** un groupe de réflexion
'thinkable	imaginable	Ant. **unthinkable :** inimaginable
in'telligence	l'intelligence	
the 'intellect	l'intellect	**an intel'lectual :** un intellectuel
an analysis [ə'nælɪsɪs]	une analyse	**to 'analyse :** analyser
'reason	la raison	**to ~ :** raisonner **reasoning :** le raisonnement

LEXIQUE THÉMATIQUE

re'flection	la réflexion	✐ **a ~ :** une critique, une réflexion désobligeante
the mind	l'esprit	✐ **mindless :** stupide
knowledge ['nɒlɪdʒ]	le savoir	
'meaning	la signification, le sens	
in'telligent, 'clever, bright	intelligent	
brilliant ['brɪljənt]	brillant, génial	
'insight, perspi'cacity	la perspicacité	✐ **perspicacious :** perspicace
'witty	spirituel	REM. au sens qui a de l'esprit
to under'stand *(v. irr.)*	comprendre	✐ **understandable :** compréhensible
a genius ['dʒiːniəs]	un génie	☞ **a whiz(z) kid :** un petit génie
'conscious, a'ware (of)	conscient (de)	☞ **to be unaware of sth :** ne pas être conscient de qqch.
phi'losophy	la philosophie	☞ **a philo'sophical system :** un système philosophique
'abstract	abstrait	✐ **an abstract :** un résumé
a 'doctrine	une doctrine	
'rationalism	le rationalisme	
i'dealism	l'idéalisme	
'scepticism, skepticism	le scepticisme	✐ **sceptical, skeptical :** sceptique

Judging Juger

a judgement ['dʒʌdʒmənt]	une opinion, un avis	
common sense	le bon sens	
'rational	sensé, doué de raison	ANT. **irrational :** irrationnel, déraisonnable
to 'concentrate on	se concentrer sur	
to 'ponder (on) sth	méditer sur qqch.	SYN. **to 'meditate on sth**
the pros and the cons	le pour et le contre	
to argue ['ɑːgjuː]	se disputer, argumenter	✐ **an argument :** un débat, une dispute, un argument
to ex'plain	expliquer	
an expla'nation	une explication	
to a'ssess	estimer, évaluer	SYN. **to ap'praise, to e'valuate**
to a'ssert	affirmer	
to 'settle	résoudre, régler	
to 'realize	se rendre compte de	
to con'sider sth	prendre en compte qqch.	
to 'gather	déduire	SYN. **to de'duce, to in'fer**

to guess	*deviner*	
to find that *(v. irr.)*	*trouver que*	
to justify ['dʒʌstɪfaɪ]	*justifier*	
to 'notice	*remarquer*	
to re'fer to sth	*faire référence, allusion à qqch.*	
to take sth into a'ccount *(v. irr.)*	*tenir compte de qqch.*	
'rigid	*rigide*	SYN. **strict :** strict
an 'error	*une erreur*	☞ **an ~ of judgement :** *une erreur de jugement*
a prejudice ['prədʒədɪs]	*un préjugé*	
stu'pidity	*la stupidité*	
dull, dim	*stupide, borné*	

➜ p. 327 (Juger des idées, évaluer, comparer)

☞ Expressions

to think twice : *y réfléchir à deux fois* • **on second thoughts :** *à la réflexion* • **If you (ever) change your mind.** *Si (jamais) tu changes d'avis.* • **It occurred to me that** *ou* **It dawned on me that...** *Il m'est venu à l'esprit que...* • **What's on your mind?** *Qu'est-ce qui te tracasse ?* • **A penny for your thoughts!** *À quoi penses-tu ?* • **Great minds think alike** *(prov.)*. *Les grands esprits se rencontrent.* • **judging by... :** *à en juger par...*

Imagining *Imaginer*

imagi'nation	*l'imagination*	✐ **to i'magine :** *imaginer* ✐ **imaginary :** *imaginaire*
to 'figure	*penser, s'imaginer*	✐ **to ~ out :** *résoudre, arriver à comprendre*
to sur'mise, su'ppose,	*supposer, conjecturer*	SYN. **to as'sume, to pre'sume**
to 'speculate on	*faire des suppositions*	
to in'vent	*inventer*	
to muse	*songer*	
to 'daydream	*rêver tout éveillé*	
an il'lusion	*une illusion*	
to 'fancy	*se figurer, imaginer*	✐ **a ~ :** *un fantasme, une idée fantasque*
a 'fantasy	*un fantasme, un rêve*	✐ **to fantasize :** *fantasmer*
in'vention	*invention, mensonge*	
make-believe	*illusions, chimères*	☞ **to play ~ :** *jouer à faire semblant*

LEXIQUE THÉMATIQUE

Remembering Se souvenir

to re'member sth	se souvenir de qqch.	SYN. **to recall, to recollect**
'memorize	mémoriser	
'memory	la mémoire	**a ~ :** un souvenir
a souve'nir	un souvenir [objet]	**a ~ shop :** une boutique de souvenirs
'memorable	mémorable	SYN. **unforgettable :** inoubliable
a re'minder	un rappel	
a (war) me'morial	un monument aux morts	
to think back to the past	se rappeler le passé	
to for'get *(v. irr.)*	oublier	**for'getfulness :** l'oubli
amnesia [æm'ni:ziə]	l'amnésie	

& Notez bien

■ On utilise souvent le modal **can** devant le verbe **remember** : **I (can) remember/ I can't remember** (*ou* **I don't remember**).

Ne pas confondre **remember sth** (se souvenir de qqch.) et **remind sb of sth** (rappeler qqch. à qqn).

I'll remind Tracey/her of it. Je le rappellerai à Tracey./Je le lui rappellerai.

It reminds me of my school days. Ça me rappelle quand j'étais à l'école.

Expressions

My memory fails me. Ma mémoire me fait défaut. • **We have fond memories of that holiday.** Nous avons gardé un souvenir ému de ces vacances. • **She has only a vague recollection of...** Elle n'a qu'un vague souvenir de... • **As far as I can remember...** Autant que je m'en souvienne... • **To learn by heart :** apprendre par cœur • **Out of sight, out of mind** *(prov.)*. Loin des yeux, loin du cœur. • **I'm writing my memoirs.** J'écris mes mémoires.

→ p. 279 (Se souvenir)

Language, speech
Le langage, la langue, la parole

Language Le langage, la langue

'ancient 'languages	les langues anciennes	ANT. **modern languages :** les langues vivantes
a 'foreign language	une langue étrangère	
'mother tongue	la langue maternelle	

bi'lingual [baɪ'lɪŋgwəl]	*bilingue*	
colloquial [kə'ləʊkwiəl]	*familier*	
'formal	*formel, soutenu*	ANT. **informal :** *familier*
slang	*l'argot*	
to ex'press sth	*exprimer qqch.*	
im'ply	*laisser entendre, impliquer*	
to re'mark	*remarquer, faire observer*	
to point out that	*faire remarquer que, mettre en évidence*	☞ **to point sth out to sb :** *faire remarquer qqch. à qqn*
to 'mention	*mentionner*	
'grammar	*la grammaire*	
vo'cabulary	*le vocabulaire*	
a 'synonym	*un synonyme*	☞ **to be sy'nonymous with :** *être synonyme de*
an 'adjective	*un adjectif*	
an 'adverb	*un adverbe*	
a con'junction	*une conjonction*	
a prepo'sition	*une préposition*	
an ex'pression	*une expression*	SYN. **a phrase**
a clause [klɔːz]	*une proposition*	
a 'sentence	*une phrase*	
a 'paragraph	*un paragraphe*	
a 'cliché	*un cliché*	
an 'ending	*un dénouement, une conclusion*	
a verb	*un verbe*	
the 'present	*le présent*	☞ **the past :** *le passé ;* **the 'future :** *le futur*
a 'subject	*un sujet*	☞ **an 'object :** *un complément d'objet*

Speech La parole

to speak *(v. irr.)*	*parler*	✐ **to ~ up :** *parler (plus) fort* ☞ **public speaking :** *l'art oratoire*
to talk	*parler, discuter*	✐ **talkative :** *bavard*
to say sth *(v. irr.)*	*dire qqch.*	
to tell sb sth *(v. irr.)*	*dire qqch. à qqn, raconter*	
to chat	*bavarder*	SYN. **to have a chat with sb**

to 'gossip	*faire des commérages*	✐ **gossip :** les commérages ✐ **a ~ :** une commère, un bavard
to 'slander	calomnier	
to run down *(v. irr.)*	dénigrer	ANT. **to con'gratulate :** *faire des compliments*
to 'utter words/sounds	prononcer des mots, émettre des sons	
to pro'nounce [prə'naʊns]	prononcer	
stress	l'accent tonique	
a voice	une voix	
to howl [haʊl], **to yell**	hurler	
to cry (out)	s'écrier	
to cheer sb [tʃɪə]	acclamer qqn	
to jeer at sb, to boo	huer qqn	☞ **to hiss :** siffler
to 'mumble, to 'mutter	marmonner	
to 'stammer, to 'stutter	bégayer	☞ **to have a stammer :** être bègue
to sigh [saɪ]	soupirer	✐ **a ~ :** un soupir
to 'whisper	chuchoter	✐ **a ~ :** un chuchotement
to hush	*faire taire, se taire*	
'silence	le silence	✐ **silent :** silencieux
dumb [dʌm], **mute** [mjuːt]	muet	☞ **deaf-and-dumb :** sourd-muet

& Notez bien

■ Signes de ponctuation **(punctuation)** : **a comma :** une virgule ; **a semi-colon :** un point virgule ; **a full stop** (GB)/**a period** (US) : un point ; **a colon :** deux-points ; **an exclamation mark :** un point d'exclamation ; **a question mark :** un point d'interrogation ; **quotation marks :** des guillemets ; **a slash, a stroke :** une barre oblique ; **a hyphen :** un trait d'union ; **a parenthesis, a bracket :** une parenthèse.

■ Il existe deux constructions des verbes **tell** et **say** (dire) : **Can I tell you something?** *ou* **Can I say something to you?**

☞ Expressions

Speech is silver but silence is golden. La parole est d'argent mais le silence est d'or. • **to clear one's throat :** s'éclaircir la voix • **He's a French native speaker.** Il est de langue maternelle française. • **to be speechless :** être sans voix • **to make a speech :** faire un discours • **to give a talk on sth :** *faire un exposé sur qqch.*

6 Hygiene and health
L'hygiène et la santé

Daily life in the Middles Ages
Contrary to popular legend, medieval man loved baths. People probably bathed more than they did in the 19th century, says the great medievalist Lynn Thorndike. Some castles had a special room beside the kitchen where the ladies might bathe sociably in parties. [...] In the cities there were public baths for the populace.
Morris Bishop (American scholar, 1893-1973), *The Middle Ages*, 1970.

La vie quotidienne au Moyen Âge
Contrairement à ce que l'on croit très souvent, l'homme du Moyen Âge aimait les bains. L'éminent médiéviste Lynn Thorndike affirme que les gens se baignaient probablement davantage qu'au XIXe siècle. Certains châteaux comprenaient une pièce spéciale jouxtant la cuisine où les dames pouvaient prendre des bains de façon sociable à plusieurs. [...] Dans les villes, il y avait des bains publics pour le peuple.

Body care Les soins corporels

Washing Se laver

to wash	*se laver*	
to 'freshen up	*faire un brin de toilette, se refaire une beauté*	
a tap (GB), **a 'faucet** (US)	*un robinet*	
a 'washbasin (GB)	*un lavabo*	SYN. **a sink** (US)
to shower ['ʃaʊə]	*se doucher*	SYN. **to take/have a ~**
a bath	*un bain*	☞ **a 'bathtub :** *une baignoire*
to wash one's hair	*se laver les cheveux*	☞ **sham'poo :** *le shampoing*
to brush one's teeth	*se brosser les dents*	☞ **a 'toothbrush :** *une brosse à dents*
soap	*du savon*	☞ **a bar of ~ :** *un savon*
a face cloth	*un gant de toilette*	
a sponge [spʌndʒ]	*une éponge*	
to dry oneself	*se sécher*	
a towel ['taʊəl]	*une serviette de toilette*	☞ **a bathtowel :** *un drap de bain*
to shave	*se raser*	☞ **a shaver, an electric razor :** *un rasoir électrique*

a razor ['reɪzə]	*un rasoir*	☞ **a ~ blade :** une lame de rasoir
shaving cream	*de la mousse à raser*	☞ **after-shave lotion :** de l'après-rasage
'body 'odour	*l'odeur corporelle*	☞ **a de'odorant :** un déodorant
'nail 'scissors	*des ciseaux à ongles*	☞ **to cut one's nails :** se couper les ongles

Sleeping Dormir

to sleep *(v. irr.)*	*dormir*	✎ **sleepy, drowsy :** qui a sommeil ✎ **sleepiness, drowsiness :** l'envie de dormir
to go to sleep *(v. irr.)*	*s'endormir*	☞ **to be asleep :** être endormi
to go to bed	*aller au lit*	
'sleepless	*insomniaque*	✎ **sleeplessness :** l'insomnie ☞ **a ~ night :** une nuit blanche
a sleeping pill	*un somnifère*	
to over'sleep	*dormir trop longtemps*	
to 'sleepwalk	*être somnambule*	Syn. **to be sleep walking**
to yawn	*bâiller*	✎ **a ~ :** un bâillement
to take a nap *(v. irr.)*	*faire la sieste*	Syn. **to take a si'esta**
to lie in *(v. irr.)*	*faire la grasse matinée*	
to nod off, to doze off	*s'assoupir*	✎ **to doze :** somnoler ✎ **a doze :** un somme
to rest	*se reposer*	✎ **a ~ :** un repos ☞ **to take/have a ~ :** se reposer
to snore	*ronfler*	✎ **a ~ :** un ronflement
to dream *(v. irr.)*	*rêver*	☞ **a 'nightmare :** un cauchemar
to wake up *(v. irr.)*	*se réveiller*	✎ **to be awake :** être réveillé ✎ **to awake sb :** réveiller qqn
an a'larm-clock	*un réveil*	☞ **a clock-radio :** un radio réveil
a bed	*un lit*	✎ **a 'bedroom :** une chambre à coucher ✎ **'bedclothes :** le linge de lit
a cot	*un lit d'enfant*	
a 'pillow	*un oreiller*	☞ **a ~ case :** une taie d'oreiller
a cushion ['kʊʃən]	*un coussin*	
a sheet	*un drap*	
a 'cover	*une housse*	
a 'blanket	*une couverture*	
an eiderdown ['aɪdədaʊn]	*un édredon, une couette*	Syn. **a comforter** (US)
a 'mattress	*un matelas*	

Expressions

to be fast/sound asleep : *être profondément endormi* • **I didn't sleep a wink.** *Je n'ai pas fermé l'œil.* • **It was so boring I yawned my head off.** *C'était tellement ennuyeux que j'ai bâillé à me décrocher la mâchoire.* • **Sleep on it!** *La nuit te portera conseil.* • **I'll sleep it off.** *Demain, je n'y penserai plus.* • **to set the alarm for seven :** *régler le réveil à 7 heures.*

Health La santé

health [helθ]	*la santé*	**healthy/in good ~ :** *en bonne santé*
to feel *(v. irr.)*	*se sentir*	**~ well/bad/ill :** *se sentir bien/mal/malade*
to 'suffer	*souffrir*	
breath [breθ]	*la respiration*	**a breath :** *un souffle* **breathless :** *essouflé, qui a du mal à respirer*
to hurt oneself *(v. irr.)*	*se blesser*	SYN. **to 'injure oneself**
an 'injury	*une blessure*	SYN. **a wound**
to re'cover	*se rétablir*	**recovery :** *la guérison*
to heal [hi:l]	*(se) cicatriser*	

Diseases and wounds Maladies et blessures

Sickness La maladie

ill, sick	*malade*	**an illness :** *une maladie* **sickness :** *la maladie*
a 'symptom	*un symptôme*	
pain [peɪn], **ache** [eɪk]	*la douleur*	
a fever ['fi:və]	*de la fièvre*	
to sweat [swet]	*transpirer, suer*	
'shivery, 'feverish	*fiévreux*	**to shiver :** *frissonner, grelotter*
weak	*faible*	
to sneeze	*éternuer*	
to cough [kɒf]	*tousser*	**a ~ :** *de la toux*
to 'vomit	*vomir*	
serious ['sɪəriəs]	*grave*	
an epi'demic	*une épidémie*	**con'tagious :** *contagieux*
an in'fection	*une infection*	**an (ear/throat) ~ :** *une infection (de l'oreille/de la gorge)*
a germ [dʒɜ:m]	*un microbe, un germe*	

a cold	*un rhume*	**to catch/get a ~ :** *attraper froid, s'enrhumer*
a sore throat	*un mal de gorge, une angine*	
influ'enza	*la grippe*	SYN. **(the) flu**
a rash	*une éruption*	☞ **a 'pimple :** *un bouton*
an 'allergy	*une allergie*	☞ **to be al'lergic (to sth) :** *être allergique (à qqch.)*
a stroke	*une attaque [cérébrale]*	☞ **a sunstroke :** *un coup de soleil*
a 'heart at'tack	*une crise cardiaque*	

Injuries Les blessures

a (wasp/bee) sting	*une piqûre (de guêpe/d'abeille)*	
a bite	*une morsure*	
a scratch	*une égratignure*	
a 'blister	*une ampoule*	
a lump	*une bosse*	
'swollen	*enflé*	
a bruise	*un bleu*	
a cut	*une coupure*	
a burn	*une brûlure*	
a fracture ['fræktʃə]	*une fracture*	
to break one's wrist/leg	*se casser le poignet/la jambe*	
to faint [feɪnt]	*s'évanouir*	SYN. **to lose consciousness :** *perdre conscience*

& Notez bien

- L'article est facultatif dans **to have (a) toothache/(a) stomach ache :** *avoir un mal de dents/des maux d'estomac.* Il est obligatoire avec **to have a headache :** *avoir mal à la tête.*
- Pour dire que l'on souffre de quelque chose, on dit souvent **I have...**
  I have asthma/(the) flu/a cold. *J'ai de l'asthme/la grippe/un rhume.*
  I have a cough/a headache/a sore throat. *Je tousse./J'ai mal à la tête/à la gorge.*
  I have a fever. My temperature is 39 degrees. *J'ai de la fièvre. J'ai 39 de fièvre.*
  I had a heart attack five years ago. *J'ai eu une crise cardiaque il y a cinq ans.*
  I have a venereal disease/AIDS. *J'ai une maladie vénérienne/le sida.*
- On emploie aussi **I feel...**
  I feel dizzy/ill/pain/sick/weak/well. *J'ai des vertiges./Je suis malade./J'ai mal/mal au cœur./Je me sens faible/bien.*

☞ Expressions

to get a sunstroke : *attraper une insolation* • **to have a stroke :** *avoir une attaque* • **the grip of election fever/World Cup fever :** *la fièvre électorale/de la Coupe du Monde* • **It makes me feel sick.** *Ça me rend malade, ça m'écœure.* • **In sickness and in health.** *Pour le meilleur et pour le pire.*

Treatment *Le traitement*

Medicine *La médecine*

to have 'treatment	*suivre un traitement*	
a drug, a 'medicine	*un médicament*	
a pill	*une pilule*	☞ **a 'tablet :** *un comprimé*
an 'aspirin	*une aspirine*	
antibi'otics	*des antibiotiques*	
a 'tranquillizer	*un tranquillisant, un calmant*	☞ **a 'painkiller :** *un analgésique*
an in'jection	*une injection, une piqûre*	
(some) band aid	*du sparadrap*	SYN. **(sticking) plaster**
a cast	*un plâtre*	☞ **in plaster :** *dans le plâtre*
a crutch	*une béquille*	
a 'wheelchair	*un fauteuil roulant*	
to cure [kjʊə]	*soigner*	SYN. **to heal**
a diet [daɪət]	*un régime*	
a rest	*un repos*	✆ **to ~ :** *se reposer*
a 'pharmacy	*une pharmacie*	SYN. **a chemist's**

Consulting and examination *La consultation et les examens*

At the doctor's *Chez le médecin*

a 'doctor	*un médecin*	SYN. **a physician**
a 'surgery	*un cabinet médical*	SYN. **a consulting room**
a patient ['peɪʃənt]	*un malade*	
an exami'nation	*un examen*	
a 'checkup	*un bilan de santé*	
'blood 'pressure	*la tension*	☞ **high/low ~ :** *l'hypertension/l'hypotension*
to sound (the chest)	*ausculter*	

a pres'cription	*une ordonnance*	☞ **to prescribe :** *prescrire*
a 'medical cer'tificate	*un certificat médical*	
a urine test	*une analyse d'urine*	
a health in'surance form	*une feuille maladie*	

→ p. 377 (Chez le médecin)

At the dentist's *Chez le dentiste*

a 'toothache ['-eɪk]	*un mal de dents*	
the drill	*la roulette*	
a de'cayed/bad tooth	*une carie*	SYN. **caries** (N. PL. INV.)
a 'filling	*un plombage*	
a crown	*une couronne*	

At the hospital *À l'hôpital*

a 'hospital	*un hôpital*	☞ **a 'clinic :** *une clinique*
the 'casualty ward	*le service des urgences*	SYN. **the casualty unit**
an 'ambulance	*une ambulance*	
a nurse	*une infirmière*	
a 'houseman (GB)	*un interne*	SYN. **an 'intern** (US)
a 'stretcher	*une civière*	
to X-ray	*radiographier*	✎ **an ~ :** *une radio* ☞ **a radiologist :** *un radiologue*
a surgeon ['sɜːdʒən]	*un chirurgien*	
an anes'thetic	*une anesthésie*	
to sterilize	*stériliser*	
an ope'ration	*une opération*	☞ **an operating theatre :** *une salle d'opération/un bloc opératoire*
appendi'citis [əpendɪ'saɪtɪs]	*l'appendicite*	☞ **to have the appendix out :** *être opéré de l'appendicite*
a 'blood trans'fusion	*une transfusion*	
a graft	*une greffe*	
a 'transplant	*une transplantation*	
the re'covery room	*la salle de réanimation*	
a stitch	*un point de suture*	
a bandage ['bændɪdʒ]	*un pansement*	
a scar	*une cicatrice*	

☞ Expressions

He doesn't look well. *Il n'a pas bonne mine.* • **to be taken ill :** *tomber malade* • **to be taken to hospital :** *être hospitalisé* • **to stay in bed :** *rester au lit* • **to go into hospital :** *aller à l'hôpital* • **to be in (the) hospital :** *être à l'hôpital.*

7 Food and cooking
L'alimentation et la cuisine

'What have you been doing here, Griet?' he asked. [...] 'Chopping vegetables, sir. For the soup.' [...] 'I see you have separated the whites,' he said, indicating the turnips and onions. 'And then the orange and the purple, they do not sit together. Why is that?' He picked up a shred of cabbage and a piece of carrot and shook them like dice in his hand. [...] 'The colours fight when they are side by side, sir.'

Tracey Chevalier (American writer, born in 1962), *Girl with a Pearl Earring*, 2003,
© Tracey Chevalier 1999.

« Qu'avez-vous fait là, Griet ? demanda-t-il [...] – J'ai émincé des légumes, monsieur. Pour la soupe. [...] – Je vois que vous avez mis à part les légumes blancs, dit-il en montrant les navets et les oignons. Et puis ceux qui sont orange et violets ne sont pas mis ensemble. Pourquoi cela ? » Il prit une lanière de chou et un morceau de carotte et les secoua comme des dés dans sa main. [...] « Les couleurs se battent lorsqu'elles sont côte à côte, monsieur. »

Food Les aliments

Meat *La viande*

game	*le gibier*	
beef	*du bœuf*	
veal	*du veau*	
lamb	*de l'agneau*	
'kidneys	*les rognons*	
'poultry ['pəʊltri]	*de la volaille*	
'chicken	*du poulet*	☞ **free-range ~s :** *des poulets élevés en plein air*
'turkey	*de la dinde*	
goose	*de l'oie*	PL. IRR. **geese**
duck	*du canard*	
pork	*du porc*	
ham	*du jambon*	
bacon ['beɪkən]	*du lard, du bacon*	
a sausage ['sɒsɪdʒ]	*une saucisse*	

a chop	*une côtelette*	
a steak	*un steak*	
rare [reə]	*saignant*	☞ **a very ~ steak :** *un steak bleu*
medium ['mi:diəm]	*à point*	
well done	*bien cuit*	
raw [rɔ:]	*cru*	
fat	*gras, la graisse*	☞ **low in ~ :** *allégé*
lean	*maigre*	
tender	*tendre*	
tough [tʌf]	*dur*	

Fish Le poisson

tuna ['tju:nə]	*du thon*	
cod	*du cabillaud*	
a trout [traʊt]	*une truite*	
a sar'dine	*une sardine*	
a 'herring	*un hareng*	
a sole	*une sole*	
a salmon	*un saumon*	☞ **smoked ~ :** *du saumon fumé*
a (fish)bone	*une arête*	
a scale	*une écaille*	
a fin	*une nageoire*	

& Notez bien

■ Les pluriels des noms suivants sont invariables: **fish**, **salmon**, **trout**, **cod**. On dit donc **two fish** (*deux poissons*), **two salmon** (*deux saumons*)...

Seafood Les fruits de mer

'shellfish	*un crustacé*	
a shell	*une coquille*	
a 'lobster	*un homard*	☞ **a claw :** *une pince*
a shrimp	*une crevette*	
prawns	*des crevettes roses/ bouquets*	
mussels ['mʌsəlz]	*des moules*	
an oyster	*une huître*	
a crab	*un crabe*	

→ p. 105 (Les animaux aquatiques)

Cheese *Le fromage*

goat's milk cheese	*du fromage de chèvre*	
sheep's milk cheese	*du fromage de brebis*	
processed cheese	*du fromage fondu*	
full-fat/low-fat cheese	*du fromage entier/allégé*	
'cottage 'cheese	*du fromage blanc*	
grated cheese	*du fromage râpé*	
soft/hard cheese	*du fromage à pâte molle/cuite*	

Fruit *Les fruits*

fruit [fruːt]	*des fruits*	☞ **stewed fruit :** *de la compote*
jam	*de la/des confiture(s)*	
a pip, a seed	*un pépin*	✐ **seedless :** *sans pépins*
an 'apple	*une pomme*	
a pear [peə]	*une poire*	
an orange ['ɒrɪndʒ]	*une orange*	☞ **~ marmalade :** *de la marmelade d'orange*
a tangerine [tændʒə'riːn]	*une clémentine*	
a 'lemon	*un citron*	☞ **a lime :** *un citron vert*
a 'grapefruit	*un pamplemousse*	
grapes	*du raisin*	☞ **a bunch of ~ :** *une grappe de raisin* ☞ **black/green ~ :** *du raisin noir/blanc*
a 'melon	*un melon*	
a fig	*une figue*	
a 'kiwi	*un kiwi*	
a 'passion fruit	*un fruit de la passion*	
a 'berry	*une baie*	PL. **berries**
a stone	*un noyau*	SYN. **a pit**
a date	*une datte*	
a peach	*une pêche*	PL. **peaches**
a 'cherry	*une cerise*	PL. **cherries**
a plum	*une prune*	☞ **a prune :** *un pruneau*
a 'mango	*une mangue*	PL. **mangoes**
a ba'nana	*une banane*	☞ **to peel a ~ :** *peler une banane*
a 'pineapple	*un ananas*	
skin	*la peau*	
peel	*l'écorce, un zeste*	
a shell	*une coquille*	

ripe	*mûr*	ANT. **not ~ :** *vert*
hard	*dur*	ANT. **soft :** *doux*
juicy ['dʒu:si]	*juteux*	
to bite *(v. irr.)*	*mordre*	
to 'gather	*cueillir, ramasser*	

Vegetables *Les légumes*

greens	*les légumes verts*	
spinach ['spɪnɪtʃ]	*des épinards*	
cabbage ['kæbɪdʒ]	*du chou*	
cauliflower ['kɒlɪflaʊə]	*du chou-fleur*	
lettuce ['letɪs]	*de la salade, de la laitue*	
a 'cucumber ['kju:kʌmbə]	*un concombre*	
a to'mato	*une tomate*	PL. **tomatoes**
a 'carrot	*une carotte*	
an onion ['ʌnjən]	*un oignon*	
a cour'gette (GB)	*une courgette*	SYN. **zuc'chini** (US)
an 'aubergine (GB)	*une aubergine*	SYN. **an 'eggplant** (US)
a potato [pə'teɪtəʊ]	*une pomme de terre*	PL. **potatoes**
a 'turnip	*un navet*	
beans	*des haricots*	
peas	*des petits pois*	
an as'paragus	*une asperge*	
an 'artichoke	*un artichaut*	
a 'mushroom	*un champignon*	
'soya	*le soja*	☞ **(soya) bean sprouts :** *des germes de soja*

& Notez bien

■ Le nom **fruit** est indénombrable : on ne peut pas l'utiliser avec l'article **a** et il n'a pas de pluriel. Un *fruit* se dit **a piece of fruit** ; *deux fruits* : **two pieces of fruit** (et non ~~**two fruits**~~).

■ Certains noms de fruits sont composés avec **-berry** (*baie*) : **a strawberry :** *une fraise* ; **a raspberry :** *une framboise* ; **blackberry :** *du cassis* ; **a gooseberry :** *une groseille à maquereau* ; **a cranberry :** *une airelle/canneberge*. Le pluriel de **berry** est **berries**.

■ D'autres sont composés avec **-nut** : **a walnut :** *une noix* ; **a hazelnut :** *une noisette* ; **peanuts :** *des cacahuètes* ; **a chestnut :** *un marron* ; **a coconut :** *une noix de coco*.

Cooking accessories and utensils
Les appareils et ustensiles de cuisine

a frying pan	*une poêle (à frire)*	Syn. **a skillet** ☞ **a non-stick ~ :** une poêle antiadhérente
a saucepan ['sɔːspən]	une casserole	
a pot	une marmite	
a 'pressure 'cooker	un autocuiseur	
a kettle	une bouilloire	
a cake/baking tin	un moule à gâteau	
a dish	un plat	
a bowl [bəʊl]	un bol, un saladier	
a 'blender	un mixer	☞ **a food processor :** un robot
a 'tin 'opener (GB)	un ouvre-boîte	Syn. **a can opener** (US)
a sieve [sɪv]	une passoire, un tamis	Syn. **a 'strainer :** une passoire
a 'spatula	une spatule	
a 'ladle ['leɪdəl]	une louche	
a knife [naɪf]	un couteau	Pl. **knives** ☞ **to sharpen a ~ :** aiguiser un couteau
a con'tainer	un récipient, une barquette	
a lid	un couvercle	
a 'handle	une poignée	
a cork	un bouchon	⚠ **a corkscrew :** un tire-bouchon
a cap	une capsule, un bouchon	Syn. **a top**
'kitchen roll	des essuie-tout	☞ **kitchen foil :** du papier d'aluminium
cling film	du film transparent	

& Notez bien

■ Voici quelques types de couteaux : **a carving knife :** un couteau à découper ; **a kitchen knife :** un couteau de cuisine ; **a butcher's knife :** un couteau de boucher ; **a breadknife :** un couteau à pain ; **a Swiss army knife :** un couteau suisse.

☞ Expressions

to sell like hot cakes : *se vendre comme des petits pains* • **It wasn't a piece of cake!** *Ça n'a pas été du gâteau !* • **to put the kettle on for some tea :** *faire chauffer de l'eau pour le thé* • **It's the pot calling the kettle black.** *C'est l'hôpital qui se moque de la charité.*

Following a recipe Réaliser une recette

Groceries Les provisions

'seasoning	les condiments	
salt [sɔːlt]	le sel	
sugar ['ʃʊgə]	le sucre	
'sweetener	un édulcorant	
'pepper	le poivre	
oil	l'huile	
'vinegar	le vinaigre	☞ **french dressing :** de la vinaigrette
'mustard	la moutarde	
capers ['keɪpəz]	des câpres	
'parsley	le persil	
bay	le laurier	
thyme [taɪm]	le thym	
'rosemary	le romarin	
'basil [beɪ-] *ou* [bæ-]	le basilic	
'spices	les épices	
'cumin	le cumin	
'cinnamon	la cannelle	
ginger ['dʒɪndʒə]	le gingembre	
flour ['flaʊə]	la farine	
'baking 'powder	la levure chimique	☞ **baking soda :** le bicarbonate de soude

Preparing La préparation

to peel	peler, éplucher	☞ **a vegetable peeler :** un couteau économe
to chop	hacher	SYN. **to mince**
to cut *(v. irr.)*	couper	☞ **to dice :** couper en dés
to grate	râper	
to carve	découper	
to slice	couper (en tranches)	
to pour	verser	
to beat *(v. irr.)*	battre	
to whip	fouetter	
to soak	faire/laisser tremper	
to sift	tamiser, passer au tamis	
to drain	égoutter	
to mix	mélanger	SYN. **to blend**

to 'season	*assaisonner, épicer*	**seasoning :** *l'assaisonnement*
to stuff	*farcir*	
to knead [ni:d]	*pétrir*	
mashed	*en purée*	**to mash :** *réduire en purée*

To cook *Faire cuire*

a stove, a cooker (GB)	*une cuisinière* [objet]	
an oven ['ʌvən]	*un four*	☞ **a microwave ~ :** *un four à micro-ondes*
a cook	*un cuisinier, une cuisinière*	
to heat	*chauffer*	☞ **to warm up :** *faire (ré)chauffer*
to boil	*(faire) bouillir*	
steamed	*cuit à la vapeur*	
to brown	*faire dorer*	
to sauté ['səʊteɪ]	*faire sauter*	
to (deep-)fry	*(faire) frire*	
to grill	*griller*	SYN. **to broil** (US)
to roast	*(faire) rôtir*	
gravy ['greɪvi]	*une sauce [au jus de viande]*	
to 'simmer	*faire mijoter, faire cuire à feu doux*	
to burn	*(laisser) brûler*	
to bake	*cuire au four*	**baked :** *cuit au four*
to 'barbecue	*faire un barbecue*	**a ~ :** *un barbecue*
home-made	*fait maison*	
hot	*fort, épicé*	
'spicy	*épicé*	ANT. **mild :** *doux*
sour ['saʊə]	*aigre*	
sweet	*sucré, doux*	☞ **sweet-and-sour :** *aigre-doux*

8 Meals
Les repas

After all the trouble you go to, you get about as much actual 'food' out of eating an artichoke as you get from licking thirty to forty postage stamps.

Miss Piggy (a puppet in *The Muppet Show*).

Pour beaucoup de travail, manger un artichaut est à peu près aussi nutritif que de lécher trente ou quarante timbres-poste.

Eating *Manger*

to eat *(v. irr.)*	*manger*	☞ **to ~ sth up :** *finir (un plat, son assiette)*
'edible	*mangeable*	ANT. **inedible :** *immangeable*
to feed *(v. irr.)*	*nourrir*	✐ **to ~ on :** *se nourrir de* ☞ **to ~ sb :** *donner à manger à qqn*
to nourish ['nʌrɪʃ]	*nourrir*	✐ **nourishment :** *les aliments*
malnu'trition	*la malnutrition*	☞ **undernourished :** *en état de malnutrition*
'hunger	*la faim*	
'appetite	*l'appétit*	☞ **to have a good/to lose one's ~ :** *avoir bon appétit/perdre l'appétit*
to be 'starving	*être affamé*	☞ **to die of star'vation :** *mourir de faim*
to be 'famished	*avoir une faim de loup*	SYN. **to be 'ravenous**
to gulp down	*engloutir*	SYN. **to gobble down, to wolf down**
to savour ['seɪvə]	*savourer*	SYN. **to savor** (US)
to 'nibble	*grignoter*	SYN. **to pick at sth**
a 'delicacy	*un mets délicat*	
a 'gourmet	*un gourmet*	
to be fas'tidious	*être difficile*	SYN. **to be choosy, picky**
to chew	*mâcher*	
to swallow ['swɒləʊ]	*avaler*	
to di'gest [daɪ-] *ou* [dɪ-]	*digérer*	✐ **(in)digestible :** *(in)digeste*
dietetics [daɪə'tetɪks]	*la diététique*	✐ **a diet :** *un régime*

☞ Expressions

to have a sweet tooth : *avoir un faible pour les sucreries* • **It makes my mouth water.** *Ça me donne l'eau à la bouche.* • **I'm full.** *Je suis rassasié.* • **I'm on a special diet.** *Je suis un régime spécial.*

The different meals *Les différents repas*

a meal	*un repas*	☞ **mealtime :** *l'heure du repas*
'breakfast	*le petit déjeuner*	☞ **a full English ~ :** *un petit déjeuner complet à l'anglaise*
an egg	*un œuf*	☞ **scrambled/fried/boiled/hard boiled ~s :** *œufs brouillés/sur le plat/à la coque/durs*
toast	*des toasts, du pain grillé*	✐ **a toaster :** *un grille-pain* ☞ **a piece of ~ :** *un toast*
'coffee	*du café*	☞ **a ~ pot :** *une cafetière*
lunch	*le déjeuner*	☞ **at ~ time :** *à l'heure du déjeuner*
tea	*le goûter, le thé*	
'dinner	*le dîner*	✐ **to dine :** *dîner* ☞ **supper :** *le souper*
a tea break	*une pause café*	☞ **a lunch break :** *une pause déjeuner*
an 'appetizer	*un amuse-gueule*	
a 'starter	*un hors-d'œuvre, une entrée*	
a course [kɔːs]	*un plat*	☞ **the main ~ :** *le plat principal* ☞ **a three-~ meal :** *un repas de trois plats*
a 'helping	*une part*	SYN. **a portion :** *une portion*
a dessert [dɪ'zɜːt]	*un dessert*	
a 'picnic	*un pique-nique*	
a packed lunch	*un panier-repas*	
a snack	*un casse-croûte*	
'sandwich bread	*du pain de mie*	
a feast	*un festin*	☞ **it's a real ~! :** *c'est un vrai festin !*

☞ Expressions

to have breakfast, lunch, tea, dinner : *prendre le petit déjeuner, déjeuner, goûter (prendre le thé), dîner* • **A meal can be decent/frugal/light/heavy/stodgy/lavish.** *Un repas peut être bon/frugal/léger/lourd/bourratif/somptueux.* • **Anyone for seconds?** *Qui en reprend ?* • **Help yourselves to some more.** *Reprenez-en.*

To set the table Mettre le couvert

to lay/set the table	mettre le couvert	ANT. **to clear the table :** débarrasser (la table)
to do the 'dishes	*faire la vaisselle*	SYN. **to wash up, to do the washing-up**
a dish	un plat [récipient]	
a plate	une assiette	☞ **a soup/dessert ~ :** une assiette creuse/à dessert
a glass (PL. **glasses**)	un verre	☞ **a wine ~ :** un verre à vin
a cup	une tasse	☞ **a mug :** une chope
a bowl [bəʊl]	un bol, un saladier, une coupe	
a knife [naɪf]	un couteau	PL. **knives**
a fork	une fourchette	
a spoon	une cuillère	
the 'cutlery (GB)	les couverts	SYN. **the silverware** (US)
the 'silverware	l'argenterie	
a 'napkin	une serviette de table	SYN. **a servi'ette** (GB)
a 'tablecloth	une nappe	

Drinks Les boissons

to drink *(v. irr.)*	boire	⚠ **drunk :** ivre
drinks	des boissons	SYN. **beverages** ['bevərɪdʒɪz]
tea	du thé	☞ **herbal ~ :** de la tisane ☞ **a ~ pot :** une théière
'coffee	du café	
hot 'chocolate	du chocolat chaud	
re'freshments	des rafraîchissements	
fruit juice [dʒuːs]	du jus de fruit	☞ **orange/apple juice :** du jus d'orange/de pomme
a soft drink	une boisson sans alcool	
a sparkling/fizzy drink	une boisson pétillante	SYN. **a soda** (US)
tap water	de l'eau du robinet	☞ **mineral water :** de l'eau minérale
lemo'nade	de la limonade	
coke [kəʊk]	du coca(-cola)	
liquors ['lɪkəz]	les boissons alcoolisées	SYN. **spirits**
liqueur [lɪ'kjʊə]	de la liqueur	
cider ['saɪdə]	du cidre	
beer	de la bière	☞ **a pint of ~ :** une pinte de bière ☞ **a draught** (GB)/**draft** (US) **~ :** une bière pression

wine	du vin	☞ **dry/sweet/white/red ~ :** du vin sec/doux *ou* moelleux/blanc/rouge
claret	du bordeaux	
port	du porto	
'sherry	du xérès	☞ **~ vinegar :** du vinaigre de xérès
'whisky	du whisky	☞ **scotch :** du whisky écossais
'brandy	du cognac	
a 'barrel	un tonneau	SYN. **a keg**

☞ Expressions

Let's go out for a drink. Allons prendre un verre. • **This place serves soft drinks only.** Cet établissement ne sert que des boissons non alcoolisées. • **They can't hold their liquor.** Ils ne supportent pas l'alcool. • **You've brought the silver!** Tu as mis les couverts en argent ! • **to seat the guests :** placer les invités • **I've set the table for ten.** J'ai mis dix couverts. • **Which tablecloth shall I put on?** Je mets quelle nappe ?

& Notez bien

- On boit des **liquors** (boissons alcoolisées), non de l'**alcohol** (teneur en alcool); mais **alcoholic :** alcoolique.
- **Alcoholics Anonymous (AA) :** les Alcooliques anonymes

At the restaurant Au restaurant

a 'restaurant	un restaurant	☞ **a fast food ~ :** un *fast-food*
a cafeteria [kæfə'tɪəriə]	une cafétéria, un self	SYN. **a canteen :** une cantine
a café ['kæfeɪ]	un café	
a diner ['daɪnə]	un petit restaurant	
a deli ['deli]	un traiteur	
a 'sandwich bar	une « sandwicherie »	
a 'takeaway, 'takeout (US)	une boutique de plats à emporter	
a bar	un bar	☞ **a wine ~ :** un bar à vins
a salad bar	un buffet de crudités	
a pub	un pub	
a 'coffee shop	un salon de thé	SYN. **a teashop, a tearoom**
to eat out	manger/aller au restaurant	
the menu ['menju:]	la carte	≠ **a set ~ :** un menu (à prix fixe)
today's 'special	le plat du jour	
a vege'tarian meal	un menu végétarien	

LEXIQUE THÉMATIQUE

the wine list	*la carte des vins*	
house wine	*la cuvée du patron*	☞ **house red/white :** rouge/blanc cuvée du patron *ou* maison
to 'order	*commander*	
a 'waiter, 'waitress	*un serveur, une serveuse*	
to serve	*servir*	**service :** le service ☞ **self-service :** un self-service
the bill (GB)	*l'addition*	SYN. **the check** (US)
a tip	*un pourboire*	☞ **to leave a ~ :** laisser un pourboire

→ p. 362 (Au restaurant ou dans un pub)

☞ Expressions

I don't feel like cooking. What about eating out? *Je n'ai pas envie de faire la cuisine. Si on allait au restaurant ?* • **to book a table** *ou* **to make a reservation :** *réserver une table* • **Are you all set?** *ou* **Are you ready to order?** *Vous êtes prêts à commander ?* • **What are you having/What will you have?** *Qu'est-ce que vous prenez ?* • **Would you like dessert?** *Aimeriez-vous un dessert ?* • **This dish is served cold.** *Ce plat est servi froid.* • **I'll have the day's special for my main course.** *Comme plat principal, je prendrai le plat du jour.* • **Can we have the bill, please?** *Vous pouvez nous donner l'addition, s'il vous plaît ?* • **It's my treat** *ou* **It's on me.** *L'addition est pour moi.* • **Service is not included.** *Le service n'est pas compris.*

9 Clothes
Les vêtements

> Clothes make the man. Naked people have little or no influence on society.
>
> Mark Twain (American writer, 1835-1910).
>
> *Le vêtement fait l'homme. Les gens nus ont peu ou aucune influence sur la société.*

Getting dressed, getting undressed
S'habiller, se déshabiller

to wear sth *(v. irr.)*	porter (un vêtement)	☞ **ready-to-wear clothes :** du prêt-à-porter ☞ **underwear :** les sous-vêtements
to get dressed	s'habiller	
to dress (a child)	habiller (un enfant)	☞ **to ~ up :** se mettre sur son trente-et-un ☞ **to ~ down :** s'habiller décontracté
slovenly ['slʌvənli]	débraillé, négligé	
to put on clothes *(v. irr.)*	mettre des vêtements	ANT. **to take off clothes** *(v. irr)* **:** enlever des vêtements
to strip off	se déshabiller complètement	
to change (one's clothes)	se changer	
to slip on	enfiler, passer	
to 'button (up)	boutonner	ANT. **to unbutton :** déboutonner
to 'buckle ['bʌkəl]	boucler, attacher [une ceinture]	ANT. **to unbuckle :** déboucler

☞ Expressions

Can I try this dress on? Je peux essayer cette robe ? • **This suit suits you beautifully.** Ce costume te va à merveille. • **with his clothes off :** déshabillé • **He dressed up as Zorro.** Il s'est déguisé en Zorro. • **There were two plain-clothes policemen on the scene of the crime.** Il y avait deux policiers en civil sur le lieu du crime.

LEXIQUE THÉMATIQUE

Clothes, shoes and accessories
Vêtements, chaussures et accessoires

clothes	des vêtements, des habits	☞ **formal/casual ~ :** des vêtements habillés/de tous les jours
rags	des guenilles	
a 'garment	un vêtement	
a 'wardrobe	une penderie	
a 'coathanger	un cintre	
dirty 'linen	du linge sale	
a dry 'cleaner	un teinturier	
a laundry ['lɔːndri]	une laverie automatique	
to iron ['aɪən]	repasser	
a coat	un manteau	✐ **an overcoat :** un pardessus ✐ **a raincoat :** un imperméable
an 'anorak	un anorak	
'oilskins	un ciré	
a jacket ['dʒækɪt]	une veste	☞ **a bomber ~ :** un blouson de cuir/d'aviateur ☞ **a dinner ~ :** un smoking
a suit [suːt]	un costume, un tailleur	☞ **a swimsuit/tracksuit :** un maillot de bain/un survêtement
an 'outfit	une tenue	
a 'uniform [juː--]	un uniforme	
a local/national 'costume	un costume régional/national	
a sweater ['swetə]	un pull(over)	SYN. **a jumper, a pullover**
a shirt	une chemise	☞ **a T-shirt, a tee-shirt :** un tee-shirt
'trousers (GB), **pants** (US)	un pantalon	☞ **a trouser suit :** un tailleur-pantalon
jeans	un jean	
shorts	un short	
a skirt	une jupe	
a dress	une robe	☞ **a wedding ~ :** une robe de mariée ☞ **a nightdress :** une chemise de nuit
an apron ['eɪprən]	un tablier	
a shoe	une chaussure	✐ **a shoelace :** un lacet ☞ **high heel ~s :** des talons-aiguilles
a sole	une semelle	
a boot	une botte	
'sandals	des sandales	

Underwear and accessories
Les sous-vêtements et les accessoires

an undergarment	*un sous-vêtement*	
a 'bathrobe	*un peignoir*	
py'jamas (GB), **pa'jamas** (US)	*un pyjama*	
a vest	*un maillot de corps, un gilet* (US)	
a bra	*un soutien-gorge*	
briefs	*un slip [d'homme]*	
'panties	*une culotte [de femme]*	
a sock	*une chaussette*	
'stockings	*des bas*	
tights [taɪts]	*des collants*	
a 'collar	*un col*	
a tie	*une cravate*	☞ **a bow ~ :** un nœud papillon
a scarf	*une écharpe*	Pl. **scarves**
a sleeve	*une manche*	
a lapel [lə'pel]	*un revers (de veste)*	
a hem	*un ourlet*	
a cuff	*un revers (de pantalon)*	
a 'button	*un bouton*	☞ **a buttonhole :** une boutonnière
a hook	*une agrafe*	
a zip	*une fermeture Éclair®*	
a belt	*une ceinture*	
'braces (GB)	*des bretelles*	Syn. **su'spenders** (US)
a 'pocket	*une poche*	
a 'handkerchief	*un mouchoir*	
a tissue ['tɪʃuː]	*un mouchoir en papier*	
gloves [glʌvz]	*des gants*	
a hat	*un chapeau*	
a bag	*un sac*	☞ **a handbag :** un sac à main
'jewellery (GB), **jewelry** (US)	*des bijoux*	☞ **a piece of ~, a jewel :** un bijou
'cufflinks	*des boutons de manchettes*	
a 'walking stick	*une canne*	

& Notez bien

■ Certains noms de vêtements sont toujours au pluriel : **trousers, oilskins, jeans, shorts.** Un pantalon se dit **a pair of trousers**.

LEXIQUE THÉMATIQUE

Sewing and sewing material
La couture et les matériaux de la couture

Fabrics — Les tissus

cloth	du tissu, de la toile	SYN. **fabric, material**
cotton ['kɒtən]	le coton	
silk	la soie	
cashmere ['kæʃmɪə]	le cachemire	
leather ['leðə]	le cuir	
polyester [pɒli'estə]	le polyester	
'denim	(toile de) jean	
'corduroy	le velours côtelé	
suede [sweɪd]	le daim	
wool	la laine	☞ **cotton ~ :** l'ouate
'velvet	le velours	
lace	la dentelle	
fur	la fourrure	

Fashion and sewing La mode et la couture

size	la taille	
made to 'measure	fait sur mesure	☞ **to take sb's measurements :** prendre les mesures de qqn
'fashion	la mode	✐ **fashionable :** à la mode ☞ **old-fashioned :** démodé
smart	chic, élégant	
a de'signer	un grand couturier	☞ **~ clothes :** vêtements de marque
a 'maker's 'label	une griffe	
(haute) cou'ture	la haute couture	
a 'tailor	un tailleur [métier]	☞ **a 'dressmaker :** une couturière
to sew *(v. irr.)* [səʊ]	coudre	☞ **a sewing ma'chine :** une machine à coudre
a needle	une aiguille	☞ **a darning/knitting ~ :** une aiguille à repriser/à tricoter
a pin	une épingle	
a 'tape 'measure	un mètre (souple)	
a thread	un fil	
to mend	raccommoder, repriser	
'scissors	des ciseaux	☞ **to cut** *(v. irr.)* **:** couper
a stitch	un point	
to knit *(v. irr.)* [nɪt]	tricoter	
a 'pattern	un patron	

10 The house
La maison

Hilary was four months pregnant when they sailed back to England in September. It was raining hard the morning they docked at Southampton, and Philip caught a cold which lasted approximately a year. They rented a damp and draughty furnished flat in Rummidge for six months, and after the baby had arrived they moved to a small, damp and draughty terraced house, from which, three years later, with a second child and another on the way, they moved to a large, damp and draughty Victorian villa.

David Lodge (British writer, born in 1935), *Changing Places* © David Lodge, 1975.

Hilary était enceinte de quatre mois lorsqu'ils revinrent en Angleterre en bateau au mois de septembre. Il pleuvait à verse le matin où ils débarquèrent à Southampton et Philip attrapa un rhume qui dura un an environ. Ils louèrent un meublé humide plein de courants d'air à Rummidge pendant six mois puis, après l'arrivée du bébé, ils s'installèrent dans une petite maison en mitoyenneté humide et pleine de courants d'air dont ils partirent trois ans plus tard, avec un deuxième enfant et un autre en route, pour s'installer dans une grande villa victorienne humide et pleine de courants d'air.

Types of houses, accommodation
Les types de maison, le logement

at home	chez soi	
a flat (GB), **an a'partment** (US)	un appartement	☞ **a block of flats** (GB), **an apartment building** (US) : un immeuble résidentiel
a 'mansion	un château/hôtel particulier	
a cottage ['kɒtɪdʒ]	une maisonnette rustique	
a 'farmhouse	une ferme	
a 'residence	une demeure	
a 'prefab(ricated house)	une maison préfabriquée	
a 'furnished house/flat	un meublé	
a high-rise building	une tour résidentielle	Syn. **a tower block**

LEXIQUE THÉMATIQUE

a 'skyscraper	*un gratte-ciel, une tour*	
a su'burban house	*un pavillon de banlieue*	
a 'shelter	*un abri*	
a 'hostel	*un foyer*	
a squat [skwɒt]	*un squat*	✎ **to ~ :** squatter ✎ **a squatter :** un squatter
for sale	*à vendre*	
to own [əʊn]	*posséder*	✎ **the owner :** le propriétaire
an e'state 'agent (GB)	*un agent immobilier*	SYN. **a real estate agent, a 'realtor** (US)
to rent	*louer*	SYN. **to let (out)** *(v. irr.)* ✎ **the rent :** le loyer
the 'landlord/'landlady	*le/la propriétaire*	
a 'tenant	*un locataire*	☞ **to evict/turn out a ~ :** expulser un locataire
to move in/out	*emménager/déménager*	☞ **a removal :** un déménagement

☞ Le mot *house*

Le mot **house** (ou **housing**) se retrouve dans de nombreux mots composés : **a house-warming party :** une crémaillère [fête] ; **a household :** un ménage, un foyer (les occupants d'une maison, d'un appartement) ; **a terraced house :** une maison en mitoyenneté ; **a penthouse :** un appartement de standing ; **a housing estate :** un lotissement (privé), une cité (logements sociaux) ; **the housing market :** le marché de l'immobilier ; **low-income housing :** des habitations à loyer modéré ; **the Ministry** (GB)/**Department** (US) **of housing :** le ministère du Logement.

☞ Expressions

to have a house built : *faire construire une maison* • **to go flat/apartment hunting :** chercher un appartement • **my place/home :** chez moi • **There's no place like home** *(prov.)*. On n'est vraiment bien que chez soi. • **a shortage of affordable housing :** une crise du logement • **homeless people :** les sans-abri.

The parts of the house Les parties de la maison

a roof	*un toit*
an aerial ['eəriəl]	*une antenne*
a slate	*une ardoise*
a tile	*une tuile*

a beam	*une poutre*	
a 'drainpipe	*une gouttière*	
a loft	*un grenier, un « loft »*	
an 'attic	*un grenier*	
a 'cellar	*une cave*	
a basement ['beɪsmənt]	*un sous-sol*	
a floor	*un étage*	SYN. **a storey** ✎ **the ~ :** *le plancher*
a landing	*un palier*	
a ceiling ['siːlɪŋ]	*un plafond*	
the walls [wɔːlz]	*les murs*	
a room	*une pièce*	
a door	*une porte*	
a lock	*une serrure*	☞ **a locksmith :** *un serrurier*
a 'corridor	*un couloir*	
a study ['stʌdi]	*un bureau*	
a 'kitchen	*une cuisine*	
the 'toilet	*les toilettes*	
a 'window	*une fenêtre*	☞ **a French ~ :** *une porte-fenêtre* ☞ **a bow ~ :** *un oriel, une fenêtre en saillie* ☞ **a sash ~ :** *une fenêtre à guillotine*
a 'skylight	*une lucarne*	
a curtain ['kɜːtən]	*un rideau*	
a 'shutter	*un volet*	
a blind	*un store*	SYN. **a shade**
a 'balcony	*un balcon*	
the stairs	*l'escalier*	
a lift (GB)	*un ascenseur*	SYN. **an 'elevator** (US)
a hall, an 'entrance hall	*un vestibule, une entrée*	
a front/back 'garden	*un jardin devant/ derrière la maison*	
a (court)yard	*une cour*	☞ **a back'yard :** *une arrière-cour, un jardin de derrière*
a terrace ['terəs]	*une terrasse*	
a 'swimming pool	*une piscine*	
a garage [gə'rɑːʒ]	*un garage*	
a shed	*un abri, une remise*	☞ **a toolshed :** *une cabane à outils*
a gate	*une grille*	
a fence	*une clôture*	

& Notez bien

■ Voici des noms composés en **-room** : **a bedroom :** *une chambre (à coucher)* ; **a living room/sitting room :** *un séjour* ; **a dining room :** *une salle à manger* ; **a guestroom/a spare room :** *une chambre d'ami* ; **a bathroom :** *une salle de bains.*

■ *Où sont les toilettes?* se dit **Where's the toilet?** (GB) **Where's the restroom/ bathroom?** (US) On évite d'employer le mot **toilet** aux États-Unis.

■ **A two-bedroom flat/apartment** signifie *un trois pièces* (*deux chambres + un séjour*).

■ **On the third floor** signifie *au troisième étage* en Grande-Bretagne, mais *au deuxième étage* aux États-Unis. Aux États-Unis, *rez-de-chaussée* se dit **first floor** (**ground floor** en Grande-Bretagne).

Furniture and domestic appliances
Le mobilier et les appareils ménagers

Furniture ['fɜːnɪtʃə] Le mobilier

a chair	*une chaise*	**an armchair :** *un fauteuil* ☞ **a rocking ~ :** *un fauteuil à bascule*
a stool	*un tabouret*	
a set'tee	*un canapé*	SYN. **a couch**
a 'table	*une table*	☞ **a dining/dressing ~ :** *une table de salle à manger/une coiffeuse*
a desk	*un bureau*	☞ **a writing ~ :** *un secrétaire*
a 'bookcase	*une bibliothèque*	**a bookshelf :** *un rayon (de bibliothèque)*
a shelf	*une étagère*	
a 'carpet	*un tapis*	☞ **a fitted/wall-to-wall ~ :** *une moquette*
a 'wardrobe	*une armoire*	
a 'mirror	*un miroir*	
a drawer [drɔː]	*un tiroir*	☞ **a chest of ~ s :** *une commode*
a chest	*un coffre*	
a 'dresser	*un buffet*	SYN. **a sideboard**
a cupboard ['kʌbəd]	*un placard*	

Domestic appliances Les appareils ménagers

an ap'pliance [ə'plaɪəns]	*un appareil*	☞ **'household ~ s :** *l'électroménager*
power ['paʊə]	*l'énergie, le courant*	☞ **a ~ cut :** *une coupure de courant*
a TV set	*une télévision*	

a 'video re'corder	*un magnétoscope*	
a DVD player	*un lecteur de DVD*	
a com'puter	*un ordinateur*	
a 'cooker	*une cuisinière*	
an oven ['ʌvən]	*un four*	☞ **a microwave ~ :** *un four à micro-ondes*
a re'frigerator	*un réfrigérateur*	SYN. *(fam.)* **a fridge :** *un frigo*
a 'freezer	*un congélateur*	
a 'washing ma'chine	*un lave-linge*	
a 'dishwasher	*un lave-vaisselle*	
a switch	*un interrupteur*	
a plug	*une prise*	
a lamp	*une lampe*	☞ **a lampshade :** *un abat-jour* ☞ **a halogen ~ :** *un halogène*
a bulb	*une ampoule*	
'heating	*le chauffage*	
'central 'heating	*le chauffage central*	
a radiator ['reɪdieɪtə]	*un radiateur*	
a 'fireplace	*une cheminée*	SYN. **an open fire(place)**
an e'lectric 'heater	*un radiateur électrique, un convecteur*	
a tank	*un réservoir*	☞ **a hot-water ~ :** *un ballon d'eau chaude*
a 'water 'heater	*un chauffe-eau*	
a 'boiler	*une chaudière*	

& Notez bien

■ Le nom **furniture** (*les meubles*) est indénombrable : il ne peut pas être précédé de l'article **a** et il ne se met jamais au pluriel. *Un meuble* se dit **a piece of furniture** ; *deux meubles* : **two pieces of furniture**.

Doing the housework *Faire le ménage*

chores [tʃɔːz]	*les corvées*	☞ **to do the ~ :** *faire le ménage*
to spring-clean	*nettoyer de fond en comble*	✐ **spring cleaning :** *le nettoyage de printemps, le grand nettoyage*
a 'vacuum 'cleaner	*un aspirateur*	SYN. **to vacuum** ['vækjuəm], **to hoover :** *passer l'aspirateur*
a broom	*un balai*	
to sweep *(v. irr.)*	*balayer*	
a floor cloth	*une serpillière*	

a mop	*un balai-éponge/ à franges*	
a bucket ['bʌkɪt]	*un seau*	
to dust	*épousseter*	☞ **a duster :** un chiffon
tidy ['taɪdi]	*bien rangé, ordonné*	ANT. **untidy :** *en désordre*

To do odd jobs Bricoler

D.I.Y. (do it yourself)	*le bricolage*	☞ **~ man/woman :** un bricoleur, une bricoleuse
to re'pair	*réparer*	SYN. **to mend, to fix**
masonry ['meɪsənri]	*la maçonnerie*	
the plumbing ['plʌmɪŋ]	*la plomberie*	
'joinery	*la menuiserie*	SYN. **'carpentry**
the (electrical) wiring	*l'installation électrique*	
to paint	*peindre*	
to re'decorate	*repeindre, refaire la décoration*	
to 'paper	*tapisser*	☞ **wallpaper :** du papier peint
a 'window-pane	*une vitre*	
a tool	*un outil*	☞ **a toolbox :** une boîte à outils
an e'lectric drill	*une perceuse*	
a 'hammer	*un marteau*	
a nail	*un clou*	
a screw	*une vis*	☞ **a screwdriver :** un tournevis
pliers ['plaɪəz]	*une pince*	
a saw [sɔː]	*une scie*	
a trowel ['traʊəl]	*une truelle*	
a brush	*un pinceau*	
a 'ladder	*une échelle*	

→ p. 83 (Quelques métiers)

☞ Expressions

to clean the house from top to bottom : *faire le ménage en grand* • **to repair the damage :** *réparer les dégâts* • **We've just had the roof fixed.** *Nous venons de faire réparer le toit.* • **An Englishman's/A man's home is his castle** *(prov.).* Charbonnier est *maître chez soi.*

Gardening *Le jardinage*

a 'garden	*un jardin*	✐ **a gardener :** un jardinier
a 'vegetable 'garden	*un potager*	
an orchard ['ɔːtʃəd]	*un verger*	
a 'scarecrow	*un épouvantail*	
a scythe [saɪð]	*une faux*	
to mow *(v. irr.)* [məʊ]	*faucher*	✐ **a (lawn) mower :** une tondeuse à gazon ☞ **to ~ the lawn :** tondre la pelouse
a fork	*une fourche*	
a rake	*un râteau*	
a shovel ['ʃʌvəl]	*une pelle*	
a spade	*une bêche*	☞ **to call a ~ a ~ :** appeler un chat un chat
a hoe [həʊ]	*une houe*	
to 'water	*arroser*	☞ **a watering can :** un arrosoir
a 'bucket	*un seau*	Syn. **a pail**
a (garden) hose	*un tuyau d'arrosage*	✐ **to hose :** *arroser au jet*
a 'wheelbarrow	*une brouette*	
an axe	*une hache*	Syn. **an ax** (US)
to fell (a tree)	*abattre (un arbre)*	Syn. **to cut down**
to turn over	*bêcher, retourner*	Syn. **to dig** *(v. irr.)*
a cultivator	*un motoculteur*	
the seeds	*les graines, la semence*	
to sow *(v. irr.)* [səʊ]	*semer*	
a bulb	*un bulbe*	
to plant	*planter*	✐ **a ~ :** une plante
(a pair of) pruning shears	*un sécateur*	Syn. **(a pair of) 'secateurs**
to trim	*tailler*	
a 'chainsaw	*une tronçonneuse*	
to prune	*élaguer*	
weed	*les mauvaises herbes*	☞ **to ~ the garden :** arracher les mauvaises herbes du jardin
a pest	*un nuisible*	✐ **a pesticide :** un pesticide
a 'caterpillar	*une chenille*	
a snail	*un escargot*	
a slug	*une limace*	
an aphid	*un puceron*	Syn. **a greenfly**

11 Family life
La vie de famille

William Hogarth (1697-1764), *The Cholmondeley Family*, 1732.

Members of the family
Les membres de la famille

a 'family	*une famille*	☞ **a single-parent ~ :** *une famille monoparentale*
a family tree	*un arbre généalogique*	
a 'family al'lowance	*les allocations familiales*	
a 'father	*un père*	
a mother [ˈmʌðə]	*une mère*	
the 'parents	*les parents [père et mère]*	
a brother [ˈbrʌðə]	*un frère*	
a 'sister	*une sœur*	

a son	*un fils*	
a daughter ['dɔːtə]	*une fille*	
an uncle ['ʌŋkəl]	*un oncle*	
an aunt [ɑːnt]	*une tante*	
a nephew ['nefjuː]	*un neveu*	
a niece [niːs]	*une nièce*	
a cousin ['kʌzən]	*un(e) cousin(e)*	☞ **a first/second ~ :** *un(e) cousin(e) germain(e)/au second degré*
a relative ['relətɪv]	*un parent*	☞ **a distant ~ :** *un parent éloigné*
an 'orphan	*un orphelin*	☞ **a ward :** *un(e) pupille*
a 'guardian	*un tuteur*	

☞ En famille

■ Aîné se dit **elder** pour l'aîné de deux enfants, **eldest** pour plus de deux enfants.

■ Noms composés en **grand-** : **a grandfather/granddad :** *un grand-père* ; **a grandmother/grandma :** *une grand-mère* ; **a grandchild :** *un petit-enfant* ; **a grandson :** *un petit-fils* ; **a granddaughter :** *une petite-fille* ; **the great grand-parents :** *les arrière-grands-parents.*

■ Noms composés en **-in-law** : **the in-laws :** *la belle-famille* ; **the father-/mother-in-law :** *le beau-père/la belle-mère* ; **my parents-in-law :** *mes beaux-parents* ; **a daughter / son-in-law :** *une belle-fille/un gendre* ; **a brother-/sister-in-law :** *un beau-frère/une belle-sœur.*

■ Noms composés en **step-** : **my stepson/daughter :** *mon beau-fils/ma belle-fille* ; **my stepfather/mother :** *mon beau-père/ma belle-mère* ; **a stepsister/brother :** *une demi-sœur/un demi-frère.*

■ Le nom **family** peut être suivi d'un verbe au pluriel. **The whole family is/are coming at Christmas.** *Toute la famille viendra à Noël.*

☞ Expressions

like father, like son : *tel père, tel fils* • **to be family-minded :** *avoir le sens de la famille* • **Do you have any brothers and sisters?** *As-tu des frères et sœurs ?*

Living together and breaking up
Vie en commun et séparation

a 'bachelor	*un célibataire*	Syn. **a single/unmarried man/woman**
to live to'gether	*vivre ensemble*	
a 'partner	*un compagnon, une compagne, un(e) concubin(e)*	

LEXIQUE THÉMATIQUE

free love	*l'union libre*	
to become/ get en'gaged to sb	*se fiancer avec qqn*	✎ **en'gagement :** *les fiançailles*
to pro'pose to sb	*demander en mariage*	
to get married (in church)	*se marier (religieusement)*	☞ **to be married :** *être marié*
a 'wedding	*un mariage [cérémonie], les noces*	☞ **a civil ~ :** *un mariage civil* ☞ **a shotgun ~ :** *un mariage forcé*
the bride, the 'bridegroom	*la mariée, le marié*	☞ **the newly-weds :** *les jeunes mariés*
a (wedding) ring	*une alliance*	
the best man	*le témoin*	
the 'bridesmaid	*la demoiselle d'honneur*	
the dowry ['daʊri]	*la dot*	
the 'honeymoon	*la lune de miel*	
marriage ['mærɪdʒ]	*le mariage [le fait d'être marié]*	
my 'husband	*mon mari*	ANT. **my wife :** *ma femme*
'faithfulness	*la fidélité*	☞ **to remain faithful, to be true to :** *rester, être fidèle (à qqn)*
a'dultery	*l'adultère*	
to cheat on sb	*tromper qqn*	SYN. **to deceive sb, to be unfaithful to sb**
to leave *(v. irr.)* **sb**	*quitter qqn*	
to split up *(v. irr.)*	*se séparer*	☞ **to part from sb :** *se séparer de qqn*
to get a di'vorce	*divorcer*	✎ **to divorce sb :** *divorcer d'avec qqn*
a divor'cee	*un(e) divorcé(e)*	

☞ Le célibat

Le mot **celibate** (*célibataire*) ne s'emploie que pour les prêtres **(a celibate priest)**. Un *célibataire* se dit aussi **a bachelor** (**a confirmed bachelor :** *un célibataire endurci*) et *une célibataire* **a spinster** (mais ce nom évoque une idée de vieille fille).

Children and their education
Les enfants et leur éducation

a child [tʃaɪld]	*un enfant*	PL. IRR. **children** ['tʃɪldrən] ☞ **a nanny :** *une nourrice*
a crèche [kreʃ]	*une crèche*	SYN. **a day-care centre** (GB)**/center** (US)

to bring up a child	*élever un enfant*	☞ **upbringing :** *l'éducation [à la maison]*
to 'educate	*éduquer*	
to a'dopt	*adopter*	☞ **an adopted child :** *un enfant adopté*
to look after	*s'occuper de*	
'pocket 'money	*l'argent de poche*	SYN. **an allowance** (US)
well-bred, well-behaved	*bien élevé*	ANT. **ill-bred, ill-mannered :** *mal élevé*
lenient ['li:niənt]	*indulgent*	ANT. **strict, severe, harsh :** *sévère*
to spoil *(v. irr.)*	*gâter*	
to give in to sb	*céder à qqn*	
to scold	*gronder*	SYN. **to tell off**
to punish ['pʌnɪʃ]	*punir*	
to slap sb in the face	*gifler qqn*	
to o'bey sb	*obéir à qqn*	ANT. **to disobey sb :** *désobéir à qqn*
o'bedient [-bi:-]	*obéissant*	ANT. **disobedient :** *désobéissant*
to re'bel against sb	*se rebeller contre qqn*	
naughty ['nɔ:ti]	*vilain*	
'boisterous	*turbulent*	
'mischief	*les sottises, la méchanceté*	
'child a'buse	*la maltraitance d'enfants*	
child care	*l'assistance à l'enfance*	

& Notez bien

- Le verbe **obey** n'est pas suivi d'une préposition : **You must obey your grandma.** *Tu dois obéir à ta grand-mère.*
- *Je suis né/Elle est née* se dit **I was born/She was born** et non ~~I am born/She is born~~.

☞ Expressions

a spoilt brat : *un enfant gâté/un sale môme* • **Spare the rod and spoil the child** *(prov.)*. *Qui aime bien châtie bien.* • **She had a Christian/Muslim/Jewish/Buddhist upbringing.** *Elle a eu une éducation chrétienne/juive/musulmane/bouddhiste.* • **He's related by marriage to the president**. *C'est un parent par alliance du président.* • **to lull a child to sleep :** *endormir un enfant en le berçant* • **I'm going to smack your bottom if you go on like this.** *Je vais te donner la fessée si tu continues comme ça.*

12 # Human relations
Les relations avec autrui

I choose my friends for their good looks, my acquaintances for their good character, and my enemies for their intellects. A man cannot be too careful in the choice of his enemies.

Oscar Wilde (Irish writer, 1854-1900).

Je choisis mes amis pour leur beauté, mes relations pour leur bon caractère, et mes ennemis pour leur intelligence. On ne saurait être trop vigilant dans le choix de ses ennemis.

Respect, confidence *Le respect, la confiance*

to respect	*respecter*	**respectful :** *respectueux*
to look up to sb	*admirer*	SYN. **to admire**
to es'teem sb	*avoir de l'estime pour qqn*	
to con'gratulate sb on sth	*féliciter qqn de qqch.*	
to 'flatter	*flatter*	
to com'mend sb	*faire l'éloge de qqn*	
to be 'confident of/that	*être sûr de/que*	
to trust sb	*faire confiance à qqn*	**trust :** *la confiance* **trustworthy :** *digne de confiance*
to re'ly on	*compter sur*	**reliable :** *sûr, sérieux*
to de'pend on sb	*compter sur qqn*	**dependable :** *digne de confiance*

Friendship *L'amitié*

an ac'quaintance	*une connaissance*	
a friend	*un ami*	**friendship :** *l'amitié* ☞ **close ~s :** *des amis proches*
'friendly	*amical*	ANT. **unfriendly :** *inamical*
to make friends	*se faire des amis*	☞ **~ with sb :** *devenir ami avec qqn*
'sociable	*sociable*	☞ **to be ~ with sb :** *être gentil avec qqn*

'amicable	*amical*	
a mate (GB), **a 'buddy** (US)	*un copain*	
to get along, get on (with sb)	*bien s'entendre (avec qqn)*	
to hit it off	*bien s'entendre*	
to like	*bien aimer*	**likeable :** aimable ANT. **to dislike :** ne pas aimer
to be fond of sb	*bien aimer qqn*	SYN. **to care for sb**
to take to sb	*se prendre d'amitié pour qqn*	

Love L'amour

love	*l'amour*	**a lover :** un amant ANT. **hatred :** la haine
to love	*aimer*	ANT. **to hate, to loathe :** détester
to 'fancy sb	*être attiré par qqn*	SYN. **to feel attracted to sb :** se sentir attiré par qqn
to fall for sb	*se laisser séduire par qqn*	
to dote on sb	*être fou de*	**to 'worship :** vouer un culte à
af'fectionate	*affectueux*	
'passionate	*passionné*	
to miss sb	*regretter l'absence de qqn*	
to long for	*regretter terriblement l'absence de*	

Sexuality La sexualité

sex	*le sexe*	
to make love	*faire l'amour*	SYN. **to have sex**
'sexual	*sexuel*	**~ intercourse :** une relation sexuelle
e'rotic	*érotique*	**eroticism :** l'érotisme
to 'masturbate	*se masturber*	**masturbation :** la masturbation
an e'rection	*une érection*	**to have a hard on :** bander *(fam.)*
to e'jaculate	*éjaculer*	**ejacu'lation :** l'éjaculation
an 'orgasm	*un orgasme*	SYN. **a 'climax** **to reach ~/climax :** atteindre l'orgasme
to come *(fam.)*	*jouir*	
'frigid	*frigide*	**fri'gidity :** la frigidité
'impotent	*impuissant*	**impotence :** l'impuissance

chaste	*chaste*	**chastity :** *la chasteté*
hetero'sexual	*hétérosexuel*	SYN. **straight :** *hétéro*
homo'sexual	*homosexuel*	SYN. **gay**
bi(sexual)	*bi(sexuel)*	
contra'ception	*la contraception*	☞ **to use oral ~ :** *être sous contraception orale*
the pill	*la pilule*	☞ **to be on the ~ :** *prendre la pillule* ☞ **to come off the ~ :** *arrêter la pilule*
a 'condom	*un préservatif*	
an STD	*une MST*	REM. sigle de **sexually transmitted disease :** *maladie sexuellement transmissible*
AIDS	*le sida*	

☞ Gay

■ Depuis les années 1970, **gay** ne signifie plus que homosexuel. Gai se dit maintenant **merry**, **happy**, **cheerful**.

☞ Expressions

A friend in need is a friend indeed *(prov.)*. *C'est dans le besoin qu'on reconnaît ses vrais amis.* • **to love sb to distraction :** *aimer qqn à la folie* • **to be in love with :** *être amoureux de* • **to fall in love with :** *tomber amoureux de* • **I miss you.** *Tu me manques.*

Distrust, scorn, jealousy
La méfiance, le mépris, la jalousie

to dis'trust/ mis'trust sb	*se méfier de qqn*	**untrustworthy :** *indigne de confiance*
to be'tray	*trahir*	
to mis'judge	*mal juger*	
to de'spise sb for sth	*mépriser qqn pour qqch.*	**despicable, con'temptible :** *méprisable*
con'tempt for	*du mépris pour*	**contemptuous :** *méprisant*
to scorn sb for sth	*mépriser qqn pour qqch.*	
to look down on sb	*regarder qqn de haut*	
to 'criticize sb for sth	*critiquer qqn pour qqch.*	**a criticism :** *une critique*
to find fault with	*trouver à redire à*	
to grudge sb sth	*reprocher qqch. à qqn*	

to disap'prove of	*désapprouver qqn/qqch.*	
to ac'cuse sb of	*accuser qqn de*	
to hold sth against sb	*en vouloir à qqn de qqch.*	
to re'proach sb for sth	*reprocher qqch. à qqn*	
to sneer at sb/sth	*se moquer d'un air méprisant*	Syn. **to jeer at sb :** *se railler de qqn*
jealousy ['dʒeləsi]	*la jalousie*	☞ **to be jealous of :** *être jaloux de*
a rival ['raɪvəl]	*un rival*	**'rivalry :** *la rivalité*
to think ill of sb	*penser du mal de qqn*	
to speak ill of sb	*dire du mal de qqn*	
to envy ['envi]	*envier*	**envious :** *envieux*
spite	*le dépit*	**spiteful :** *rancunier*
'bitter	*amer*	**bitterness :** *l'amertume*
to blame sb for sth	*rejeter la responsabilité de qqch. sur qqn*	
to 'slander	*calomnier*	
to curse	*maudire*	
to swear *(v. irr.)*	*jurer*	

☞ Le reproche

■ Il existe plusieurs façons de traduire reprocher.

Ils me reprochent d'en avoir parlé.

They reproach/blame/criticize me for mentioning it.

They accuse me of mentioning it.

Quarrels and reconciliation
Les querelles et la réconciliation

a quarrel ['kwɒrəl]	*une querelle*	**to ~ :** *se disputer*
to fall out with sb	*se brouiller avec qqn*	
to have an 'argument with sb	*se disputer avec qqn*	Syn. **to have a row with sb**
to have a tiff (with sb)	*avoir une prise de bec*	☞ **to 'bicker :** *se chamailler*
to nag sb	*être toujours après qqn*	
to take it out on sb	*s'en prendre à qqn*	
to a'venge sb	*venger qqn*	☞ **to revenge oneself :** *se venger*
a fight	*une bagarre, une dispute*	**to ~** *(v. irr.)* **:** *se battre*
to abuse [ə'bju:z]	*insulter*	Syn. **to in'sult** **abuse :** *des insultes*

to be sick of sb	*en avoir marre de qqn*	SYN. **to be fed up with sb/ to have had enough of sb :** en avoir assez de qqn
to be/become 'reconciled with sb	*se réconcilier avec qqn*	
to make up	*se rabibocher*	
to come to/ reach a 'compromise	*arriver à un compromis*	
to 'pity sb	*plaindre qqn*	✐ **pitiless :** sans pitié
'sympathy	*la compassion*	✐ **sympathetic :** compatissant
to for'give sb for sth *(v. irr.)*	*pardonner qqch. à qqn*	
to ex'cuse sb for sth	*excuser qqn de qqch.*	
to a'pologize	*s'excuser*	
to be 'sorry	*être désolé*	
a misunder'standing	*un malentendu*	

☞ Expressions

He took out his anger on his cousins. *Il a passé sa colère sur ses cousins.* • **to patch up a quarrel :** *se raccommoder* • **I'll let you off this time.** *Je ferme les yeux pour cette fois.* • **I did it out of pity for her.** *Je l'ai fait par pitié pour elle.* • **I no longer hold it against them**. *Je ne leur en veux plus.* • **Let's be friends again, shall we?** *On fait la paix ?*

13 Emotions

Les émotions

I'm singing in the rain
Just singing in the rain
What a glorious feeling
I'm happy again
I'm laughing at clouds
So dark up above
The sun's in my heart
And I'm ready for love.

Lyrics by Arthur Freed,
music by Nacio Brown, 1929.

Je chante sous la pluie
Je chante simplement sous la pluie
Quelle sensation merveilleuse
De nouveau je suis heureux
Je me moque des nuages
Si sombres là-haut
Le soleil brille dans mon cœur
Et je suis prêt à aimer.

Paroles d'Arthur Freed,
musique de Nacio Brown, 1929.

Joy, happiness *La joie, le bonheur*

'happy	*heureux*	✐ **happiness :** *le bonheur* ☞ **to feel ~ :** *se sentir bien*
to laugh [lɑːf]	*rire*	✐ **'laughter :** *le rire*
happy-go-lucky	*insouciant*	
to be happy with sth	*être satisfait de qqch.*	
glad	*content*	
joy	*la joie*	
'cheerful	*gai, enjoué*	
to cheer up	*se dérider, reprendre courage*	☞ **to cheer sb up :** *réconforter qqn*
to comfort ['kʌmfət]	*consoler*	
to please	*plaire, faire plaisir*	✐ **pleasure** ['pleʒə] **:** *le plaisir* ✐ **pleased :** *content*
de'lighted	*ravi*	
'satisfied	*satisfait*	
satis'faction	*la satisfaction*	☞ **job ~ :** *la satisfaction au travail*
'satisfying	*satisfaisant*	SYN. **satis'factory**
relief [rɪ'liːf]	*le soulagement*	✐ **relieved to/that :** *soulagé de/que* ✐ **to my ~ :** *à mon grand soulagement*

LEXIQUE THÉMATIQUE

Expressions

a satisfied look/expression/smile : *un air/une expression/un sourire de satisfaction* • **the happy few :** *les rares privilégiés* • **to my (great) satisfaction, they... :** *à ma grande satisfaction, ils...* • **Happy birthday!/Christmas!/Easter!/New Year!** *Joyeux anniversaire !/Noël !/Joyeuses Pâques !/Bonne année !* • **That's a relief!** *J'aime mieux ça !*

Sadness La tristesse

sad about	triste de	**sadly :** tristement
un'happy	malheureux	**unhappiness :** le malheur **to make sb ~ :** rendre qqn malheureux
misery ['mɪzəri]	la détresse	**'miserable :** triste, pitoyable **to feel miserable :** avoir le cafard
des'pondent	découragé	SYN. **downhearted**
grief	le chagrin	
up'set	bouleversé	**upsetting :** pénible, bouleversant
de'pressed	déprimé	**depressing :** déprimant **depression :** la dépression
di'stress	l'affliction	**distressed :** affligé, peiné
'homesick	nostalgique	
to hurt *(v. irr.)*	blesser	**to ~ sb's feelings :** faire de la peine à qqn
to get sb down	déprimer qqn	
de'spair	le désespoir	**to ~ :** se désespérer

Surprise La surprise

to sur'prise	surprendre	**surprised :** surpris **surprising :** surprenant
to a'maze	stupéfier	**amazed :** stupéfait, ébahi **amazing :** étonnant, incroyable
a'stonished	étonné, stupéfait	
a shock	un choc	**to ~ :** choquer, bouleverser
'startled	très surpris	**startling :** surprenant, saisissant
to be taken aback	être décontenancé	
to be 'speechless	être sans voix	**stunned :** abasourdi
in disbe'lief	avec incrédulité	
unex'pected	inattendu	
unbe'lievable	incroyable	SYN. **in'credible**
'staggering	stupéfiant, ahurissant	

☞ Expressions

Surprise, surprise, you.... *Comme par hasard, tu...* • **to take sb by surprise :** *surprendre qqn* • **It came as a surprise/as a shock (to me) to learn that she was pregnant.** *J'ai eu la surprise d'apprendre qu'elle était enceinte.* • **No wonder!** *Tu m'étonnes !*

Anger *La colère*

'anger	*la colère*	✎ **angry :** *en colère*
to be cross/mad (with sb)	*être furieux (contre qqn)*	SYN. **to be furious (about sth) :** *être furieux (de)*
to be be'side oneself (with)	*être hors de soi (de)*	
fury ['fjʊəri]	*la fureur*	SYN. **rage**
ag'gressiveness	*l'agressivité*	✎ **ag'gressive :** *agressif*
a fit of anger	*une colère*	SYN. **an outburst of anger**
an 'outburst of 'temper	*un accès de colère*	SYN. **a fit of temper**
to be short-tempered	*s'emporter facilement*	SYN. **to be quick-tempered :** *être coléreux*
to lose one's temper	*s'emporter*	ANT. **to keep ~ :** *rester calme*
to in'furiate sb	*rendre furieux*	SYN. **to 'aggravate sb :** *exaspérer*
to make, drive sb mad	*rendre fou*	
'testy	*irritable*	SYN. **'fretful**
'hostile to	*hostile à*	✎ **hos'tility :** *l'hostilité*
ani'mosity against	*l'animosité envers*	
to offend sb	*offenser*	✎ **to be offended (at) :** *s'offusquer de, s'offenser de*
to take offence at	*se formaliser de*	SYN. **to take ex'ception to**
to resent sth [rɪ'zent]	*être indigné par*	☞ **to be resentful of sb :** *en vouloir à qqn*
to swear *(v. irr.)* **(at sb)**	*jurer (contre qqn)*	
to assault [ə'sɔːlt]	*agresser*	✎ **an ~ :** *une agression*
to at'tack	*attaquer, agresser*	✎ **an ~ :** *une attaque* ✎ **an attacker :** *un agresseur*
to as'sail	*assaillir*	✎ **an assailant :** *un agresseur*
an 'onslaught	*une violente attaque*	

☞ Expressions

to get angry : *se mettre en colère* • **This drives me mad/crazy.** *Ça me rend fou/dingue.* • **It gets on my nerves.** *Ça me tape sur les nerfs.* • **I can't stand/bear them.** *Je ne les supporte pas.* • **I resented his tone.** *Son ton m'est resté en travers de la gorge.*

14 Studies
Les études

– C'est le livre que je dois lire pour l'école. Je voudrais que tu me le lises.
– Quoi, je dois te le lire pendant que tu restes là à écouter ?
– Écouter ?

to educate	*instruire*	✎ **education :** l'instruction ✎ **educational :** *éducatif, scolaire*
knowledge ['nɒlɪdʒ]	*les connaissances*	✎ **knowledgeable :** cultivé
to teach *(v. irr.)*	*enseigner*	☞ **to be self-taught :** être autodidacte
to learn *(v. irr.)*	*apprendre*	
to train	*former*	

At school À l'école

a school	*une école*	☞ **a schoolbag, a satchel :** un *cartable*
'secondary edu'cation (GB)	*le secondaire*	SYN. **high-school education** (US)
the school/ academic year	*l'année scolaire/ universitaire*	
the school staff	*les professeurs*	
a head(master), a head(mistress)	*un directeur, une directrice d'école*	
the 'deputy head	*le directeur adjoint*	

an in'spector	un inspecteur	☞ **a primary school ~ :** un inspecteur du primaire
a careers ad'visor/ 'counselor (US)	un conseiller d'orientation	
a parent-teacher associ'ation (PTA)	une association de parents d'élèves	
a class	un cours	SYN. **a period** ✎ **a ~ representative :** un représentant des élèves
sixth form (GB)	la terminale	✎ **a sixth former :** un élève de terminale
a term	un trimestre	☞ **a semester :** un semestre
the 'timetable	l'emploi du temps	
'homework	les devoirs	
a break	une récréation	SYN. **a 'recess** (US)
the 'playground	la cour	
the 'sickroom	l'infirmerie	
the (dining) hall	le réfectoire	SYN. **the refectory**
a 'dormitory (a dorm)	un dortoir	

The classroom *La salle de classe*

a 'teacher	un professeur de collège/de lycée	
a pupil ['pju:pəl]	un élève	SYN. **a 'student** (US)
a 'schoolboy/'schoolgirl	un écolier/une écolière	☞ **schoolchildren :** les écoliers
chalk [tʃɔ:k]	de la craie	☞ **a piece of ~ :** un morceau de craie
the (black)board	le tableau (noir)	☞ **a (whiteboard) marker :** un feutre (pour tableau blanc)
a desk	un bureau	
a 'textbook	un manuel	
an 'exercise	un exercice	☞ **an ~ book :** un cahier
(rough) 'paper	du papier (brouillon)	
a (rough) draft	un brouillon	
a 'ruler	une règle	
a 'rubber (GB)	une gomme	SYN. **an e'raser** (US)
a pen	un stylo	☞ **a felt ~ :** un feutre ☞ **a pencil :** un crayon
a 'highlighter	un surligneur	✎ **to highlight :** surligner
a (pocket) 'calculator	une calculette	

☞ Questions d'écoles

- Aux États-Unis, le nom **school** désigne également l'université.
- Quelques types d'écoles ou d'universités : **a state school :** *une école publique*; **a nursery school :** *une école maternelle*; **a primary school :** *une école primaire*; **a medical school :** *une faculté de médecine*; **a law school :** *une faculté de droit*; **a business school :** *une école de commerce.*
- **Public school :** *école privée* (GB), *école publique* (US).
- On peut traduire le mot *lycée* par **secondary school** (GB) ou **high school** (US).

☞ Expressions

to call the roll : *faire l'appel* • **school-leaving age :** *l'âge de la fin de la scolarité obligatoire* • **If you want to attend this course, you have to register (sign up** *ou* **enrol) first.** *Tu dois d'abord t'inscrire si tu veux assister à ces cours.* • **to revise for exams :** *réviser (pour) ses examens* • **You're taking your A levels** (GB) **in two weeks.** *Tu passes le bac dans deux semaines.* • **I got 18 out of 20, that is 90 out of 100. It's almost full marks!** *J'ai eu 18 sur 20, c'est à dire 90 sur 100. C'est presque la note maximale !* • **"So did you pass?" "With flying colours!"** *« Alors tu as été reçu ? – Haut la main ! »*

University *L'université*

a 'scholar	*un érudit*	
a student ['stju:dənt]	*un étudiant, un élève*	
a uni'versity pro'fessor	*un professeur d'université*	
a 'scholarship, a grant (GB)	*une bourse d'études*	
a college ['kɒlɪdʒ]	*une faculté*	
a uni'versity	*une université*	Pl. **universities**
a lecture ['lektʃə]	*un cours magistral*	✐ **a lecturer :** *un enseignant du supérieur* ☞ **a lecture hall :** *un amphi*
a course [kɔ:s]	*un cours [à l'université]*	
to 'register (for a course)	*s'inscrire à un cours*	
a 'seminar	*un séminaire*	
an M.B.A.	*un mastère de gestion*	
to 'study French/ law/history	*étudier le français /le droit/l'histoire*	
a fresher/freshman	*un étudiant de première année*	
a 'graduate	*un étudiant diplômé*	✐ **to ~ :** *obtenir un diplôme*
an old boy/girl	*un ancien élève*	Syn. **an a'lumnus** (US) Pl. **alumni**

Subjects, school and university work
Matières, travail scolaire et universitaire

a 'subject	*une matière*	☞ **an optional ~ :** *une matière facultative*
mathe'matics, math(s)	*les mathématiques*	
'physics	*la physique*	
'chemistry	*la chimie*	
sex edu'cation	*l'éducation sexuelle*	
tech'nology	*la technologie*	
'physical edu'cation (PE)	*l'éducation physique*	
'social 'studies	*la sociologie*	
a cur'riculum	*un programme*	Syn. **a 'syllabus**
'listening compre'hension	*la compréhension orale*	☞ **reading comprehension :** *la compréhension écrite*
a dic'tation	*une dictée*	
an 'essay	*une dissertation*	
a 'paper	*un devoir*	
a test	*un devoir sur table*	☞ **a ~ in history/physics :** *un devoir sur table d'histoire/de physique*
an exam(ination)	*un examen*	☞ **a written, oral exam/test :** *un écrit/un oral*
to pass/fail a 'student	*recevoir/recaler un étudiant*	
a mark	*une note*	☞ **a good/bad/average ~ :** *une bonne/mauvaise note/note moyenne*
to mark (GB)	*mettre une note à*	Syn. **to grade** (US)
a multi-choice question'naire	*un QCM*	
to as'sess	*évaluer*	✐ **assessment :** *l'évaluation* ☞ **con'tinuous as'sessment :** *le contrôle continu*
a re'port (card)	*un bulletin scolaire*	
a B.A. (bachelor's degree)	*une licence*	
a Master's degree	*un mastère*	
a PhD	*un doctorat*	
a de'gree	*un diplôme*	Syn. **a di'ploma**
a high school diploma (US)	*un diplôme de fin d'études secondaires*	☞ **A 'levels** (GB) **:** *le baccalauréat*
to cheat (in an exam)	*tricher à un examen*	
to 'copy (from)	*copier (sur)*	Syn. **to crib**
to flunk	*être recalé*	Syn. **to fail (an exam)**

15 Professional life
La vie professionnelle

The life of the industrial worker in early 19th century (1832)
At what age did you first go to work in a factory?
– Eight.
Will you state the hours of labour at the period when you first went to the factory, in ordinary times?
– From 6 in the morning to 8 at night.
With what intervals for refreshment and rest?
– An hour at noon.
What was the consequence if you had been too late?
– I was most commonly beaten.

Parliamentary Papers, 1831-1832 (www.geocities.com).

La vie d'un ouvrier au début du XIXe siècle (1832)
À quel âge avez-vous commencé à travailler en usine ?
– Huit ans.
Vous voulez bien spécifier les heures de travail en temps normal, à l'époque où vous avez commencé à travailler à l'usine ?
– De six heures du matin à huit heures du soir.
Et il y avait des pauses pour se nourrir et se reposer ?
– Une heure à midi.
Que se passait-il si vous étiez en retard ?
– J'étais battu le plus souvent.

Employment and unemployment
L'emploi et le chômage

the 'labour 'market	*le marché du travail*	
sup'ply and de'mand	*l'offre et la demande*	
to work	*travailler*	☞ **to ~ part-time :** *travailler à temps partiel* ☞ **to be overworked :** *être débordé*
a worka'holic	*un bourreau de travail*	
to temp	*travailler comme intérimaire*	✐ **temp, temporary work :** *le travail intérimaire*

a 'factory 'worker/hand	*un ouvrier*	☞ **a manual worker :** *un travailleur manuel*
a blue/white 'collar	*un col bleu/blanc*	
to look for work/a job	*chercher du travail*	
a CV (GB)	*un C.V.*	SYN. **a 'resume** (US)
an appli'cation (for a job)	*une candidature (à un poste)*	☞ **to apply for a job (to sb) :** *faire une demande d'emploi (auprès de qqn)*
a vacancy ['veɪkənsi]	*un poste vacant*	SYN. **a vacant position**
to hire ['haɪə]	*embaucher*	
a trial/pro'bationary 'period	*une période d'essai*	
to em'ploy	*employer*	☞ **self-employed :** *qui travaille à son compte*
an employ'ee	*un employé*	☞ **an em'ployer :** *un employeur*
to 'moonlight	*travailler au noir*	✐ **a moonlighter :** *un travailleur au noir*
unem'ployment	*le chômage*	SYN. **'joblessness** ☞ **the ~ rate :** *le taux de chômage*
to be unemployed	*être au chômage*	SYN. **to be out of work/out of a job**
the (long-term) unem'ployed	*les chômeurs (de longue durée)*	☞ **'jobless :** *au chômage*
'jobseeker's al'lowance (GB)	*les allocations chômage*	SYN. **unemployment in'surance** (US)
'social se'curity (GB)	*l'aide sociale*	SYN. **'welfare** (US)
to lay sb off, to make sb re'dundant	*mettre au chômage, licencier*	✐ **'layoffs :** *les personnes licenciées*
to lay sb off 'temporarily	*mettre en chômage technique*	
to fire sb	*virer, renvoyer qqn*	SYN. **to sack** ✐ **to get the sack :** *être renvoyé*
a 'letter of dis'missal	*une lettre de licenciement*	SYN. **a pink slip** (US) *(fam.)*
to axe jobs/employees	*supprimer des emplois, licencier des employés*	

☞ Jobs

■ Les expressions qui contiennent le mot **job** : **a part-time/half-time/full-time job :** *un travail à temps partiel/à mi-temps/à temps complet* ; **a job centre** (GB), **an employment agency :** *une agence pour l'emploi* ; **a job advertisement :** *une annonce* ; **a job offer :** *une offre d'emploi* ; **to do odd jobs :** *faire des petits boulots* ; **to be job-hunting :** *rechercher un emploi* ; **to leave one's job :** *quitter son emploi* ; **to change/switch jobs :** *changer d'emploi.*

Expressions

I work in education/publishing/insurance. *Je travaille dans l'enseignement/dans l'édition/les assurances.* • **to be engrossed in one's job :** *être absorbé par son travail* • **Hundreds of employees were made redundant.** *Des centaines d'employés ont été licenciés.* • **If you want to last in this job you have to learn to delegate.** *Si vous voulez rester à ce poste, il faut apprendre à déléguer vos responsabilités.* • **a permanent/temporary/insecure job, occupation :** *un emploi fixe/temporaire/précaire* • **to do a 40-hour week :** *travailler 40 heures par semaine.*

Inside a firm *Dans l'entreprise*

a 'company	*une société*	☞ **a ~ car :** *une voiture de fonction*
a 'multinational 'company	*une multinationale*	SYN. **a multinational corporation/business**
a firm	*une entreprise*	☞ **a sub'sidiary ~ :** *une filiale* ☞ **a branch :** *une succursale*
a 'factory	*une usine*	☞ **~ work :** *le travail en usine*
em'ployers and 'labour	*les patrons et les travailleurs*	
the boss	*le patron*	
the staff	*le personnel*	
the 'works 'council	*le comité d'entreprise*	
a union ['ju:niən]	*un syndicat*	☞ **a ~ member :** *un syndicaliste*
a team	*une équipe*	✎ **teamwork :** *le travail d'équipe*
to clock in/out	*pointer à l'entrée/à la sortie*	
a break	*une pause*	
a 'luncheon 'voucher	*un Ticket Restaurant®*	
a career [kə'rɪə]	*une carrière*	
a colleague ['kɒli:g]	*un collègue*	☞ **a workmate :** *un camarade de travail*
wages ['weɪdʒɪz]	*le salaire*	☞ **a wage claim/increase :** *des revendications salariales/une augmentation de salaire*
a 'salary	*un salaire*	
an 'income	*un revenu*	
to pay *(v. irr.)*	*payer*	☞ **a 'payslip :** *une feuille de paye* ☞ **'payday :** *le jour de la paye*
paid 'holidays/va'cation	*les congés payés*	
a leave	*un congé*	☞ **a ma'ternity/sick ~ :** *un congé de maternité/maladie*

a 'bonus	*une prime*	☞ **an in'centive ~ :** *une prime (d'assiduité)*
an industrial/ labour di'spute	*un conflit du travail*	
industrial/ labour un'rest	*l'agitation sociale*	
a claim	*une revendication*	SYN. **a de'mand**
a strike	*une grève*	✐ **a striker :** *un gréviste* ☞ **to be on ~ :** *être en grève*
the right to strike	*le droit de grève*	
to work-to-rule	*faire la grève du zèle*	
a 'picket	*un piquet de grève*	✐ **to ~ :** *organiser un piquet de grève*
to ne'gotiate	*négocier*	
a (pay) 'settlement	*un accord salarial*	
a close-down	*une fermeture [définitive]*	

A few jobs Quelques métiers

a job	*un travail*	SYN. **work**
a post	*un poste*	
a 'manager	*un directeur de société*	SYN. **a managing director :** *un chef d'entreprise*
a 'businessman/ -woman	*un homme, une femme d'affaires*	☞ **a business trip :** *un voyage d'affaires*
an e'xecutive	*un cadre*	
an engineer [endʒɪ'nɪə]	*un ingénieur*	
a tech'nician	*un technicien*	
an ac'countant	*un comptable*	
a head	*un chef de service*	
a 'secretary	*un(e) secrétaire*	
a re'ceptionist	*un réceptionniste*	
'training	*la formation*	✐ **a trai'nee, an intern** (US) **:** *un stagiaire*
a training course	*un stage*	SYN. **a period of training**
an ap'prentice	*un apprenti*	✐ **apprenticeship :** *l'apprentissage*
a 'worker	*un ouvrier*	
a 'miner	*un mineur*	
a 'builder	*un maçon*	
an elec'trician	*un électricien*	

a plumber ['plʌmə]	*un plombier*
a 'fireman	*un pompier*
a 'hairdresser	*un coiffeur*
a cook	*un cuisinier*
a 'cleaner	*un homme, une femme de ménage*
a 'tradesman	*un commerçant*
a 'shop as'sistant	*un vendeur, une vendeuse*
a 'sailor	*un marin*
a soldier ['səʊldʒə]	*un soldat*
a judge [dʒʌdʒ]	*un juge*
a lawyer ['lɔːjə]	*un avocat*
a 'doctor/phy'sician	*un médecin*
a 'teacher	*un professeur*
a li'brarian	*un bibliothécaire*
an 'artist	*un artiste*
a scientist ['saɪəntɪst]	*un scientifique*
a com'puter 'analyst	*un informaticien*

Expressions

to go on an advanced training course : *suivre un stage de perfectionnement* • **What do you do?** *Quel est ton métier ?* • **I earn $500 a week.** *Je gagne 500 dollars par semaine.* • **I'm looking for a job as a computer analyst.** *Je cherche un emploi d'informaticien.* • **Don't worry, you'll learn on the job.** *Ne t'en fais pas, tu apprendras sur le tas.*

16 Describing one's environment
Décrire son environnement

Market researchers have done extensive studies exploring the emotional responses of people to color. Some of these responses seem to be powerful and fairly universal. However, much of this information is culturally biased. We know that cultural traditions endow colors with powerful meanings that can differ greatly from place to place. For example, in Europe and the United States, black is the color of mourning. In many tropical countries and in East Asia white is the color of death. On the other hand, white is the color worn by American brides, while brides in much of Asia wear red.

http ://char.txa.cornell.edu/language/element/color/color.htm

Les enquêteurs ont mené des études de marché approfondies qui explorent les réactions affectives des gens à la couleur. Il semble que certaines de ces réactions soient très fortes et assez universelles. Cependant, une grande partie de ces informations est influencée par notre culture. Nous savons que les traditions culturelles dotent les couleurs de significations profondes qui peuvent varier grandement d'un lieu à l'autre. Par exemple, en Europe et aux États-Unis, le noir est la couleur du deuil. Dans de nombreux pays tropicaux et dans le Sud-Est asiatique, le blanc est la couleur de la mort. Par contre, les mariées américaines portent du blanc alors que, presque partout en Asie, elles portent du rouge.

Forms and colours (GB) / colors (US)
Formes et couleurs

dim	*indistinct, imprécis*	ANT. **clear :** *clair, distinct*
blurred [blɜ:d]	*flou, brouillé*	ANT. **distinct :** *net*
dark	*sombre, foncé*	✐ **darkness :** *l'obscurité*
light	*clair*	✐ **light :** *la lumière* ✐ **to ~ :** *éclairer*
trans'parent	*transparent*	ANT. **opaque** [ə'peɪk] **:** *opaque*
to di'stinguish	*distinguer*	
to diffe'rentiate (from)	*différencier (de)*	

LEXIQUE THÉMATIQUE

Forms Les formes

to form	*former*	Syn. **to shape**
a shape	*une forme*	☞ **star-/L-/heart-shaped :** *en forme d'étoile/de L/de cœur*
a surface ['sɜːfɪs]	*une surface*	
a line	*une ligne*	☞ **a straight/dotted/curved ~ :** une ligne droite/pointillée/courbe
an angle	un angle	☞ **a right ~ :** un angle droit
a 'circle	un cercle	
a sphere [sfɪə]	une sphère	
a round	un rond	✎ **round :** rond
a triangle ['traɪæŋgəl]	un triangle	✎ **tri'angular :** triangulaire
a square	un carré	✎ **square :** carré
a 'rectangle	un rectangle	✎ **rec'tangular :** rectangulaire
a cube	un cube	✎ **cubic :** cubique
a 'corner	un coin	✎ **to ~ :** acculer
a cross	une croix	✎ **to ~ :** traverser
a tip	un bout, une pointe	
an edge	un bord	
a point	une pointe, un point	✎ **pointed :** pointu
a dot	un point	✎ **dotted :** à pois **2.** en pointillé
an 'arrow	une flèche	
an arch	un arc, une arche	
winding ['waɪndɪŋ]	sinueux	
an 'outline	un contour	
'vertical	vertical	Ant. **hori'zontal :** horizontal
crooked ['krʊkɪd]	tordu, de travers	
'sloping	penché	Syn. **leaning**
en'tangled	enchevêtré	✎ **an entanglement, a tangle :** un enchevêtrement

Colours (GB)/Colors (US) Les couleurs

white	blanc	
black	noir	
red	rouge	
'scarlet	vermillon	
'crimson	carmin	
'purple	violet	
blue	bleu	☞ **navy-blue :** bleu marine
'yellow	jaune	
green	vert	

orange [ˈɒrɪndʒ]	*orange*
pink	*rose*
brown	*brun*
grey	*gris*
beige [beɪʒ]	*beige*
to dye	*teindre*
to fade	*se décolorer*
ˈcolourful	*aux couleurs vives*
to run	*déteindre*

& Notez bien

■ Le suffixe **-ish** correspond au français -âtre : **whitish :** *blanchâtre* ; **reddish :** *rougeâtre*.

■ Les adjectifs **bright** (*vif*), **dark** (*foncé*), **light** (*clair*), **deep** (*profond*) peuvent modifier les noms de couleurs : **bright red :** *rouge vif* ; **dark green :** *vert foncé* ; **light yellow :** *jaune clair* ; **deep blue :** *bleu profond*.

☞ Expressions

in the shape of a cross : *en forme de croix* • **to cross one's legs/arms :** *croiser les jambes/bras* • **It's just the tip of the iceberg.** *Ce n'est que la partie visible de l'iceberg.* • **They come in all shapes and sizes.** *Il y en a une variété infinie.* • **As he is colour-blind he can't differentiate between black and navy-blue.** *Comme il est daltonien, il confond le noir et le bleu marine.* • **The leaning Tower of Pisa :** *La Tour penchée de Pise.*

Materials Les matériaux

Everyday materials Matériaux de la vie courante

ˈpaper	*le papier*	☞ **tissue :** *un mouchoir en papier*
to wrap	*emballer*	☞ **wrapping paper :** *du papier d'emballage*
packaging [ˈpækɪdʒɪŋ]	*l'emballage*	
ˈcardboard	*le carton*	
ˈplastic	*le plastique*	
polyˈstyrene [--staɪ-]	*le polystyrène*	
a rope	*une corde*	
a string	*une ficelle*	
wire	*du fil métallique*	
ˈrubber	*le caoutchouc*	☞ **a ~ band :** *un élastique*
eˈlastic	*élastique*	

glass	*le verre*	☞ **~ wool :** *la laine de verre*
'crystal	*le cristal*	
china ['tʃaɪnə]	*la porcelaine*	
ce'ramic	*la céramique*	

Building materials *Matériaux de construction*

a stone	*une pierre*	
a brick	*une brique*	
'concrete	*le béton*	☞ **reinforced ~ :** *le béton armé*
ce'ment	*le ciment*	
'marble	*le marbre*	
wood	*le bois*	✐ **wooden :** *en bois*
'timber	*le bois de construction*	Syn. **lumber**
'plaster	*le plâtre*	

Noms de métaux ➜ p. 171-172 (Les ressources minières)

Dimensions and quantities
Les dimensions et les quantités

Measures *Les mesures*

a size	*une dimension, une taille*	Syn. **a dimension**
a 'unit of 'measurement	*une unité de mesure*	
a measure ['meʒə]	*une mesure, une dose*	✐ **to ~ :** *mesurer*
a tape measure	*un mètre à ruban*	
the 'metric 'system	*le système métrique*	
a 'metre (GB) **[m]**	*un mètre*	Syn. **meter** (US)
a ki'lometre [km]	*un kilomètre*	Syn. **kilometer** (US)
a 'centimetre [cm]	*un centimètre*	Syn. **centimeter** (US)
a 'litre [l]	*un litre*	Syn. **liter** (US)
a gram [g]	*un gramme*	
a 'kilo(gram) [kg]	*un kilo(gramme)*	
a ton/tonne [tʌn]	*une tonne*	
scales, a scale (US)	*une balance*	✐ **a scale :** [mesure] *une échelle*
long	*long*	✐ **length :** *la longueur*
wide [waɪd]	*large*	✐ **width** [wɪdθ] **:** *la largeur*
high	*haut*	✐ **height :** *la hauteur*
deep	*profond*	✐ **depth :** *la profondeur*
thick	*épais*	✐ **thickness :** *l'épaisseur*
weight [weɪt]	*le poids*	✐ **to weigh :** *peser*

Expressions

This weighs a ton! *Ça pèse une tonne !* • **Your study is twice the size/half the size of mine.** *Ton bureau est deux fois plus grand/petit que le mien.* • **It's ten metres high/five miles long/twenty centimetres wide.** *Il fait 10 m de haut/8 km de long/20 cm de large.* • **The bathroom is 1 metre by 2 metres, i.e. 2 square metres.** *La salle de bains mesure un mètre sur deux, soit deux mètres carrés.* • **Canada went metric in the 1970s.** *Le Canada a adopté le système métrique dans les années 1970.*

Numbers *Les nombres*

Cardinal numbers *Nombres cardinaux*		**Ordinal numbers** *Nombres ordinaux*	
1. one	11. eleven	1st first	11th eleventh
2. two	12. twelve	2nd second	12th twelfth
3. three	13. thirteen	3rd third	13th thirteenth
4. four	20. twenty	4th fourth	20th twentieth
5. five	21. twenty-one	5th fifth	21st twenty-first
6. six	22. twenty-two	6th sixth	22nd twenty-second
7. seven	30. thirty	7th seventh	30th thirtieth
8. eight	40. forty	8th eighth	40th fortieth
9. nine	100. a/one hundred	9th ninth	100th hundredth
10. ten	1,000. a/one thousand	10th tenth	1,000th thousandth
	1,000,000. a/one million		1,000,000th millionth

→ p. 283 (Chiffrer)

& Notez bien

■ On prendra garde à l'orthographe et à la prononciation des nombres suivants : **fifth** [fɪfθ], **eighth** [eɪtθ], **ninth** [naɪnθ], **twelfth** [twelfθ], **forty** (sans **u**).

Locating a place *Se repérer*

land	*la terre*	
a place	*un endroit, un lieu*	
to lo'cate	*localiser, repérer*	
to 'situate	*placer, situer*	**the situ'ation :** *la situation, l'emplacement*
here	*ici, là*	**around ~ :** *par ici* **far from/near ~ :** *loin/près d'ici*
there	*là, là-bas, y*	**to go ~ :** *y aller*

'nearness	*la proximité*	SYN. **pro'ximity** ☞ **to come/go near :** *s'approcher de*
to go away (from)	*s'éloigner (de)*	
to lose oneself	*se perdre*	SYN. **to lose one's bearings**
to turn back	*rebrousser chemin*	SYN. **to turn round and go back**
'nowhere	*nulle part*	ANT. **'everywhere :** *partout* ☞ **in the middle of ~ :** *en pleine nature*
a direction [də'rekʃən]	*une direction*	☞ **in the ~ of :** *en direction de*
left	*à gauche*	ANT. **right :** *à droite*
to bear right/left	*bifurquer à droite/gauche*	SYN. **to turn right/left**
a'head	*tout droit*	
a map	*une carte, un plan*	
a route [ru:t]	*un itinéraire*	☞ **to map out/follow a ~ :** *tracer/suivre un itinéraire*
a 'compass	*une boussole*	☞ **a ~ card :** *la rose des vents*
the north	*le nord*	✐ **northern :** *du nord, septentrional* ☞ **the northeast/northwest :** *le nord-est/nord-ouest*
the south	*le sud*	✐ **southern :** *du sud, méridional* ☞ **the southeast/southwest :** *le sud-est/sud-ouest*
the west	*l'ouest*	✐ **western :** *de l'ouest, occidental*
the east	*l'est*	✐ **eastern :** *de l'est, oriental*

➜ p. 244 (Décrire quelqu'un ou quelque chose)

Prépositions spatiales ➜ p. 259 (Situer dans l'espace)

☞ Expressions

to find/get one's bearings ≠ to lose one's bearings : *s'orienter, se repérer ≠ être désorienté, perdre le nord* • **south-facing :** *exposé au sud* • **(to the) north of London :** *au nord de Londres* • **to have a good/bad sense of direction :** *avoir un bon/mauvais sens de l'orientation* • **a little way away/off :** *pas très loin* • **The shop is situated right in the center of the town. It is well situated.** *Le magasin est situé en plein cœur de la ville. Il est bien situé.*

17 Urban environment
L'environnement urbain

The young man walks by himself searching through the crowd with greedy eyes, greedy ears taut to hear, by himself, alone.
The streets are empty. People have packed into subways, climbed into streetcars and buses; in the stations they've scampered for suburban trains; they've filtered into lodgings and tenements, gone up in elevators into apartment-houses. In a showwindow two sallow windowdressers in their shirtsleeves are bringing out a dummy girl in a red evening dress [...]. From the river comes the deep rumbling whistle of a steamboat leaving dock. A tug hoots far away.

John Dos Passos (American writer, 1896-1970), *USA*, 1930, © John Dos Passos.

Le jeune homme marche seul, cherchant quelque chose dans la foule de ses yeux avides, de ses oreilles avides, tendues vers ce qu'il peut entendre, sans autre compagnie que lui-même, seul. Les rues sont vides. Les gens se sont entassés dans des métros, sont montés dans des tramways et des bus. Dans les gares, ils se sont précipités dans des trains de banlieue. Ils sont entrés par petits groupes dans des logements et immeubles, sont montés dans les ascenseurs pour rejoindre leurs appartements. Dans une vitrine, deux étalagistes au teint cireux, en bras de chemise, emportent un mannequin en robe de soirée rouge [...]. Du fleuve monte le sifflement grave d'un bateau à vapeur quittant le quai. Un remorqueur corne au loin.

In town En ville

a town	une ville	☞ **to go into ~ :** aller en ville ☞ **~ planning :** l'urbanisme
a 'city	une grande ville	**a capital (city) :** une capitale
the city centre (GB)	le centre-ville	SYN. **the city center** (US)
down'town (US)	dans le centre-ville	☞ **to go ~ :** aller en ville
up'town	(dans) les beaux quartiers	
'central	central	☞ **very centrally located :** situé tout près du centre
a me'tropolis	une métropole	
inner city areas	des quartiers déshérités	SYN. **slums**
a 'district	un quartier	SYN. **an area**

a 'suburb ['sʌbɜːb]	*un faubourg*	✐ **suburban :** *de banlieue*
the suburbs	*la banlieue*	SYN. **the outskirts**
out-of-town	*en périphérie*	☞ **an ~ cinema :** *un cinéma de périphérie, de banlieue*

☞ Noms de quartiers

■ L'expression **the City of London** désigne le quartier d'affaires de Londres. En français, on dit *la Cité*.

■ L'expression **inner city (areas)** désigne des quartiers déshérités à l'intérieur d'une grande ville. On les appelle **inner cities**, car ils sont proches du centre.

■ Les mots **suburb** et **suburban** évoquent plutôt une image positive, plus calme que le centre-ville. **The outskirts** est un terme plus neutre.

The urban landscape *Le paysage urbain*

Buildings *Les bâtiments*

the town hall	*la mairie, l'hôtel de ville*	
the mayor [meə]	*le maire*	
a block of flats (GB)	*un immeuble*	SYN. **an apartment building** (US)
a war me'morial	*un monument aux morts*	
a museum [mju'ziːəm]	*un musée*	
a palace ['pæləs]	*un palais*	
a 'theatre (GB)	*un théâtre*	SYN. **theater** (US)
a 'cinema (GB)	*un cinéma*	SYN. **a 'movie house** (US)
a ca'thedral	*une cathédrale*	
the fire bri'gade (GB)	*la brigade des pompiers*	SYN. **the fire de'partment** (US)
a fireman/fire fighter	*un pompier*	☞ **a fire escape :** *un escalier de secours*
a po'lice 'station	*un commissariat de police*	SYN. **a police 'precinct** (US)
com'munity fa'cilities	*les équipements collectifs*	SYN. **community a'menities**
the sewers ['suːəz]	*les égouts*	

In the street *Dans la rue*

a street	*une rue*	☞ **an alley :** *une ruelle*
an 'avenue	*une avenue*	
a square	*une place, un square*	
the 'pavement (GB)	*le trottoir*	SYN. **the 'sidewalk** (US)
to cross	*traverser*	

a pedestrian [pəˈdestriən]	*un piéton*	☞ **a ~/zebra crossing :** *un passage pour piétons* ☞ **a ~ precinct** (GB)**/zone** (US) **:** *une zone piétonne*
a park	*un parc*	☞ **an amusement ~ :** *un parc d'attractions*
a fountain [ˈfaʊntɪn]	*une fontaine*	
a bench	*un banc*	
a zoo [zuː]	*un zoo*	
a shopping mall [mɔːl]	*un centre commercial*	
the ˈtraffic	*la circulation*	☞ **~ lights :** *les feux de signalisation* ☞ **a ~ jam :** *un embouteillage*
the rush hour	*les heures de pointe*	☞ **the ~ traffic :** *la circulation aux heures de pointe*
the hustle [ˈhʌsəl]	*l'animation*	
the ˈpassers-by	*les passants*	
the crowd	*la foule*	
the din	*le vacarme*	
busy [ˈbɪzi]	*animé*	SYN. **lively**
to rush about/around	*courir çà et là*	
to queue (up) (GB)	*faire la queue*	SYN. **line up** (US)

Street furniture *Le mobilier urbain*

a ˈtraffic sign	*un panneau de signalisation*	☞ **a streetname sign :** *une plaque de rue*
a ˈstreetlamp	*un réverbère*	SYN. **a ˈstreetlight**
a ˈpostbox (GB)	*une boîte aux lettres*	SYN. **a ˈmailbox** (US)
a ˈphone box (GB)	*une cabine téléphonique*	SYN. **a phone booth** (US)
a (parking) ˈmeter	*un parcmètre/horodateur*	
a ˈbillboard	*un panneau publicitaire*	SYN. **a hoarding** (GB)
a ˈsafety ˈcamera	*une caméra de surveillance*	

☞ Expressions

to call the fire brigade/department : *appeler les pompiers* • **the hustle and bustle of city life :** *le tourbillon de la vie en ville* • **the teeming streets of the capital :** *les rues grouillantes de la capitale* • **Keep off the grass!** *Pelouse interdite !*

Urban transport Les transports urbains

a vehicle ['viːɪkəl]	*un véhicule*	
a 'taxi	*un taxi*	SYN. **a cab**
a bike	*un vélo*	SYN. **a bicycle** ☞ **a bicycle rack :** *un range-vélos*
a bus	*un (auto)bus/(auto)car*	☞ **a bus stop :** *un arrêt d'autobus*
the 'driver	*le conducteur*	
the 'ticket col'lector	*le contrôleur*	SYN. **the ticket in'spector**
tram	*le tram(way)*	☞ **a tram(car)** (GB), **a streetcar** (US) **:** *un tramway*
a coach/carriage (GB)	*un wagon*	SYN. **a car** (US)
the 'underground (GB)	*le métro*	SYN. **the 'subway** (US) ☞ **the ~ /subway station :** *la station de métro*
a local train	*un train régional*	☞ **a fast/non-stop train :** *un train direct*
crowded ['kraʊdɪd]	*bondé*	SYN. **cramped**
a 'railway/train 'station	*une gare*	

☞ Le métro

■ Le métro de Londres s'appelle **the London Underground**, mais on dit souvent **the Tube**. Les New Yorkais disent **the Subway** pour leur métro. **Subway** signifie *passage souterrain* en Grande-Bretagne (**underpass** aux États-Unis). Le mot **metro** existe également : **the Paris/Tokyo metro**.

☞ Expressions

to go somewhere by underground/by train : *aller quelque part en métro/en train* • **Most buses in London are double-deckers.** *La plupart des autobus à Londres sont à impériale.* • **The traffic was very light/heavy.** *Il y avait peu/beaucoup de circulation.* • **the traffic into/out of New York :** *la circulation pour entrer dans/sortir de New York* • **Do you bike or drive to work?** *Tu vas au travail à vélo ou en voiture ?*

18 Natural environment
L'environnement naturel

England's might is still in her fields and villages, and though the whole weight of mechanized armies rolls over to crush them, in the end they will triumph. The best of England is a village.

C. Henry Warren (1940)
in Jeremy Paxman, *The English*, 1999, © Jeremy Paxman.

Toute la force de l'Angleterre continue d'être dans ses champs et ses villages et, bien que les armées mécanisées déferlent pour les écraser, ils triompheront. Le meilleur de l'Angleterre, c'est le village.

The countryside *La campagne*

the 'landscape	*le paysage*	
a lane	*un chemin*	☞ **a path :** *un sentier*
a bend	*un virage*	SYN. **a twist, a turn**
a bank	*un talus*	
a hedge	*une haie*	
a fence	*une barrière, une clôture*	
a puddle ['pʌdəl]	*une flaque*	☞ **a pond :** *une mare*
pictu'resque	*pittoresque*	SYN. **quaint**
secluded [sɪ'klu:dɪd]	*retiré, à l'écart*	
'straggling	*épars*	
quiet [kwaɪət]	*calme*	
rustic ['rʌstɪk]	*rustique, champêtre*	
uneven [ʌn'i:vən]	*accidenté, irrégulier*	
a field	*un champ*	☞ **a meadow** ['medəʊ] **:** *un pré, une prairie*
a hill	*une colline*	
a wood	*un bois*	☞ **a forest :** *une forêt*
a moor	*une lande*	
mud	*la boue*	
the land	*la terre*	☞ **the ground :** *le sol*
a ditch	*un fossé, une rigole*	

LEXIQUE THÉMATIQUE

a 'river	une rivière	**a stream :** un ruisseau
a marsh	un marais, un marécage	
a village ['vɪlɪdʒ]	un village	
a church	une église	
a castle ['kɑːsəl]	un château (fort)	
a cottage ['kɒtɪdʒ]	une petite maison rustique	☞ **a thatched ~ :** une chaumière
a farm	une ferme	♂ **a farmer :** un fermier, une fermière
a barn	une grange	
a 'farmyard	une basse-cour	
a stable	une écurie	
a 'cowshed	une étable	
a pigsty ['pɪgstaɪ]	une porcherie	
a 'labourer [leɪ--]	un ouvrier agricole	
a 'tractor	un tracteur	
a 'windmill	un moulin	☞ **a sawmill :** une scierie
a shepherd ['ʃepəd]	un berger	♂ **a shepherdess :** une bergère

➜ p. 168 (Travaux et produits agricoles)

☞ Expressions

to work (on) the land : travailler la terre • **to sit on the fence :** s'abstenir de prendre position • **It was a trip down memory lane.** C'était un retour aux sources. • **to build castles in the air :** bâtir des châteaux en Espagne.

The sea La mer

the 'seaside	le bord de mer	
the coast	la côte	
ragged ['rægɪd]	déchiqueté	
the shore	le rivage	☞ **the strand :** la grève
a beach	une plage	Pl. **beaches**
a cliff	une falaise	
a dune [djuːn]	une dune	
the sand	le sable	
pebbles	les galets	
'seaweed	les algues	
a 'seagull	une mouette	
the mouth	l'embouchure	
a 'tributary	un affluent	

an 'estuary	un estuaire	
an ocean ['əʊʃən]	un océan	
'shallow	peu profond	
the ebb and flow	le flux et le reflux	
the tide	la marée	☞ **at high/low ~ :** à marée haute/basse
a wave	une vague	☞ **a tidal ~ :** un raz-de-marée
the 'current	le courant	
rough [rʌf]	houleux	☞ **choppy :** agité
smooth	calme	
to swim *(v. irr.)*	nager	☞ **to go for a ~ :** aller se baigner
to bathe [beɪð]	se baigner	☞ **to sunbathe :** prendre un bain de soleil
'suntan	le bronzage	✐ **suntanned :** bronzé
to go 'surfing	faire du surf	
'scuba 'diving	la plongée sous-marine	
'windsurfing	la planche à voile	
to fish	pêcher	☞ **a fisherman :** un pêcheur
a fishing boat	un bateau de pêche	☞ **a fishing net :** un filet (de pêche)
a 'fishing 'harbour	un port de pêche	
a 'ferry	un ferry, un bac	
a 'swimsuit [femme]	un maillot de bain	≠ **'swimming trunks** [homme]
to splash	éclabousser	

☞ Expressions

Blackpool is a famous seaside resort. Blackpool est une station balnéaire célèbre. • **The tide is coming in/going out.** La mer monte/descend. • **to go out of one's depth :** perdre pied • **to get drowned :** se noyer • **to go with/against the tide :** suivre le courant/aller à contre-courant.

The mountain La montagne

a mountain ['maʊntɪn]	une montagne	✐ **mountainous :** montagneux ☞ **a ~ range :** une chaîne de montagnes
relief [rɪ'li:f]	le relief	
'altitude	l'altitude	☞ **~ sickness :** le mal des montagnes
'vertigo	le vertige	Syn. **'dizziness**
the height [haɪt]	la hauteur	
above sea level	au-dessus du niveau de la mer	

a pass	*un col, un défilé*	☞ **impassable :** *infranchissable*
a 'valley	*une vallée*	
a slope	*une pente, un versant*	☞ **to ~ down :** *descendre en pente* ☞ **a gentle/steep ~ :** *une pente douce/escarpée*
a rock	*un roc, un rocher*	
a gorge	*une gorge*	SYN. **a canyon**
a precipice ['presɪpɪs]	*un précipice*	SYN. **a sheer drop :** *un à-pic*
a ravine [rə'vi:n]	*un ravin*	
a crevice ['krevɪs]	*une crevasse*	SYN. **a split**
'lofty	*élevé*	
a peak	*un pic*	SYN. **a summit :** *un sommet* ☞ **a mountain top :** *une cime*
a ridge	*une arête, une crête*	SYN. **a crest**
snow	*la neige*	☞ **~ -capped :** *couronné de neige*
an 'avalanche	*une avalanche*	
a glacier ['gleɪsiə]	*un glacier*	
ice	*la glace*	
to tower over sth	*dominer qqch.*	
over'hanging	*en surplomb*	
rugged ['rʌgɪd]	*déchiqueté, accidenté*	
to rise *(v. irr.)*	*s'élever*	
'winter sports	*les sports d'hiver*	
(rock) climbing ['klaɪmɪŋ]	*l'escalade, l'alpinisme*	
to go skiing	*partir aux sports d'hiver/faire du ski*	

☞ Montagnes célèbres

The Rocky Mountains (the Rockies) : les Rocheuses ; **the Alps :** les Alpes ; **the Pyrenees :** les Pyrénées ; **the Appalachians/the Appalachian Mountains :** les (monts) Appalaches ; **the Himalayas :** l'Himalaya ; **the Andes** ['ændi:z] **:** les Andes ; **Mount Everest :** le mont Everest.

☞ Expressions

As solid as a rock : *solide comme un roc* • **Our marriage is on the rocks.** *Notre mariage est en train d'échouer.* • **to go to the mountains :** *aller à la montagne* • **to be afraid of heights :** *avoir le vertige* • **to make a mountain out of a molehill :** *se faire une montagne d'une taupinière.*

19 Animals

Les animaux

"So, that's 3 ham and cheese omelets... one order without cheese, one without ham, and another without eggs."

« On a dit : trois omelettes jambon-fromage, dont une sans fromage, une sans jambon, et une sans œufs. »

an ˈanimal	un animal	☞ **a wild beast :** une bête sauvage
a pest	un animal nuisible	
a male	un mâle	ANT. **a female :** une femelle
a species [ˈspiːʃiːz]	une espèce	☞ **an endangered ~ :** une espèce menacée
to sting *(v. irr.)*	piquer	
to bite *(v. irr.)*	mordre	
vertebrates [ˈvɜːtɪbrəts]	les vertébrés	ANT. **invertebrates :** les invertébrés
a ˈcarnivore	un carnivore	
a ˈherbivore	un herbivore	
an ˈomnivore	un omnivore	
a ˈpredator [ˈpredətə]	un prédateur	✍ **predatory :** *(adj.)* prédateur, rapace

a prey	*une proie*	
a paw [pɔː]	*une patte*	SYN. **a leg**
a claw [klɔː]	*une griffe, une pince*	
the fur	*la fourrure*	☞ **the coat** : *le pelage*
ˈwhiskers	*les moustaches*	
a horn	*une corne*	
a biped [ˈbaɪped]	*un bipède*	☞ **a ˈquadruped** : *un quadrupède*
a fang	*un croc*	

Flying animals *Les animaux volants*

a bird	*un oiseau*	
to fly *(v. irr.)*	*voler*	
a wing	*une aile*	
a feather [ˈfeðə]	*une plume*	
a tail	*une queue*	
a beak	*un bec*	SYN. **a bill**
a nest	*un nid*	
to brood	*couver*	
an egg	*un œuf*	
to lay (eggs) *(v. irr.)*	*pondre*	
to hatch	*éclore*	
an anˈtenna	*une antenne*	
metaˈmorphosis	*la métamorphose*	
larvae [ˈlɑːviː]	*des larves*	
a cocoon [kəˈkuːn]	*un cocon*	
pollen [ˈpɒlən]	*du pollen*	☞ **to gather ~** : *butiner*

Birds *Les oiseaux*

a bird of prey	*un oiseau de proie, un rapace*	
a hawk	*un faucon*	SYN. **a falcon**
an eagle	*un aigle*	☞ **an eyrie** : *une aire, un nid d'aigle*
a vulture [ˈvʌltʃə]	*un vautour*	
a ˈcondor	*un condor*	
an owl [aʊl]	*une chouette, un hibou*	
a parrot	*un perroquet*	
a ˈsparrow	*un passereau, un moineau*	
a lark	*une alouette*	
to warble	*gazouiller*	SYN. **to twitter**
to chirp	*pépier*	

a 'robin	un rouge-gorge	
a 'nightingale	un rossignol	
a 'chaffinch	un pinson	
a crow [krəʊ]	une corneille, un corbeau	☞ **a raven** ['reɪvən] **:** un (grand) corbeau
a 'blackbird	un merle	
a 'magpie	une pie	
a dove	une colombe	
a 'migratory bird	un oiseau migrateur	
a swallow ['swɒləʊ]	une hirondelle	
a 'heron	un héron	
a stork	une cigogne	
a sea bird	un oiseau de mer	
a (sea) gull	une mouette, un goéland	
a 'cormorant	un cormoran	
a 'penguin	un pingouin, un manchot	
to be webfooted	avoir les pieds palmés	

☞ Expressions

Don't count your chickens (before they're hatched) *(prov.)*. Il ne faut pas vendre la peau de l'ours (avant de l'avoir tué). • **It's a chicken and egg situation.** C'est la vieille histoire de la poule et de l'œuf. • **as the crow flies :** à vol d'oiseau • **to kill two birds with one stone :** faire d'une pierre deux coups • **A little bird told me that...** Mon petit doigt m'a dit... • **A bird in the hand is worth two in the bush** *(prov.)*. Un tiens vaut mieux que deux tu l'auras. • **One swallow doesn't make a summer** *(prov.)*. Une hirondelle ne fait pas le printemps.

Flying insects Les insectes volants

a bee	une abeille	**a beehive :** une ruche
a wasp [wɒsp]	une guêpe	☞ **a swarm :** un essaim
a sting	un dard	
a fly	une mouche	PL. **flies**
a gnat [næt]	un moucheron	
a mos'quito	un moustique	PL. **mosquitoes**
a 'ladybird	une coccinelle	
a 'locust	un criquet	≠ **a cricket :** un grillon
a 'butterfly [--flaɪ]	un papillon	☞ **a moth :** un papillon de nuit, une mite
a 'dragonfly [--flaɪ]	une libellule	

LEXIQUE THÉMATIQUE

Land animals Les animaux terrestres

Domestic mammals Les mammifères domestiques

a pet	un animal domestique/ de compagnie	
a dog	un chien	
a cat	un chat	
a horse	un cheval	☞ **a mare :** une jument
a donkey ['dɒŋki]	un âne	
a pig	un cochon	☞ **a sow** [saʊ] **:** une truie
a 'rabbit	un lapin	
an ox	un bœuf	Pl. irr. **oxen**
a cow [kaʊ]	une vache	☞ **a herd of ~s :** un troupeau de vaches
a calf	un veau	Pl. **calves**
to suck (at)	téter	
a bull [bʊl]	un taureau	
a goat	une chèvre	
a sheep	un mouton, une brebis	Syn. **a ewe** [juː] **:** une brebis ☞ **a flock of ~ :** un troupeau de moutons
a lamb [læm]	un agneau	
to graze	brouter	
to 'ruminate	ruminer	☞ **a ruminant :** un ruminant
a 'rodent	un rongeur	
a mouse	une souris	Pl. irr. **mice** [maɪs]
a rat	un rat	

☞ Noms d'animaux

■ Pour distinguer les noms féminins et masculins, on a parfois deux noms distincts : **a cow, a bull; a horse, a mare.**

On ajoute aussi parfois **female/male** ou **she-/he-** devant le nom (ou d'autres mots) : **a female cat :** une chatte ; **a tom cat :** un matou ; **a he-bear :** un ours ; **a she-bear :** une ourse ; **a he-goat :** un bouc ; **a nanny goat :** une chèvre.

■ Certains noms d'animaux sont devenus des insultes : à utiliser avec modération !

> **an ass** (un âne) **:** un imbécile ; **a bitch** (une chienne) **:** une garce
> **Silly cow!** Pauvre conne !

Farmyard animals *Les animaux de basse-cour*

poultry ['pəʊltri]	*la volaille*	SYN. **fowl** [faʊl] ☞ **farmyard ~ :** *les volailles de basse-cour*
a hen	*une poule*	☞ **a henhouse :** *un poulailler*
to peck	*picorer*	☞ **to ~ at seeds/worms :** *picorer des graines/vers de terre*
a chick	*un poussin*	
a 'rooster	*un coq*	
a 'turkey	*un dindon, une dinde*	
a 'guinea-fowl [--faʊl]	*une pintade*	
a duck	*un canard*	
a goose	*une oie*	PL. IRR. **geese** ☞ **a 'gander :** *un jars*
a 'pigeon	*un pigeon*	☞ **a ~ house/loft :** *un pigeonnier*

☞ Expressions

to kill the goose that lays the golden eggs : *tuer la poule aux œufs d'or* • **to have/give goose pimples** *ou* **gooseflesh :** *avoir/donner la chair de poule* • **When pigs can fly.** *Quand les poules auront des dents.* • **to make a pig of oneself :** *se goinfrer* • **to put the cart before the horse :** *mettre la charrue devant les bœufs* • **The rats are leaving the sinking ship.** *Les rats quittent le navire.* • **till the cows come home :** *jusqu'à la saint-glinglin* • **as meek as a lamb :** *doux comme un agneau.*

& Notez bien

■ On évite d'utiliser le nom **cock** (coq), qui désigne le sexe de l'homme en anglais contemporain.

Insects, crawling animals *Insectes, animaux rampants*

an ant	*une fourmi*	☞ **an ~ -hill :** *une fourmilière*
a 'termite [-maɪt]	*un termite*	
a 'beetle	*un scarabée*	
a 'cricket	*un grillon*	
a 'grasshopper	*une sauterelle*	
a praying 'mantis	*une mante religieuse*	
a 'cockroach	*un cafard, un cancrelat*	
a 'parasite [--saɪt]	*un parasite*	
a bug	*une punaise, un insecte*	
a flea	*une puce*	
a louse [laʊs]	*un pou*	PL. IRR. **lice** [laɪs]

a spider ['spaɪdə]	*une araignée*	☞ **a cobweb :** *une toile d'araignée*
a 'caterpillar	*une chenille*	
a 'mollusk	*un mollusque*	
a snail	*un escargot*	
a slug	*une limace*	
a reptile ['reptaɪl]	*un reptile*	
a lizard ['lɪzəd]	*un lézard*	
a snake	*un serpent*	☞ **a rattlesnake :** *un serpent à sonnettes*
a python ['paɪθən]	*un python*	
a viper ['vaɪpə]	*une vipère*	SYN. **an 'adder**

Wild animals *Les animaux sauvages*

a 'nature re'serve	*une réserve naturelle*	SYN. **a 'sanctuary**
a deer	*un cerf, une biche*	☞ **a roe ~ :** *un chevreuil*
the 'antlers	*la ramure, les bois*	
a fawn [fɔːn]	*un faon*	
a (wild) boar	*un sanglier*	
a fox	*un renard*	
to be at bay	*être aux abois*	
a lion ['laɪən]	*un lion*	
a 'cheetah	*un guépard*	
a 'rhino [raɪ-]	*un rhinocéros*	SYN. **a rhi'noceros**
a zebra ['ziːbrə]	*un zèbre*	
an 'antelope	*une antilope*	
a 'buffalo ['bʌ--]	*un buffle, un bison*	PL. **buffaloes**
a gi'raffe	*une girafe*	
a 'hippo(potamus)	*un hippopotame*	
an 'elephant	*un éléphant*	
a trunk	*une trompe*	
a tusk	*une défense*	
a 'camel	*un chameau, un dromadaire*	
a monkey ['mʌŋki]	*un singe*	≠ **an ape :** *un grand singe, un anthropoïde*
a tiger ['taɪgə]	*un tigre*	
a leopard ['lepəd]	*un léopard*	
a 'panther	*une panthère*	
a 'crocodile [--daɪl]	*un crocodile*	☞ **an 'alligator** [--geɪ-] **:** *un alligator*

Aquatic animals *Les animaux aquatiques*

In fresh water *Dans l'eau douce*

a frog	*une grenouille*
a 'tadpole	*un têtard*
a toad	*un crapaud*
a beaver ['bi:və]	*un castor*
an 'otter	*une loutre*
a leech	*une sangsue*

In sea water *Dans l'eau de mer*

a ma'rine 'mammal	*un mammifère marin*	
a whale [weɪl]	*une baleine*	
a 'dolphin	*un dauphin*	
a seal	*un phoque*	
a walrus ['wɔ:lrəs]	*un morse*	
a sea horse	*un hippocampe*	
a 'jellyfish	*une méduse*	
a 'cuttlefish	*une seiche*	
an 'octopus	*une pieuvre, un poulpe*	
a 'turtle	*une tortue marine*	≠ **a tortoise :** *une tortue terrestre*
a 'sea 'urchin	*un oursin*	

→ p. 42 (Le poisson)

Expressions

She wouldn't harm a fly. *Elle ne ferait pas de mal à une mouche.* • **I wish I were a fly on the wall.** *J'aimerais être une petite souris.* • **The child clung like a leech to me all day long.** *L'enfant est resté pendu à mes basques toute la journée.* • **a bird of ill omen :** *un oiseau de mauvais augure.*

& Notez bien

■ Le nom **sheep** est invariable : **two sheep**.
Le pluriel des noms **bison**, **buffalo**, **crocodile**, **deer**, **giraffe**, **panther**, **rhinoceros** et **zebra** peut être invariable ou en **-s** : **many buffalo(es), rhinoceros(es)...**
■ Voici quelques verbes qui décrivent les cris d'animaux : **to bark :** *aboyer*, **to bleat :** *bêler*, **to cackle :** *caqueter*, **to crow :** *chanter*, **to croak :** *coasser/croasser*, **to grunt :** *grogner*, **to hiss :** *siffler*, **to neigh :** *hennir*, **to mew/meow :** *miauler*, **to purr :** *ronronner*.
■ Le nom **calf** s'applique aux petits de quelques mammifères. Plusieurs traductions sont donc possibles : *veau, éléphanteau, faon, baleineau, buffletin...*

20 Plants

Les plantes

May Flower	**Fleur de mai**
Pink, small and punctual,	*Rose, petite et ponctuelle,*
Aromatic, low,	*Aromatique, basse,*
Covert in April,	*Cachée en avril,*
Candid in May,	*Franche en mai.*
Dear to the moss,	*Chère à la mousse,*
Known by the knoll,	*Connue des talus,*
Next to the robin	*Près du rouge-gorge*
In every human soul.	*Au cœur de tous.*
Bold little beauty,	*Petite beauté intrépide,*
Bedecked with thee,	*De toi parée,*
Nature forswears	*La nature renonce*
Antiquity.	*À l'Antiquité.*

Emily Dickinson (American poet, 1830-1886).

a plant	*une plante*	**to ~ :** *planter*
a seed	*une graine*	
a leaf	*une feuille*	PL. **leaves**
a root	*une racine*	
to grow *(v. irr.)*	*pousser, faire pousser*	
to wither ['wɪðə]	*se flétrir, se faner*	**withered :** *flétri, fané*
to droop	*commencer à se faner*	
to flower [flaʊə]	*fleurir*	SYN. **to bloom, to blossom**
a petal ['petəl]	*un pétale*	
a stem	*une tige*	
a bud	*un bourgeon*	
pollen ['pɒlən]	*le pollen*	
to shoot *(v. irr.)*	*bourgeonner*	**a ~ :** *une pousse, un rejeton*
a bulb	*un bulbe*	
to bear fruit *(v. irr.)*	*porter des fruits*	

Trees Les arbres

a tree	un arbre	☞ **a family ~ :** un arbre généalogique ☞ **a Christmas ~ :** un arbre de Noël
a 'treetop	une cime	
bark	l'écorce	
a trunk	un tronc, un fût	
a branch	une branche	
foliage ['fəʊliɪdʒ]	le feuillage	
a shrub	un arbuste	
a bush [bʊʃ]	un buisson, un arbuste	
an oak [əʊk]	un chêne	**a chestnut :** une châtaigne
a 'chestnut tree	un châtaignier, un marronnier	
a 'poplar	un peuplier	
a birch (tree)	un bouleau	
a beech (tree)	un hêtre	
a plane (tree)	un platane	
a 'maple	un érable	
a 'willow	un saule	
a pine (tree)	un pin	☞ **a pine cone :** une pomme de pin
a fir (tree)	un sapin	
a cedar ['siːdə]	un cèdre	
a 'redwood	un séquoia	
to prune	élaguer	
to cut down	abattre	SYN. **to fell**
a stump	une souche	
a 'clearing	une clairière	
a forest	une forêt	

Flowers Les fleurs

a bunch of flowers	un bouquet	SYN. **a bouquet, a posy**
a rose	une rose	
a tulip ['tjuːlɪp]	une tulipe	
a daisy ['deɪsi]	une pâquerette, une marguerite	
a hyacinth ['haɪəsɪnθ]	une jacinthe	

a hydrangea [haɪ'dreɪndʒə]	un hortensia	
a geranium [dʒə'reɪniəm]	un géranium	
a 'daffodil	une jonquille	
a for'get-me-not	un myosotis	
a 'primrose	une primevère	
a lily ['lɪli]	un lis	**a 'waterlily :** un nénuphar ☞ **a ~ of the valley :** du muguet
an orchid ['ɔːkɪd]	une orchidée	
a 'pansy	une pensée	
a car'nation	un œillet	
a violet ['vaɪələt]	une violette	
a 'dandelion [--laɪən]	un pissenlit	
'lavender	la lavande	
'holly	le houx	
ivy ['aɪvi]	le lierre	
a 'poppy	un coquelicot	
a 'buttercup	un bouton d'or	
a thistle ['θɪsəl]	un chardon	
'brambles	les ronces	SYN. **thorns :** les épines
fern	la fougère	
reed	les roseaux	

☞ Expressions

to make up a bouquet : *faire un bouquet* • **Life isn't all roses/a bed of roses.** *La vie n'est pas rose tous les jours.* • **She's an English rose.** *Elle est fraîche comme une rose.* • **There is no rose without a thorn.** *Il n'y a pas de roses sans épines.*

21 Pollution and protection of the environment

Pollution et défense de l'environnement

Once there were three little pigs who lived together in mutual respect and in harmony with their environment. Using materials that were indigenous to the area, they each built a beautiful house. One pig built a house of straw, one a house of sticks, and one a house of dung and clay [...]. When they were finished, the pigs were satisfied with their work and settled back to live in peace and self-determination. But their idyll was soon shattered. One day, along came a big, bad wolf with expansionist ideas...

James Finn Garner (American writer, born in 1960), *Politically Correct Bedtime Stories*, 1994, © by James Finn Garner.

Il y avait une fois trois petits cochons qui vivaient ensemble dans le respect mutuel et en harmonie avec leur environnement. En utilisant des matériaux locaux, chacun bâtit une belle maison. L'un des cochons construisit une maison en paille, un autre une maison en bois et le troisième une maison en torchis [...]. Une fois qu'ils eurent terminé, les cochons furent satisfaits de leur travail et s'installèrent pour vivre en paix et dans l'autodétermination. Mais leur idylle fut rapidement brisée. Un jour arriva un grand méchant loup aux idées expansionnistes...

The planet in danger La planète en danger

pol'lution	la pollution	☞ **air/water ~ :** la pollution de l'air/ de l'eau
noise pollution	la pollution sonore	
to pol'lute	polluer	✐ **a polluter :** un pollueur ✐ **a pollutant :** un polluant
defore'station	le déboisement	ANT. **re(af)forestation :** le reboisement
fumes	des fumées, des émanations	☞ **noxious ~ :** des fumées nocives ☞ **exhaust ~ :** des gaz d'échappement
'carbon di'oxyde	le dioxyde de carbone	SYN. **CO_2 :** le CO_2

the green house effect	*l'effet de serre*	☞ **the greenhouse gas :** les gaz à *effet de serre*
'acid rain	*les pluies acides*	
the 'ozone layer	*la couche d'ozone*	
'radioactive 'waste	*des déchets radioactifs*	☞ **radioactive fallout :** des *retombées radioactives*
nuclear ['nju:kliə]	*nucléaire*	
(heavy) industriali'zation	*l'industrialisation (massive)*	
a 'pesticide [--saɪd]	*un pesticide*	☞ **an insecticide :** un *insecticide*
'global 'warming	*le réchauffement planétaire*	
a 'poison cloud	*un nuage toxique*	
GMO	*OGM*	Rem. sigle de **Genetically Modified Organism :** *organisme génétiquement modifié*
an eco'logical di'saster	*un désastre écologique*	
'fossil fuels	*les combustibles fossiles*	
an oil slick	*une marée noire*	
waste	*le gaspillage*	✐ **to ~ :** *gaspiller*

☞ Expressions

Natural resources are running out. Les ressources naturelles s'épuisent. • **to cope with energy/water/electricity shortages :** *gérer la pénurie d'énergie, d'eau, d'électricité.*

The protection of the environment
La défense de l'environnement

to pre'serve the en'vironment	*protéger l'environnement*	Syn. **to pro'tect the environment**
e'cology	*l'écologie*	✐ **eco'logical :** *écologique*
eco'logically 'harmful	*qui nuit à l'environnement*	Ant. **ecologically sound :** *respectueux de l'environnement*
su'stainable growth	*la croissance durable*	
'energy conser'vation	*les économies d'énergie*	
a conser'vationist	*un écologiste*	Syn. **an environ'mentalist** ☞ **the Greens :** les *Verts*
the 'ecosystem	*l'écosystème*	

environ'mentally-friendly	qui respecte l'environnement	SYN. **eco-friendly**
biode'gradable	biodégradable	☞ ~ **packaging :** emballage biodégradable
to recycle [riːˈsaɪkəl]	recycler, retraiter	☞ **waste recycling :** le traitement des déchets
re'cycled (paper/glass)	(du papier/verre) recyclé	☞ **a re'cycling plant :** une usine de recyclage
or'ganic	biologique	☞ ~ **farming :** l'agriculture biologique
clean 'energy	l'énergie propre	
re'newable 'energy	l'énergie renouvable	☞ **renewable natural resources :** des ressources naturelles renouvelables
a windmill [ˈwɪndmɪl]	une éolienne	SYN. **a windpump**
wind power [ˈpaʊə]	l'énergie éolienne	
lead-free [led]	sans plomb	SYN. **unleaded**
agro'fuel	l'agrocarburant	SYN. **biofuel :** le biocarburant

☞ Expressions

the selective sorting of household waste : *le tri sélectif des ordures ménagères* • **to curb the greenhouse effect :** *réduire l'effet de serre* • **dumping at sea :** *le déversement en mer* • **to protect endangered species/beauty spots :** *protéger les espèces en voie de disparition/les sites.*

22 Games and sports
Jeux et sports

English Clubs become jet-set baubles
With each passing month, another English Premier League club falls to foreign ownership.
Clubs with a century of tradition behind them, and with a lucrative new television deal beckoning, are attracting billionaires looking for a sporting chance to make more profit by marketing the game and promoting their businesses.

International Herald Tribune, Dec., 13, 2006.

Les clubs anglais deviennent des marottes de la jet-set
Chaque mois qui passe voit un nouveau club de la Première Division d'Angleterre tomber aux mains d'un propriétaire étranger. Des clubs, qui ont un siècle de traditions derrière eux et de nouveaux contrats lucratifs avec les chaînes de télévision, attirent des milliardaires qui cherchent toutes les occasions de faire davantage de profits en commercialisant ce jeu et en faisant la promotion de leurs entreprises.

Toys, indoor and outdoor games
Les jouets, les jeux d'intérieur et de plein air

enter'tainment	*le divertissement*	✐ **to entertain :** *divertir*
a 'pastime	*un passe-temps, un divertissement*	
fun	*l'amusement*	☞ **to have ~ :** *s'amuser*
a 'plaything	*un jouet*	SYN. **a toy**
a doll	*une poupée*	
a soft/cuddly toy	*une peluche*	☞ **a teddy bear :** *un ours en peluche*
a puppet ['pʌpɪt]	*une marionnette, un pantin*	
to play cards	*jouer aux cartes*	☞ **a deck of cards :** *un paquet de cartes*
trumps	*l'atout*	
draughts [drɑːfts]	*(jeu de) dames*	
chess	*les échecs*	
darts	*les fléchettes*	

dice [daɪs]	les dés	☞ **to play ~ :** *jouer aux dés*
'dominoes	les dominos	
a forfeit ['fɔ:fɪt]	un gage	☞ **to have a ~ :** *avoir un gage*
a 'riddle	une devinette, une énigme	
a 'jigsaw 'puzzle	un puzzle	
'crossword (puzzle)	les mots croisés	☞ **to do ~ s :** *faire des mots croisés*
a 'video game	un jeu vidéo	
a ca'sino	un casino	
rou'lette	la roulette [jeu]	✐ **the ~ wheel :** la roulette [objet]
to gamble on sth	parier, miser sur qqch.	
bowling ['bəʊlɪŋ]	le bowling	≠ **a ~ match :** un concours de boules
to play hide and seek	jouer à cache-cache	
to play 'leapfrog	jouer à saute-mouton	
an ad'venture 'playground	une aire de jeux	
a swing	une balançoire	
a seesaw ['si:sɔ:]	un jeu de bascule	
a kite [kaɪt]	un cerf-volant	☞ **to fly a ~ :** *jouer au cerf-volant*
a ball [bɔ:l]	une balle, un ballon	
'marbles	les billes	
a 'scooter	une patinette/trottinette	
a 'radio con'trol car	une auto téléguidée	

& Notez bien

■ Quelques noms sont composés en **toy** : **a soft toy :** un jouet en peluche ; **a toy train/soldier/car :** un train électrique, un petit soldat, une petite voiture ; **a toy-shop :** un magasin de jouets.

■ Voici quelques noms de cartes à jouer : **the ace, the king, the queen, the knave/jack, the ten, the nine... of spades/diamonds/hearts/clubs :** l'as, le roi, la reine, le valet, le dix, le neuf... de pique/carreau/cœur/trèfle.

☞ Expressions

The die is cast. Les dés sont jetés. • **Play the game!** Joue le jeu/selon les règles ! • **She played her ace.** Elle a joué son as/sa carte maîtresse. • **a domino effect :** un effet domino/d'entraînement • **He's losing his marbles.** Il perd la boule. • **Shuffle the cards before dealing.** Bats les cartes avant de les donner. • **She's a good sport** *(fam.)*. C'est une chic fille.

The world of sport Le monde du sport

sport	le sport	☞ **indoor/outdoor ~ :** le sport en salle/de plein air ☞ **to do ~ :** *faire du sport*
a match	un match	☞ **a friendly ~ :** un match amical
compe'tition	la compétition	
an e'vent [ɪ'vent] **a 'contest**	une épreuve, une rencontre	
the O'lympic games	les jeux Olympiques	
a 'medal	une médaille	☞ **a gold/silver/bronze ~ :** une médaille d'or/d'argent/de bronze
the 'podium	le podium	☞ **to mount the ~ :** monter sur le podium
a field	un terrain	
a player	un joueur	
a draw [drɔː]	un match nul	✎ **to ~** *(v. irr.)* **:** *faire match nul, être ex-aequo*
a team	une équipe	☞ **the home ~ :** l'équipe qui reçoit ☞ **the ~ spirit :** l'esprit d'équipe
a track	une piste	
fair play	le fair-play	
a foul [faʊl]	une faute, un coup interdit	
rough [rʌf]	brutal	
to pant	haleter	☞ **to be out of breath :** être hors d'haleine
tired ['taɪəd]	fatigué	✎ **tiredness :** la fatigue ☞ **exhausted :** épuisé
start	le départ	ANT. **'finish :** l'arrivée
to win *(v. irr.)*	gagner	ANT. **to lose** *(v. irr.)* **:** perdre
to score [a goal]	marquer [un but]	
to kick	donner un coup de pied	☞ **to ~ a goal :** marquer un but ☞ **a kickoff :** un coup d'envoi
a goal [gəʊl]	un but	✎ **a 'goalkeeper :** un gardien de but, un goal ☞ **to miss a ~ :** manquer, rater un but
a 'penalty	un penalty	☞ **to award a ~ :** siffler un penalty
a free kick	un coup franc	
to run *(v. irr.)*	courir	
to over'take *(v. irr.)*	devancer, dépasser	
to hit *(v. irr.)*	frapper, taper sur	
to bet	parier	

Doing sport Pratiquer un sport

'football (GB)	*le football*	Syn. **'soccer** (US)
'rugby (football)	*le rugby*	
'baseball [beɪs-]	*le baseball*	
'cricket	*le cricket*	
'hockey	*le hockey*	☞ **ice ~ :** *le hockey sur glace*
'basketball	*le basket(-ball)*	
'tennis	*le tennis*	☞ **a ~ court :** *un court de tennis*
a 'racket	*une raquette*	
the net	*le filet*	
'archery	*le tir à l'arc*	
golf	*le golf*	
canoeing [kə'nuːɪŋ]	*le canoë-kayak*	✎ **a canoe :** *un canoë, un kayak*
'skating	*le patinage*	☞ **a ~ rink :** *une patinoire*
'skiing	*le ski*	☞ **water ~ :** *le ski nautique*
'swimming	*la natation*	✎ **to swim** *(v. irr.)* **:** *nager* ☞ **to dive :** *plonger*
rowing ['rəʊɪŋ]	*l'aviron*	✎ **to row :** *ramer, faire de l'aviron*
ath'letics	*l'athlétisme*	
long jump	*le saut en longueur*	☞ **high jump :** *le saut en hauteur*
pole jumping/vaulting	*le saut à la perche*	
shot	*le poids*	☞ **to put the ~ :** *lancer le poids*
'hammer	*le marteau*	
to throw *(v. irr.)*	*lancer*	☞ **~ the 'discus/'javelin :** *lancer le disque/javelot*
a race	*une course*	☞ **a hurdle ~ :** *une course de haies* ☞ **horse/motor racing :** *courses de chevaux/automobiles*
'boxing	*la boxe*	
wrestling ['reslɪŋ]	*le catch, la lutte*	
martial arts ['mɑːʃəl]	*les arts martiaux*	
'fencing	*l'escrime*	

& Notez bien

- Aux États-Unis, **football** est *le football américain*, **soccer** *le football*.
- Le nom **athletics** est suivi d'un verbe au singulier : **Athletics is practised in many schools.** *On fait de l'athlétisme dans de nombreuses écoles.*
- Noms de nages à retenir : **free style :** *le crawl* ; **breast-stroke :** *la brasse* ; **butterfly (stroke) :** *la nage papillon* ; **backstroke :** *le dos crawlé*.

23 Tourism and means of transport
Le tourisme et les moyens de transport

Like all great travelers, I have seen more than I can remember and remember more than I have seen.

Benjamin Disraeli (British politician and writer, 1804-1881).

Comme tous les grands voyageurs, j'en ai vu plus que je ne puis me rappeler, et me souviens de plus que je n'ai vu.

The worst thing about being a tourist is having others recognize you as a tourist.

Russell Baker (American journalist, born in 1925).

Ce qu'il y a de pire pour un touriste, c'est d'être reconnu par les autres comme un touriste.

Going on a trip *Partir en voyage*

to leave *(v. irr.)*	*partir*	SYN. **to go** *(v. irr.)* ☞ **to set off/to set out** *(v. irr.)* **:** *se mettre en route*
to get ready	*se préparer*	
to 'travel	*voyager*	☞ **a ~ agent/agency :** *un agent/une agence de voyages*
a journey ['dʒɜːni]	*un voyage*	SYN. **a trip** ☞ **the outward/homeward ~ :** *le voyage aller/le voyage retour*
an 'outing	*une excursion*	SYN. **an excursion**
a 'visit	*une visite*	☞ **to ~ :** *aller voir, aller à*
a tour [tʊə]	*un voyage*	☞ **a guided ~ :** *une visite guidée* ☞ **a package ~ :** *un voyage organisé*
a 'tourist	*un touriste*	✎ **touristic :** *touristique* ✎ **touristy :** *(trop) touristique*
to go sightseeing	*faire du tourisme*	

a desti'nation	*une destination*	
a 'guidebook	*un guide*	
de'parture [--tʃə]	*le départ*	Ant. **arrival :** *l'arrivée*
to start	*se mettre en route*	
to stop	*s'arrêter*	✐ **to stop over :** *faire une halte*
a delay [dɪ'leɪ]	*un retard*	✐ **to delay :** *retarder, différer* ✐ **to be delayed :** *être retardé*
a di'rection	*une direction*	☞ **in the ~ of :** *en direction de*
to 'hitchhike	*faire du stop*	✐ **a hitchhiker :** *un auto-stoppeur*
to book	*réserver*	
to pay a de'posit	*verser un acompte*	
to pack (up)	*faire ses bagages*	Ant. **to unpack :** *défaire ses bagages*
'holidays	*les vacances*	Syn. **a va'cation** (US) ☞ **paid ~ :** *les congés payés*
to be on vacation, holiday	*être en vacances*	

Accommodation (camping, hotels)
L'hébergement (camping, hôtels)

a 'camping site/ 'campsite	*un terrain de camping*	
a tent	*une tente*	
a 'sleeping bag	*un duvet/sac de couchage*	
a 'rucksack	*un sac à dos*	
a 'camping stove [stəʊv]	*un réchaud*	
a hotel [həʊ'tel]	*un hôtel*	
a bed and 'breakfast	*une chambre d'hôte*	
a 'guesthouse	*une pension de famille*	
full board/half board	*pension complète/ demi-pension*	
a motel [məʊ'tel]	*un motel*	
an inn	*une auberge*	
a youth hostel ['hɒstəl]	*une auberge de jeunesse*	
a stay	*un séjour*	
to check in	*arriver*	Ant. **to check out**
a vacancy ['veɪ--]	*une chambre libre*	
to make a reser'vation	*faire une réservation*	Syn. **to book**
to 'cancel	*annuler*	

a single/double (room)	une chambre à un lit/ double	
the re'ception	la réception	☞ **at ~ :** à la réception
a 'lobby	un hall	SYN. **a foyer**
'room 'service	le service de chambre	

→ p. 365 (À l'hôtel)

☞ Expressions

NO VACANCIES : COMPLET • **A supplement applies for sea view rooms.** *Il faut payer un supplément pour des chambres avec vue sur la mer.* • **Checkout time is 10:30.** *L'heure limite d'occupation est 10 h 30.* • **Breakfast included.** *Petit déjeuner compris.*

Travelling (GB), traveling (US) by car
Voyager en voiture

to drive *(v. irr.)*	conduire	**a driver :** un conducteur
a 'driving licence (GB)	un permis de conduire	SYN. **a 'driver's 'licence** (US)
the 'highway 'code	le code de la route	
a sign	un panneau	☞ **a road ~ :** un panneau de signalisation
to start up a car	(faire) démarrer une voiture	
a map	une carte	
an itinerary [aɪ'tɪnərəri]	un itinéraire	☞ **a scenic route :** un itinéraire touristique
a 'caravan (GB)	une caravane	SYN. **a 'trailer** (US)
speed	la vitesse	☞ **to ~ along** *(v. irr.)* **:** aller à toute vitesse ☞ **the ~ limit :** la limitation de vitesse
to ac'celerate	accélérer	ANT. **to slow down :** ralentir ☞ **to step on the gas :** appuyer sur le champignon *(fam.)*
to pass	dépasser, doubler	SYN. **to over'take** *(v. irr.)* (GB)
to stall [stɔːl]	caler	
to re'verse	faire marche arrière	SYN. **to back (up) a car** ☞ **to do a U-turn :** faire demi-tour
to turn left/right	prendre à gauche/ à droite	
to sound the horn	klaxonner	SYN. **to hoot the horn**
a 'traffic jam	un embouteillage, un bouchon	SYN. **a 'bottleneck**

to park	*se garer*	☞ **a car park :** un parking ☞ **a parking space :** une place de stationnement
a holdup	*un ralentissement*	
a road	*une route*	
a dual 'carriageway (GB)	*une route à quatre voies*	SYN. **a 'highway** (US)
a 'motorway (GB)	*une autoroute*	SYN. **a 'freeway** (US)
a toll [təʊl]	*un péage*	☞ **a toll motorway** (GB)/ **'turnpike** (US) **:** une autoroute à péage
a 'junction	*un carrefour, un croisement*	SYN. **crossroads**
a sleeping po'liceman	*un ralentisseur*	SYN. **a road hump**
a di'version (GB)	*une déviation*	SYN. **a 'detour** (US) ☞ **a 'bypass :** une rocade
a 'rest area ['eəriə]	*une aire de repos*	
a 'service 'station	*une station-service*	SYN. **a petrol** (GB)**/gas** (US) **station**
an 'accident	*un accident*	
a 'breakdown	*une panne*	☞ **a 'puncture :** une crevaison
a fine	*une amende*	SYN. **a 'ticket**

Car components Les parties de la voiture

a door	*une portière/porte*	
a (spare) wheel	*une roue (de secours)*	
a tyre (GB) ['taɪə]	*un pneu*	SYN. **a tire** (US)
a 'windscreen (GB)	*un pare-brise*	SYN. **a 'windshield** (US) ☞ **a ~ wiper :** un essuie-glace
a seat	*un siège*	☞ **a ~ belt :** une ceinture de sécurité
a 'steering wheel	*un volant*	☞ **'power 'steering :** la direction assistée
a pedal ['pedəl]	*une pédale*	☞ **the clutch :** l'embrayage
the ac'celerator [---reɪ-]	*l'accélérateur*	✎ **to accelerate :** accélérer
a brake	*un frein*	✎ **to ~ :** freiner
a gear [gɪə]	*une vitesse*	☞ **to change ~ :** changer de vitesse
an 'indicator [--keɪ-]	*un clignotant*	
a 'bumper	*un pare-chocs*	
the 'bonnet (GB)	*le capot*	SYN. **the hood** (US)
the boot (GB)	*le coffre*	SYN. **the trunk** (US)
a 'number plate (GB)	*une plaque d'immatriculation*	SYN. **a license plate** (US)

➜ p. 375 (Au garage)

Taking the train *Prendre le train*

a ('railway) 'station	*une gare*	
the 'ticket 'office	*le guichet*	SYN. **booking office**
a train	*un train*	☞ **a ~ driver :** un conducteur de train
a (railway) line	*une ligne (de chemin de fer)*	
a 'carriage/coach (GB)	*une voiture, un wagon*	SYN. **a car** (US)
a seat	*un siège*	
a dining-car	*un wagon-restaurant*	
a (suit)case	*une valise*	SYN. **a bag**
a desti'nation	*une destination*	
a 'newsstand	*un kiosque (à journaux)*	
the waiting room	*la salle d'attente*	
de'parture(s)/ar'rival(s) board	*l'affichage des départs/ arrivées*	
to punch	*composter*	
a 'platform	*un quai, une voie*	☞ **platform five :** voie 5
to pull in	*entrer en gare*	
a com'partment	*un compartiment*	
a 'corridor	*un couloir*	SYN. **an aisle** [aɪl]
a rack	*un porte-bagages*	
a ('ticket) in'spector	*un contrôleur*	☞ **to check :** contrôler

→ **p. 368** (À la gare)

& Notez bien

■ Types de trains à retenir : **a passenger train :** *un train de voyageurs* ; **a goods train/freight train :** *un train de marchandises* ; **a high-speed train :** *un train à grande vitesse* ; **an express [train] :** *un [train] rapide* ; **a through/non-stop train :** *un train direct* ; **a slow train :** *un omnibus*.

■ Voici quelques types de billets : **a single ticket** (GB), **a one-way ticket** (US) : *un aller simple* ; **a return ticket** (GB)**/a round-trip ticket :** *un aller-retour* ; **a season ticket :** *un abonnement* ; **a valid ticket :** *un billet valable* ; **a half fare ticket :** *un billet (à) demi-tarif* ; **a first/second class ticket :** *un billet de première/seconde classe*.

■ Il existe deux mots pour désigner les *bagages* en anglais : **luggage** et **baggage**. Ils ne s'emploient jamais au pluriel : **your luggage/baggage has arrived :** *vos bagages sont arrivés*. *Trois bagages* se dit **three pieces of luggage** *ou* **three bags**.

At the airport *À l'aéroport*

an airport ['eəpɔːt]	*un aéroport*	
a 'terminal	*une aérogare, un terminal*	
de'partures [--tʃəz]	*les départs*	ANT. **arrivals :** *les arrivées*
a departure lounge	*une salle d'embarquement*	
to check in	*se présenter à l'enregistrement*	☞ **a check-in desk :** *un comptoir d'enregistrement*
a 'boarding pass	*une carte d'embarquement*	
an 'airline ('company)	*une compagnie aérienne*	
to fly *(v. irr.)*	*voyager en avion*	
to take off *(v. irr.)*	*décoller*	
to land	*atterrir*	SYN. **to touch down** ✐ **a (smooth) landing :** *un atterrissage (en douceur)*
a 'runway	*une piste (d'atterrissage)*	
a (air)plane	*un avion*	☞ **an 'aircraft** (PL. INV.)
a jet (plane)	*un avion à réaction*	
a flight	*un vol*	
'air 'traffic con'trol	*le contrôle du trafic aérien*	
the ('luggage) hold	*la soute (à bagages)*	
'hand 'luggage ['lʌgɪdʒ]	*les bagages à main*	
a 'window	*un hublot*	☞ **a ~ seat :** *une place côté fenêtre*
an aisle [aɪl]	*un couloir*	☞ **an ~ seat :** *une place côté couloir*
to crash	*s'écraser*	
the crew [kruː]	*l'équipage*	
a steward ['stjuːəd]	*un steward*	✐ **a stewardess/an air hostess :** *une hôtesse de l'air*

☞ Expressions

to board a plane : *monter à bord d'un avion* • **to be jetlagged :** *souffrir du décalage horaire* • **to travel economy/business/first class :** *voyager en classe économique/affaires/première classe* • **to go through security checks :** *passer au contrôle de sécurité* • **a charter/short-haul/medium/long-distance flight :** *un vol charter/de courte distance/moyen-courrier/long-courrier.*

On a boat En bateau

a boat	un bateau	☞ **a sailing ~ :** un voilier ✎ **a 'sailor, 'seaman :** un marin
a ship	un navire	✎ **shipping :** la navigation ☞ **a con'tainer ~ :** un porte-conteneurs
a yacht [jɒt]	un yacht, un voilier	☞ **a ~ race :** une course à la voile
a barge	une péniche	
a liner ['laɪnə]	un paquebot	
a 'ferry	un ferry, un bac	
a 'lifebuoy [-bɔɪ]	une bouée de sauvetage	
a 'lifejacket (GB)	un gilet de sauvetage	Syn. **a 'lifevest** (US)
the crew	l'équipage	
a captain ['kæptɪn]	un capitaine	
a 'skipper	un capitaine	**2.** un chef d'équipe [dans une course]
an 'anchor	une ancre	
a 'cabin	une cabine	
the deck	le pont	
a mast	un mât	
a sail [seɪl]	une voile	✎ **to ~ :** voguer
to call at	faire escale à	Syn. **to put in at**
to roll	rouler	☞ **to pitch :** tanguer
'sea-'sickness	le mal de mer	
a port	un port	Syn. **a 'harbour** (GB)**/harbor** (US)
to go on board	monter à bord	Ant. **to go a'shore :** aller à terre
a quay [kiː]	un quai	Syn. **a wharf** [wɔːf]
a 'lighthouse	un phare	
a 'crossing	une traversée	

Administrative formalities
Les formalités administratives

a vaccine ['væksiːn]	un vaccin	☞ **a booster :** un rappel
a 'passport	un passeport	
'passport con'trol	le contrôle des passeports	
a visa ['viːzə]	un visa	☞ **an entry/exit ~ :** un visa d'entrée/de sortie
'customs	la douane	☞ **a ~ decla'ration :** une déclaration en douane
a customs officer	un douanier	

24 Festivals and traditions
Fêtes et traditions

Festivals and festivities *Fêtes et festivités*

Festivals *Les fêtes*

'Christmas, Xmas	Noël	☞ **a ~ tree :** un arbre/sapin de Noël
'Father 'Christmas (GB)	le Père Noël	SYN. **'Santa Claus** (US)
Shrove 'Tuesday	Mardi gras	SYN. **Mardi Gras**
'Easter	Pâques	☞ **~ eggs :** les œufs de Pâques
Saint John's Day	la fête de la Saint-Jean	
New Year	le nouvel an	☞ **~'s Eve :** la Saint-Sylvestre ☞ **~'s Day :** le jour de l'an
the 'Chinese New 'Year	le Nouvel An chinois	

a 'national 'holiday	*une fête nationale*	
a 'public 'holiday	*un jour férié*	SYN. **a bank holiday** (GB)
the Fourth of Ju'ly	*le 4 juillet*	SYN. **Inde'pendence Day :** *la fête de l'Indépendance américaine*
Re'membrance Day	*le jour de l'Armistice*	☞ **Remembrance Sunday :** *le dimanche de l'Armistice*
'Labour Day (GB)	*la fête du travail*	SYN. **Labor Day** (US)
Ba'stille Day	*le 14 juillet*	
'Mother's Day	*la fête des Mères*	☞ **Father's Day :** *la fête des Pères*
(Saint) 'Valentine's Day	*la Saint-Valentin*	☞ **a Valentine card :** *une carte de la Saint-Valentin*
'Halloween	*Halloween*	
a mask	*un masque*	
to dress up	*se déguiser*	
a 'pumpkin	*une citrouille*	
a witch	*une sorcière*	

Festivities *Les festivités*

a Christmas Eve/ New Year's Eve dinner	*un réveillon de Noël/ du nouvel an*	
a 'party	*une fête, une réception*	
a 'birthday/ 'farewell 'party	*une fête d'anniversaire/ d'adieu*	
a re'tirement 'party	*un pot de départ*	
a 'family cele'bration	*une fête de famille*	
a house warming party	*une crémaillère*	
a village fête ['vɪlɪdʒ feɪt]	*une fête de village*	
a feast	*un festin*	
a 'wedding	*un mariage [cérémonie]*	
a banquet ['bæŋkwɪt]	*un banquet*	☞ **a wedding ~ :** *un repas de noces*
to have a blow-out	*faire un gueuleton (fam.)*	
a great 'delicacy	*un mets raffiné*	
a 'special, 'dainty dish	*un plat spécial, délicat*	
foie gras	*le foie gras*	
(stuffed) 'turkey	*de la dinde (farcie)*	
'caviar	*le caviar*	
'oysters	*des huîtres*	
petit(s)-four(s)	*des petits fours*	
a 'wedding cake	*un gâteau de mariage*	
vintage wine ['vɪntɪdʒ]	*un vin fin, un grand vin*	

an em'broidered 'tablecloth	*une nappe brodée*	
the 'silver(ware)	*l'argenterie*	
a cande'labra	*un chandelier*	SYN. **a 'candleholder** REM. **a chande'lier :** *un lustre*

→ Fêtes religieuses p. 131 (Religions et croyances)

Fêtes anglo-saxonnes

■ On célèbre la **Saint-Patrick** le 17 mars, en Irlande, mais aussi aux États-Unis, car de nombreux Américains sont d'origine irlandaise, et en particulier à New York où a lieu un grand défilé. On s'habille en vert pour l'occasion afin de rappeler le trèfle **(Shamrock)**, symbole de l'Irlande.

■ Aux États-Unis, c'est le lapin de Pâques **(Easter bunny)** qui apporte les œufs de Pâques **(Easter eggs)**.

■ La fête du travail, **Labo(u)r day** tombe le 1er lundi de mai en Grande-Bretagne et le 1er lundi de septembre au Canada et aux États-Unis.

■ **Canada Day**, le 1er juillet, commémore l'indépendance du Canada.

■ **Independence Day**, la fête nationale américaine, se fête le 4 juillet. C'est la fête la plus importante aux États-Unis avec **Thanksgiving**. On organise des défilés **(parades)**, des feux d'artifice **(fireworks)** et des barbecues **(barbecues)** en famille et avec des amis.

■ En Grande-Bretagne, **Remembrance Day** (le jour de l'Armistice, le 11 novembre) s'appelle familièrement **Poppy Day** (*littér. le jour du coquelicot*). Les gens portent des coquelicots en papier à leur boutonnière, vendus au profit des anciens combattants et de leurs familles. On dit aussi **Armistice Day** ou, aux États-Unis, **Veterans' Day**.

■ **Guy Fawkes' Night**, aussi appelé **Bonfire Night**, est une fête britannique, qui tombe le 5 novembre. Elle commémore l'échec du complot fomenté par un catholique, Guy Fawkes, de détruire le parlement anglais en 1605. Le 5 novembre, on brûle des effigies le représentant et on tire des feux d'artifice **(fireworks)**.

■ La fête de **Thanksgiving** est la fête familiale la plus importante aux États-Unis. Elle se célèbre le quatrième jeudi du mois de novembre, en commémoration de la première récolte des Anglais sur le sol américain en 1621, permise avec l'aide des Indiens. Au Canada, on la célèbre le second lundi d'octobre. Traduction québécoise : *l'Action de Grâce*. À cette occasion, les familles et amis partagent la dinde aux canneberges **(turkey with cranberry sauce)** et la tarte à la citrouille en dessert **(pumpkin pie)**.

■ **Boxing Day**, le 26 décembre, est férié en Grande-Bretagne. Ce jour-là, soit on continue les festivités de la veille, soit on récupère. Traditionnellement, on offrait les étrennes aux employés, aux artisans ou au facteur dans une boîte **(a box)**. Aucun rapport donc avec la boxe **(boxing)** !

■ En anglais américain, **holiday** signifie *jour férié*. *Vacances* se dit **vacation**. En anglais britannique **holidays :** *vacances* et **public/bank holiday :** *jour férié*.

Festivals and popular tradition
Fêtes et traditions populaires

a fair	une kermesse	☞ **a funfair :** *une fête foraine*
a 'street 'party	une *fête de rue*	
a 'beer 'festival	une *fête de la bière*	
a 'local/'parish fête/fair	une *fête communale /paroissiale*	
a pro'cession	un cortège, un *défilé*	SYN. **a pa'rade**
'carnival	le carnaval	
illumi'nations	des illuminations	☞ **the 'Christmas lights :** les ~ de Noël
'fireworks	des *feux* d'artifice	☞ **a ~(s) di'splay :** un *feu* d'artifice
a 'bonfire	un *feu* de joie	☞ **to set off a firework :** tirer un *feu* d'artifice
to com'memorate	commémorer	**a commemo'ration :** une commémoration
to put out flags	orner de drapeaux, pavoiser	

☞ Expressions

April Fool! Poisson d'avril ! • **The whole village is celebrating.** Tout le village est en *fête*. • **Let's celebrate!** Il *faut fêter* ça ! • **I'm in a festive mood.** J'ai envie de *faire* la *fête*. • **There are flags out all over the city.** Toute la ville pavoise.

25 Sciences
Les sciences

Wright of Derby, *An Experiment on a Bird in the Air Pump*, 1768.

The scientific approach, research
La démarche scientifique, la recherche

a science ['saɪəns]	une science	**a scientist :** un scientifique
ap'plied 'sciences	les sciences appliquées	
tech'nology	la technologie	**techno'logical ad'vances :** les progrès de la technologie
to do re'search	faire de la recherche	SYN. **to research**
a lab/la'boratory	un labo/ratoire	
an ex'periment	une expérience	**to ~ :** expérimenter

a hypothesis [haɪˈpɒθəsɪs]	*une hypothèse*	PL. **hypotheses**
a diˈscovery [-ˈkʌ-]	*une découverte*	**to discover :** découvrir ☞ **a ˈbreakthrough :** une percée
a publiˈcation	*une publication, un article*	
ˈinference	*l'inférence*	**an ~ :** une déduction, une conclusion
to inˈfer sth from/ infer that...	*induire, conclure*	
to deˈduce	*déduire*	**a (logical) deˈduction :** une déduction (logique)
ˈlogic	*la logique*	**logical :** logique **logically :** en toute logique
ˈreasoning	*le raisonnement*	☞ **deˈductive ~ :** logique déductive
a conjecture [kənˈdʒektʃə]	*une conjecture*	
a propoˈsition	*une proposition*	SYN. **a ˈpostulate, a ˈpremise**
to ˈformalize	*formaliser*	
a coˈrollary	*un corollaire*	
a ˈsyllogism	*un syllogisme*	
to observe [əbˈzɜːv]	*observer*	**an obserˈvation : 1.** une observation **2.** une remarque
a proof	*une preuve*	**to prove sth :** prouver qqch.
a demonˈstration	*une démonstration*	**to ˈdemonstrate :** démontrer
a soˈlution	*une solution*	**to solve :** résoudre

☞ Expressions

to carry out an experiment : *faire une expérience* • **to formulate/forward/confirm a hypothesis :** *formuler/avancer/confirmer une hypothèse* • **to analyse sth closely/in detail/objectively/thoroughly :** analyser qqch. de près/en détail/objectivement/soigneusement • **I can't really see the logic of it.** *Ça ne me paraît pas vraiment normal.* • **If and only if...** *Si et seulement si...* • **to distinguish the true from the false :** distinguer *le vrai du faux.*

The hard sciences Les sciences pures

(ˈnuclear) ˈphysics	*la physique (nucléaire)*	☞ **a law of ~ :** une loi de la ~
a ˈphysicist	*un physicien*	
relaˈtivity	*la relativité*	
ˈchemistry [ˈkemɪstri]	*la chimie*	
an ˈatom [ˈætəm]	*un atome*	
a ˈparticle	*une particule*	
geˈometry	*la géométrie*	**geoˈmetrical :** géométrique

a 'polygon	*un polygone*	
a theorem ['θɪərəm]	*un théorème*	☞ **an 'axiom :** un axiome
a 'principle	*un principe*	
a 'property	*une propriété*	
data ['deɪtə]	*des données*	REM. nom + verbe au singulier ou au pluriel
mathe'matics	*les mathématiques*	✐ **a mathema'tician :** un mathématicien
a'rithmetic	*l'arithmétique*	
a figure ['fɪgə]	*un chiffre, une figure*	
a 'rational/real 'number	*un nombre rationnel/réel*	
to add	*ajouter*	✐ **ad'dition :** l'addition
to sub'tract	*soustraire*	✐ **sub'traction :** la soustraction
to di'vide	*diviser*	✐ **di'vision :** la division
to multiply ['mʌltɪplaɪ]	*multiplier*	✐ **multipli'cation :** la multiplication
an abacus ['æbəkəs]	*un boulier*	
('mental) calcu'lation	*le calcul (mental)*	SYN. **'reckoning**
a 'fraction	*une fraction*	
algebra ['ældʒɪbrə]	*l'algèbre*	
a 'symbol	*un symbole*	
a 'simple/qua'dratic e'quation	*une équation de premier/second degré*	
set theory ['θɪəri]	*la théorie des ensembles*	
a 'logarithm	*un logarithme*	
a square/cube root	*une racine carrée/cubique*	
sta'tistics	*des statistiques*	
proba'bility (calculus/theory)	*(calcul/théorie des) probabilités*	

& Notez bien

■ Les noms en **-ics (mathematics, physics...)** sont suivis d'un verbe au singulier.
Physics is my favourite subject. *La physique est ma matière préférée.*

☞ Expressions

the laws of nature : *les lois de la nature* • **the law of large numbers :** *la loi des grands nombres* • **the wording of a problem :** *l'énoncé d'un problème* • **to solve a problem :** *résoudre un problème* • **to be very good at sums :** *être fort en calcul* • **He only thinks of number one.** *Il ne pense qu'à sa pomme.* • **I've got her number!** *Je l'ai repérée !*

The life sciences Les sciences de la vie

bi'ology	la biologie	**a biologist :** un biologiste
a cell	une cellule	
DNA	l'ADN	
genes [dʒiːnz]	les gènes	**genetics :** la génétique
ge'netic in'heritance	le patrimoine génétique	
he'redity	l'hérédité	
a mu'tation	une mutation	
an embryo ['embriəʊ]	un embryon	
zo'ology	la zoologie	**a zoologist :** un zoologue
'botany	la botanique	**a botanist :** un botaniste

Social sciences Les sciences humaines

soci'ology	la sociologie	**a sociologist :** un sociologue
po'litical 'sciences	les sciences politiques	
lin'guistics	la linguistique	**a 'linguist :** un linguiste
sociolin'guistics	la sociolinguistique	
psycholin'guistics	la psycholinguistique	
eco'nomics	l'économie	**an e'conomist :** un économiste
eth'nology	l'ethnologie	**an ethnologist :** un ethnologue
anthro'pology	l'anthropologie	**an anthropologist :** un anthropologue
'history	l'histoire	**a hi'storian :** un historien
ge'ography	la géographie	**a geographer :** un géographe
psy'chology [saɪ---]	la psychologie	**a psychologist :** un psychologue

26 Religions and beliefs
Religions et croyances

It was the experience of mystery – even if mixed with fear – that engendered religion.

Albert Einstein (1879-1955).

C'est l'expérience du mystère – même mêlée de crainte – qui a engendré la religion.

If there were no God, there would be no Atheists.

K. Chesterton (British writer, 1874-1936).

Si Dieu n'existait pas, il n'y aurait pas d'athées.

Faith, unbelief, secularism
La foi, l'incroyance, la laïcité

a re'ligion	*une religion*	✐ **religious :** *religieux* ☞ **freedom of ~ :** *la liberté religieuse*
God	*Dieu*	✐ **a god :** *un dieu* ☞ **the divine :** *le divin*
a be'lief	*une croyance*	✐ **a be'liever :** *un croyant*
a doctrine ['dɒktrɪn]	*une doctrine*	☞ **a 'dogma :** *un dogme*
conscience ['kɒnʃəns]	*la conscience*	
a sin	*un péché*	✐ **to ~ :** *pécher*
heaven ['hevən]	*le ciel, le paradis*	ANT. **hell :** *l'enfer*
an angel ['eɪndʒəl]	*un ange*	ANT. **a 'devil :** *un diable/démon*
a saint [seɪnt]	*un saint*	
a 'martyr	*un martyr*	✐ **martyrdom :** *le martyre*
to pray	*prier*	
a cult	*un culte*	☞ **to 'worship sb :** *vouer un culte à*
the'ology	*la théologie*	
to preach	*prêcher*	✐ **a 'preacher :** *un prédicateur*
the 'clergy	*le clergé*	
a 'pilgrim	*un pèlerin*	✐ **a pilgrimage :** *un pèlerinage* ☞ **a shrine :** *un lieu de pèlerinage*
'monotheism	*le monothéisme*	ANT. **'polytheism :** *le polythéisme*

LEXIQUE THÉMATIQUE

a 'prophet	*un prophète*	
'secular	*laïc*	☞ **a ~ so'ciety/edu'cation :** une société/éducation laïque
to con'vert to	*se convertir à*	**a 'convert :** un converti
to lose faith *(v. irr.)*	*perdre la foi*	
atheism ['eɪθiɪzm]	*l'athéisme*	✐ **an atheist :** un athée
ag'nostic	*agnostique*	✐ **an ~ :** un agnostique
a sect	*une secte*	✐ **sec'tarianism :** le sectarisme

& Notez bien

- On ne confondra pas **conscience** (la conscience philosophique) et **consciousness** (*le fait d'être conscient*).
- **Heaven** (*le ciel*) s'emploie dans un contexte religieux ou littéraire.

Christianity Le christianisme

'Christian	*chrétien*	✐ **a ~ :** un(e) chrétien(ne)
a ('Roman) 'Catholic	*un catholique*	
an 'orthodox	*un orthodoxe*	☞ **the ~ Church :** les Églises orthodoxes
an 'Anglican	*un anglican*	☞ **the ~ Church :** l'Église anglicane
re'formed 'churches	*les églises réformées*	
a 'Protestant	*un protestant*	✐ **Protestantism :** le protestantisme
a 'Calvinist	*un calviniste*	
a 'Lutheran	*un luthérien*	
a 'Baptist	*un baptiste*	
a 'Methodist	*un méthodiste*	
a Presby'terian	*un presbytérien*	
a Je'hovah's 'Witness	*un témoin de Jéhovah*	
a church	*une église*	PL. **churches** ☞ **to go to ~ :** aller à l'église
mass	*la messe*	☞ **to go to/attend ~ :** aller à la messe
the Bible ['baɪbl]	*la Bible*	☞ **the Old/New 'Testament :** l'Ancien/le Nouveau Testament
a 'gospel	*un évangile*	☞ **the ~ according to... :** l'Évangile selon...
a psalm [sɑːm]	*un psaume*	☞ **the Book of Psalms :** le livre des Psaumes
the Sal'vation 'Army	*l'Armée du Salut*	
a 'temple	*un temple*	
an altar ['ɔːltə]	*un autel*	

a ca'thedral [-'θi:-]	*une cathédrale*	
a priest [pri:st]	*un prêtre*	☞ **an 'orthodox ~ :** *un pope*
a monk [mʌŋk]	*un moine*	☞ **a nun :** *une religieuse*
to kneel *(v. irr.)* [ni:l]	*s'agenouiller, être agenouillé*	
to con'fess	*(se) confesser*	✐ **a confession :** *une confession*
to bless	*bénir*	
com'munion	*la communion*	☞ **to take ~ :** *recevoir la communion*
a host	*une hostie*	
a cross	*une croix*	
a 'crucifix ['kru:--]	*un crucifix, un calvaire*	
to christen ['krɪsən]	*baptiser*	SYN. **to 'baptize**
the Pope [pəʊp]	*le pape*	

A Christian Festival *Une fête chrétienne*

'Advent	*l'avent*	
'Christmas	*Noël*	☞ **Na'tivity :** *la Nativité*
the (Blessed) 'Virgin	*la (Sainte) Vierge*	SYN. **the ~ 'Mary :** *la Vierge Marie*
the Messiah [mə'saɪə]	*le Messie*	
a crib	*une crèche*	SYN. **a Nativity scene** ≠ **a crèche** (GB) **:** *une garderie*
the 'Midnight 'Mass	*la Messe de minuit*	
'Easter	*Pâques*	
E'piphany	*l'Épiphanie*	SYN. **Twelfth Night**
Lent	*le carême*	
Palm 'Sunday [pa:m]	*le dimanche des Rameaux*	
Good 'Friday	*le Vendredi saint*	
All Saints' Day	*la Toussaint*	

➜ p. 123 (Fêtes et traditions)

☞ L'Église anglicane

■ Elle regroupe **The Church of England**, **the Church in Wales**, **the Episcopal Church in Scotland**, **the Church of Ireland** et, aux États-Unis, **the Protestant Episcopal Church**. Les évêques anglicans **(Anglican bishops)** se réunissent tous les dix ans.

☞ Expressions

to be sacrificed on the altar of productivity : *se sacrifier sur l'autel de la productivité* • **Bless you!** À tes souhaits ! • **I'm not blessed with the same skill as you.** *Je n'ai pas la chance d'avoir le même talent que toi.* • **The Bible belt** *(littér.* la Ceinture de la Bible) **:** *États du sud des États-Unis profondément chrétiens.*

LEXIQUE THÉMATIQUE

Islam *L'islam*

the 'crescent and the star	*le croissant et l'étoile*	
Islamic [ɪz'læmɪk]	*islamique*	
the 'Prophet Mu'hammad	*le Prophète Mahomet*	
a Sunni/'Shiite 'Muslim ['sʊni] ['ʃi:aɪt]	*un(e) musulman(e) sunnite/chiite*	
Rama'dan	*le ramadan*	☞ **to ob'serve ~ :** *faire le ramadan*
to fast	*jeûner*	✐ **fast :** *le jeûne*
the Ko'ran	*le Coran*	☞ **a 'sura :** *une sourate*
a mosque [mɒsk]	*une mosquée*	
a prayer mat [preə]	*un tapis de prière*	
a mina'ret	*un minaret*	☞ **a mu'ezzin :** *un muezzin*
an i'mam	*un imam*	
'Mecca	*La Mecque*	☞ **to turn to ~ :** *se tourner vers La Mecque*
the 'Eid 'festival [i:d]	*la fête de l'Aïd*	☞ **the sheep festival :** *la fête du mouton*

Judaism *Le judaïsme*

a Jew [dʒu:]	*un juif*	✐ **Jewish :** *juif*
a 'synagogue	*une synagogue*	
the 'Pentateuch [--tju:k]	*le Pentateuque*	
'Genesis ['dʒe--]	*la Genèse*	
the 'Patriarchs ['peɪ--]	*les Patriarches*	
the 'Sabbath	*le sabbat*	☞ **to observe the ~ :** *faire le sabbat*
a rabbi ['ræbaɪ]	*un rabbin*	
the Ten Com'mandments	*les Dix Commandements*	
Moses ['məʊzɪz]	*Moïse*	
the 'Torah	*la Thora*	☞ **the ~ scrolls :** *les rouleaux de la Thora*
the 'Talmud	*le Talmud*	
kosher ['kəʊʃə]	*casher/kasher*	
Yom 'kippur	*Yom Kippour*	
'Passover	*la Pâque*	
'matza, un'leavened bread	*le pain azyme*	
the Day of A'tonement	*la fête du Grand Pardon*	
the Star of 'David	*l'étoile de David*	

Other religions Autres religions

'Hinduism	*l'hindouisme*	**a Hindu :** *un hindou*
a cast	*une caste*	**the ~ system :** *le système des castes*
'Buddhism	*le bouddhisme*	**a Buddhist :** *un bouddhiste*
a 'guru	*un gourou*	
the nir'vana	*le nirvana*	
'karma	*le karma*	
reincar'nation	*la réincarnation*	
'paganism ['peɪ--]	*le paganisme*	**a pagan :** *un païen*
'shamanism	*le chamanisme*	**a shaman :** *un chaman*
'animism	*l'animisme*	
a 'spirit	*un esprit*	
'Sikhism	*le sikhisme*	**a Sikh :** *un Sikh*
'Shintoism	*le shintoïsme*	**a shintoist :** *un shintoïste*

Myths, tales and legends Mythes, contes et légendes

a myth	*un mythe*	**'mythical :** *mythique* **mytho'logical :** *mythologique*
a 'legend	*une légende*	**legendary :** *légendaire*
a tale	*un conte*	**a fairy ~ :** *un conte de fées*
a 'fable	*une fable*	
an 'oracle	*un oracle*	
the 'underworld	*les enfers*	
a centaur ['sentɔː]	*un centaure*	
a nymph	*une nymphe*	**a naiad :** *une naïade*
a demon ['diːmən]	*un démon*	
an elf	*un elfe, un lutin*	**a gnome :** *un gnome, un lutin* **a 'goblin :** *un lutin*
an ogre ['əʊgə]	*un ogre*	**a giant** ['dʒaɪənt] **:** *un géant*
a 'mermaid	*une sirène*	
a 'wizard	*un magicien, un enchanteur*	**a 'sorcerer :** *un sorcier* **a witch :** *une sorcière*
a spell	*un sort, un charme*	**to put, cast a ~ :** *jeter un sort, envoûter*
a vampire ['væmpaɪə]	*un vampire*	
a werewolf ['weəwʊlf]	*un loup-garou*	
to tell (a story)	*raconter (une histoire)*	

LEXIQUE THÉMATIQUE

27 Artistic creation and styles
La création et les styles artistiques

John O'Connor (1830-1889), *Saint Pancras.*

Artistic creation La création artistique

art	*l'art*	✐ **ar'tistic :** artistique ✐ **an 'artist :** un(e) artiste
a work of art	*une œuvre d'art*	✐ **a 'masterpiece :** un chef-d'œuvre
to create [kri'eɪt]	*créer*	☞ **to de'pict, to portray :** représenter
an art school	*une école de dessin*	☞ **an art 'teacher :** un professeur de dessin
an art col'lector	*un collectionneur d'art*	☞ **an art 'dealer :** un marchand de tableaux
'auction ['ɔːkʃn]	*la vente aux enchères*	☞ **to sell by ~ :** vendre aux enchères
a copy	*une copie*	Syn. **a repro'duction**
a 'forgery	*un faux*	☞ **to do forgeries :** *faire des faux*
style	*le/un style*	
skill	*le talent*	Syn. **'talent** ✐ **'skil(l)ful :** adroit, habile

a gift	*un don*	**'gifted :** *doué(e)*
genius ['dʒi:niəs]	*le génie*	**a ~ :** *un génie*
the fine arts	*les beaux-arts*	
an exhi'bition	*une exposition*	
aes'thetic, esthetic (US)	*esthétique*	**an (a)esthete :** *un esthète* **(a)esthetics :** *l'esthétique*

→ p 143 (Les beaux-arts et l'architecture), 147 (La musique), 150 (Les arts du spectacle)

& Notez bien

- On ne confondra pas **art** *(l'art)* et **arts** *(les lettres)*, l'étude de la philosophie, de la géographie, de l'histoire, des langues...

Styles and schools Les styles et les mouvements

folk/naive art	*l'art populaire/naïf*	
rock/cave 'paintings	*les peintures rupestres*	
'classical	*classique*	
neo-classical [ni:əʊ]	*néo-classique*	**(neo-)classicism :** *le (néo)clacissisme*
roma'nesque	*roman*	
'gothic	*gothique*	
Re'naissance	*Renaissance*	
Eliza'bethan [---bi:-]	*élisabéthain*	
ba'roque	*baroque*	**the ~ :** *le baroque*
ro'mantic	*romantique*	**romanticism :** *le romantisme*
Georgian ['dʒɔ:dʒən]	*géorgien*	
Vic'torian	*victorien*	
Edwardian [ed'wɔ:diən]	*édouardien*	
con'temporary	*contemporain*	
im'pressionism	*l'impressionnisme*	**the impressionists :** *les impressionnistes*
'symbolism	*le symbolisme*	
the pre-'Raphaelites [---laɪts]	*les préraphaélites*	
ex'pressionism	*l'expressionnisme*	**expressio'nistic :** *expressionniste*
'cubism	*le cubisme*	
'fauvism	*le fauvisme*	
'realism	*le réalisme*	☞ **sur'realism :** *le surréalisme*
Art 'Deco	*l'Art déco*	
Art 'Nouveau	*l'Art Nouveau*	
'abstract art	*l'art abstrait*	

☞ Styles et dénominations

■ Le préraphaélisme est un mouvement de peinture typiquement britannique de l'ère victorienne, dont l'ambition était de retrouver le style de peinture pratiqué par les prédécesseurs de Raphaël. Les peintres principaux en étaient Rossetti, Hunt, Millais et Burne-Jones.

■ L'adjectif **Georgian** qualifie l'architecture britannique sous le règne des quatre rois George (de George Ier à George IV), de 1714 à 1830.

■ L'adjectif **Victorian** qualifie la Grande-Bretagne sous le (long) règne de la reine Victoria (1837-1901). On l'emploie parfois aux États-Unis. Ainsi, les maisons de San Francisco bâties à l'époque sont qualifiées de **Victorian houses**.

■ L'adjectif **Edwardian** qualifie le style en vogue au début du XXe siècle, sous le règne d'Édouard VII. **The Edwardian era** correspond à la Belle Époque.

Arts and crafts Les métiers d'art

a 'stained-glass 'window	*un vitrail*	☞ **the art of stained-glass window making :** *l'art du vitrail*
mosaic [məʊ'zeɪɪk]	*la mosaïque*	
'cabinetmaking	*l'ébénisterie*	**a cabinetmaker :** *un ébéniste*
'marquetry	*la marqueterie*	
em'broidery	*la broderie*	**to embroider :** broder
'tapestry work	*la tapisserie*	☞ **the Bayeux Tapestry :** *la tapisserie de Bayeux*
'weaving	*le tissage*	**to weave** *(v. irr.)* **:** tisser **a weaver :** un tisserand
the 'fashion 'industry	*la mode*	☞ **to work in the fashion world :** *travailler dans la mode*
'ironwork ['aɪən-]	*la ferronnerie*	
en'graving	*la gravure*	☞ **etching :** *la gravure à l'eau forte*
a 'silver/'goldsmith	*un orfèvre*	

→ p. 175 (L'artisanat et les artisans)

28 Literature and reading
La littérature et la lecture

Many books require no thought from those who read them, and for a simple reason; they made no such demand upon those who wrote them.
Charles Caleb Colton (British writer, 1780-1832).

Nombreux sont les livres qui ne demandent aucune réflexion de la part de ceux qui les lisent, et pour une raison fort simple ; ils n'ont rien exigé de tel à ceux qui les ont écrits.

There are three rules for writing the novel. Unfortunately, no one knows what they are.
W. Somerset Maugham (British writer, 1874-1965).

Il y a trois règles pour écrire un roman. Malheureusement, personne ne les connaît.

Writing is not necessarily something to be ashamed of, but do it in private and wash your hands afterwards.
Robert Heinlein (American science fiction writer, 1907-1988).

Écrire n'est pas nécessairement quelque chose dont on doive avoir honte, mais faites-le en privé et lavez-vous les mains après.

Literary genres *Les genres littéraires*

'classicism	*le classicisme*	**classical :** *classique*
ro'manticism	*le romantisme*	**romantic :** *romantique*
'realism	*le réalisme*	**realistic :** *réaliste*
'naturalism	*le naturalisme*	**naturalistic :** *naturaliste*
sur'realism	*le surréalisme*	**surrealistic :** *surréaliste*
a satire ['sætaɪə]	*une satire*	
a 'diary/'journal	*un journal*	☞ **memoirs :** *des mémoires*
a bi'ography	*une biographie*	☞ **an autobiography :** *une autobiographie*
a 'travel book	*un récit de voyages*	
an 'essay	*un essai*	☞ **a cri'tique ~ :** *un essai critique*

an 'extract (from)	un extrait (de)	SYN. **an 'excerpt, a 'passage**
to 'comment (upon a text)	commenter (un texte)	**a commentary (on) :** un commentaire (sur)

Fiction *La fiction*

a novel ['nɒvəl]	un roman	**a novelist :** un romancier
a story ['stɔːri]	une histoire	PL. **stories** ☞ **a children's ~ :** un livre pour enfants
a 'narrative	un récit, une narration	
a short story	une nouvelle	
a tale	un conte	☞ **a 'fairy ~ :** un conte de fées ☞ **a ~ of 'fantasy/of the super'natural :** un conte fantastique
an epic ['epɪk]	une épopée	
a ro'mance	un roman/film sentimental	
a de'tective 'story	un roman policier	☞ **hardboiled fiction :** le roman noir
a 'thriller	un roman/film à suspense	
'gothic	fantastique	☞ **a ~ novel :** un roman fantastique
'science 'fiction, sci-fi	la science-fiction	
e'rotic 'literature	la littérature érotique	
a 'writer	un écrivain	
a 'character	un personnage	
the pro'tagonists	les personnages principaux	
a hero ['hɪərəʊ]	un héros	☞ **a heroine** ['he--] **:** une héroïne
an 'episode ['epɪsəʊd]	un épisode	
a de'scription	une description	**to describe :** décrire
to de'pict	dépeindre	
a 'bestseller	un best-seller, un livre/auteur à succès	
a failure ['feɪljə]	un échec, un fiasco	SYN. **a flop**

& Notez bien

- Surréaliste au sens de bizarre se dit **surreal** et non **surrealist**.
- On ne confondra pas **story** (un récit, une histoire qu'on raconte) et **history** (**the history of Britain :** l'histoire de la Grande-Bretagne).

Poetry *La poésie*

a poem ['pəʊɪm]	*un poème*	**a poet :** *un poète*
a line	*un vers*	
a 'stanza	*une strophe*	
a rhyme [raɪm]	*une rime*	
rhythm ['rɪðəm]	*le rythme*	
'prosody	*la prosodie*	
po'etic, po'etical	*poétique*	
a 'sonnet	*un sonnet*	
an ode	*une ode*	
a 'ballad	*une ballade*	

Around a book *Autour du livre*

a book	*un livre*	
the (Good) Book	*la Bible*	
the cover ['kʌvə]	*la couverture*	
a 'title ['taɪtəl]	*un titre*	**en'titled :** *intitulé* **a ~ page :** *une page de titre*
a font	*une police (de caractères)*	
ty'pography [taɪ---]	*la typographie*	
the 'layout	*la mise en pages*	
proofs	*les épreuves*	**to 'proofread/cor'rect the proofs :** *corriger les épreuves*
a 'binding	*une reliure*	**book ~ :** *la reliure*
a 'paperback	*un livre de poche*	ANT. **a 'hardback :** *un livre relié/cartonné*
a 'volume	*un tome, un volume*	
the edge	*la tranche*	**gilt-edged :** *doré sur tranche*
a dedi'cation	*une dédicace*	
a preface ['prefəs]	*une préface*	**a 'foreword :** *un avant-propos*
the table of 'contents	*la table des matières, le sommaire*	
a bibli'ography	*une bibliographie*	
an author ['ɔːθə]	*un auteur*	
a 'manuscript	*un manuscrit*	
a 'publisher	*un éditeur*	**a publishing house :** *une maison d'édition*
a 'printer	*un imprimeur*	**to print :** *imprimer*
regi'stration of 'copyright	*le dépôt légal*	

& Notez bien

■ Il existe de nombreux noms composés en **book**, tels que **an exercise book :** *un cahier*; **a notebook :** *un bloc-notes*; **a textbook :** *un manuel scolaire*; **a history book :** *un livre d'histoire*; **a schoolbook :** *un livre de classe*; **a cookbook :** *un livre de cuisine*; **a children's book :** *un livre d'enfant*; **a picture book :** *un livre d'images*; **an e-book :** *un livre électronique*; **a reference book :** *un ouvrage de référence*.

Expressions

It doesn't only happen in books. *Ça n'arrive pas que dans les livres.* • **to write/do a book on sth/sb :** *écrire un livre sur qqch./qqn* • **a textbook example of... :** *un exemple classique de...* • **to keep the books of a firm :** *tenir les comptes d'une entreprise* • **to skim through a book :** *parcourir un livre* • **to do sth by the book :** *faire qqch. selon les règles.*

Buying or borrowing a book
Acheter ou emprunter un livre

a 'bookshop (GB), **bookstore** (US)	*une librairie*	☞ **a 'second-hand bookshop :** *un magasin de livres d'occasion*
a 'bookseller	*un libraire*	☞ **a secondhand ~ :** *un(e) bouquiniste*
a 'library ['laɪ--]	*une bibliothèque*	☞ **a 'public ~ :** *une bibliothèque municipale* ☞ **a ~ card/ticket :** *une carte de bibliothèque*
a li'brarian [-'breə-]	*un bibliothécaire*	
to read *(v. irr.)*	*lire*	✐ **a reader :** *un lecteur*
a 'bookworm	*un rat de bibliothèque*	
a book fair	*un salon du livre*	
to 'order a book	*commander un livre*	

& Notez bien

■ On prendra garde au faux ami **library**, qui signifie *bibliothèque*. *Librairie* se dit **bookshop** ou **bookstore**.

29 The fine arts and architecture
Les beaux-arts et l'architecture

Guggenheim Museum by Frank Gehry, Bilbao, Spain.

Painting La peinture

to paint [peɪnt]	*peindre, brosser*	**a ˈpainter :** un peintre
a picture [ˈpɪktʃə]	*un tableau*	SYN. **a ˈpainting**
to draw *(v. irr.)*	*dessiner*	**a ˈdrawing :** un dessin
a ˈpencil	*un crayon*	**a ~ stroke :** un coup de crayon
a print	*une gravure*	
a sketch	*une esquisse*	
to sit (for) *(v. irr.)*	*poser (pour)*	**a ˈsitter, a ˈmodel :** un modèle
a brush	*un pinceau*	PL. **brushes** **a ˈbrushstroke :** un coup de pinceau
a painting knife	*un couteau (à peindre)*	**knife painting :** la peinture au couteau

a 'palette	une palette	
'watercolour (GB)	l'aquarelle	SYN. **watercolor** (US)
a 'pigment	un pigment	
spray painting	la peinture au pistolet	
a'crylic/oil painting	la peinture acrylique/ à l'huile	
turpentine ['tɜ:pəntaɪn]	la térébenthine	
'linseed oil	l'huile de lin	
a layer [leɪə]	une couche	☞ **an underlayer :** une sous-couche
a glaze	un glacis	
a 'finish	une finition	
to 'varnish	vernir	
a 'canvas	une toile	✎ **to prepare a ~ :** préparer la toile
an easel ['i:zəl]	un chevalet	
a studio ['stju:diəʊ]	un atelier	
an exhi'bition	une exposition	☞ **a 'preview :** un vernissage
a 'miniature illu'stration	une miniature	
a still life	une nature morte	PL. IRR. **lives**
a 'landscape	un paysage	☞ **a 'seascape :** une marine
a 'fresco	une fresque	
a mural ['mjʊərəl]	une peinture murale	
a trompe 'l'œil	un trompe-l'œil	
graf'fiti	des graffiti(s)	☞ **a ~ artist :** un graffiteur

☞ Expressions

to put on an exhibition : monter une exposition • **an oil by Rembrandt :** une huile de Rembrandt • **a life-size painting :** un tableau grandeur nature • **to paint from life :** peindre d'après nature.

Sculpting La sculpture

a 'sculptor	un sculpteur	✎ **to sculpt :** sculpter ☞ **a (piece of) 'sculpture :** une sculpture
to 'model sth	modeler qqch.	SYN. **to 'fashion sth, to shape sth**
to carve	graver, tailler	
a chisel ['tʃɪzəl]	un ciseau, un burin	✎ **to ~ :** ciseler, sculpter
'marble	le marbre	
wood	le bois	
clay	l'argile	☞ **terra'cotta :** la terre cuite
'plaster	le plâtre	

bronze	le bronze	**a ~ :** un bronze
syn'thetic 'resin	la résine synthétique	
a mould	un moule	**to ~ :** mouler
to cast 'metal	couler un/du métal	
a statue ['stætjuː]	une statue	**a statuette :** une statuette
a 'pedestal	un piédestal	☞ **a plinth :** un socle
a bust	un buste	
a low relief [rɪ'liːf]	un bas-relief	Syn. **a bas-relief**

☞ Expressions

to put sb on a pedestal : mettre qqn sur un piédestal • **They were cast in the same mould.** Ils ont été coulés dans le même moule. • **to break the mould :** rompre avec la tradition.

Architecture L'architecture

an 'architect	un architecte	
in'terior de'sign	l'architecture d'intérieur	**to design :** concevoir, dessiner un plan
a plan	un plan	Syn. **a design** **to ~ :** faire les plans de
a structure ['strʌktʃə]	un édifice, un ouvrage d'art	
to build	construire, édifier, réaliser	**a 'building :** un bâtiment ☞ **a 'building 'permit/con'tractor :** un permis de construire/un entrepreneur
'civil/re'ligious 'architecture	l'architecture civile/religieuse	
the foun'dations	les fondations	
frame (work)	la charpente	
a façade [fə'sɑːd]	une façade	Syn. **a front**
a 'pediment	un fronton	
a cornice ['kɔːnɪs]	une corniche	
a wall [wɔːl]	un mur	☞ **a walled city :** une ville fortifiée
'ramparts	des remparts	Syn. **the city walls**
half-'timbering	colombage	☞ **a half-timbered house :** une maison à colombages
a frieze [friːz]	une frise	
a 'pillar	un pilier	☞ **a 'column :** une colonne
a vault [vɔːlt]	une voûte	

an arch [ɑːtʃ]	*un arc*	☞ **a round/'Gothic ~ :** un arc en plein cintre/brisé
a dome	*une coupole*	
a 'keystone	*une clef de voûte*	
a nave	*une nef*	
a 'buttress	*un contrefort*	
a 'ruin ['ruːɪn]	*une ruine*	
a 'monument	*un monument*	☞ **an 'ancient ~ , a hi'storic building :** un monument historique ☞ **to re'store a ~ :** restaurer un monument

At the museum Au musée

a museum [mju'ziːəm]	*un musée*	☞ **a ~ piece :** *une pièce de musée*
a 'modern art museum	*un musée d'art moderne*	
a ('natural 'history) museum	*un muséum (d'histoire naturelle)*	
'waxworks	*un musée de cire*	☞ **a waxwork :** *une statue de cire*
a 'gallery	*une galerie d'art*	
an exhi'bition	*une exposition*	✎ **an exhibit :** *une pièce exposée*
ad'mission fee	*tarif d'entrée*	☞ **admission free :** *entrée gratuite*
a room	*une salle*	
a 'showcase	*une vitrine*	Syn. **a di'splaying 'cabinet**
a ('private) col'lection	*une collection (privée)*	
a curator [kju'reɪtə]	*un conservateur*	

☞ Expressions

Have you seen the Gainsborough exhibition? It's a must. *As-tu vu l'exposition Gainsborough ? Il faut la voir absolument.* • **He's made an exhibition of himself again!** *Il s'est encore donné en spectacle !*

30 Music
La musique

If music be the food of love, play on;
Give me excess of it, that, surfeiting,
The appetite may sicken, and so die.
Shakespeare (1564-1616), *Twelfth Night*, Act I, sc. 1.

Si la musique est la nourriture de l'amour, joue encore,
Donne-m'en à l'excès afin que, rassasié,
Mon appétit languisse et meure.

Types of music Les genres de musique

music ['mju:zɪk]	la musique	**a mu'sician :** un(e) musicien(ne)
an 'orchestra	un orchestre	
a band, a group	un groupe	**a brass/rock band :** une fanfare/ un groupe de rock
a choir ['kwaɪə]	une chorale	**to go to ~ practice :** aller à une répétition de chorale
a song	une chanson	**a tune :** un air
the 'lyrics	les paroles	
to sing *(v. irr.)*	chanter	**a 'singer :** un chanteur, une chanteuse
rhythm	le rythme	
a 'musical	une comédie musicale	
a 'concert	un concert	**to go to a ~ :** aller au concert
an 'opera	un opéra	
a 'symphony	une symphonie	**sym'phonic :** symphonique
a con'certo [-'tʃeə-]	un concerto	
chamber music	la musique de chambre	
a re'cital [-'saɪ-]	un récital	

Expressions

to play/sing in tune/out of tune : *jouer/chanter juste/faux* • **It's a catchy tune!** C'est un *air facile à retenir !* • **This theory is out of tune with...** Cette théorie est en désaccord avec...

LEXIQUE THÉMATIQUE

Playing a musical instrument
Pratiquer un instrument

an ˈinstrument	*un instrument*	
a piˈano	*un piano*	✎ **a ˈpianist/~ player :** *un(e) pianiste*
a guitar [gɪˈtɑː]	*une guitare*	✎ **a guitarist :** *un(e) guitariste*
a violin [vaɪəˈlɪn]	*un violon*	✎ **a violinist :** *un(e) violoniste*
a cello [ˈtʃeləʊ]	*un violoncelle*	✎ **a cellist :** *un(e) violoncelliste*
a flute [fluːt]	*une flûte*	✎ **a flutist/~ player :** *un(e) flûtiste*
a clariˈnet	*une clarinette*	✎ **a clarinettist :** *un(e) clarinettiste*
an acˈcordion	*un accordéon*	✎ **an accordionist :** *un(e) accordéoniste*
a harp	*une harpe*	✎ **a harpist :** *un(e) harpiste* ☞ **a ˈharpsichord :** *un clavecin*
a ˈtrumpet	*une trompette*	✎ **a ~ player :** *un(e) trompettiste*
a drum	*un tambour*	✎ **the ~s :** *la batterie* ✎ **a ˈdrummer :** *un joueur de tambour/de batterie*
an ˈorgan	*un orgue*	✎ **an organist :** *un(e) organiste* ☞ **a mouth ~ :** *un harmonica*
a string	*une corde*	✎ **the ~s :** *les instruments à cordes*
a score	*une partition*	
a note	*une note*	
a bar	*une mesure*	SYN. **a measure**
to ˈsightread	*déchiffrer*	✎ **sightreading :** *le déchiffrage*
a key [kiː]	*une touche*	☞ **a ˈkeyboard :** *un clavier*

& Notez bien

■ On dit **play the piano**, **the violin**, **the cello... :** *jouer du piano, du violon, du violoncelle...*

■ En anglais, les notes se transcrivent en lettres : **A** = *la* ; **B** = *si* ; **C** = *do* ; **D** = *ré* ; **E** = *mi* ; **F** = *fa* ; **G** = *sol*. **F sharp** = *fa dièse* ; **G natural** = *sol bécarre* ; **A flat** = *la bémol*.

Going to a concert Au concert

a 'concert hall	*une salle de concert*	
a philar'monic/ 'chamber 'orchestra	*un orchestre philarmonique/ de chambre*	
a quar'tet	*un quatuor*	≠ [jazz] **a quartette :** *un quartette*
a con'ductor	*un chef d'orchestre*	**to conduct :** *diriger*
a baton ['bætən]	*une baguette (de chef)*	
to beat time	*battre la mesure*	
'chorus	*les chœurs*	
the stalls [stɔːlz]	*les rangs d'orchestre*	
a box	*une loge*	
the dress circle	*le balcon*	
the 'orchestra pit	*la fosse (d'orchestre)*	
a 'concert per'former	*un concertiste, un instrumentiste*	
a 'music stand	*un pupitre*	
the wind 'instruments	*les vents*	☞ **the 'woodwind instruments :** *les bois*
the brass (instruments)	*les cuivres*	☞ [jazz] **a brass/big band :** *un grand ensemble*
the strings	*les cordes*	
an overture ['əʊvətjʊə]	*une ouverture*	
a 'movement	*un mouvement*	☞ **the first/second ~ :** *le premier/ deuxième mouvement*
a finale [fɪ'nɑːli]	*un final*	
applause [ə'plɔːz]	*les applaudissements*	
to clap	*applaudir*	SYN. **to ap'plaud**

☞ Expressions

to have more than one string to one's bow : *avoir plus d'une corde à son arc* • **A special concert with Ian Smith on saxophone, Patsy Roy on double bass, Mim Lair on drums and Farid Bennar on accordion :** *un concert spécial avec Ian Smith au saxophone, Patsy Roy à la contrebasse, Mim Lair à la batterie et Farid Bennar à l'accordéon.*

Performing arts
Les arts du spectacle

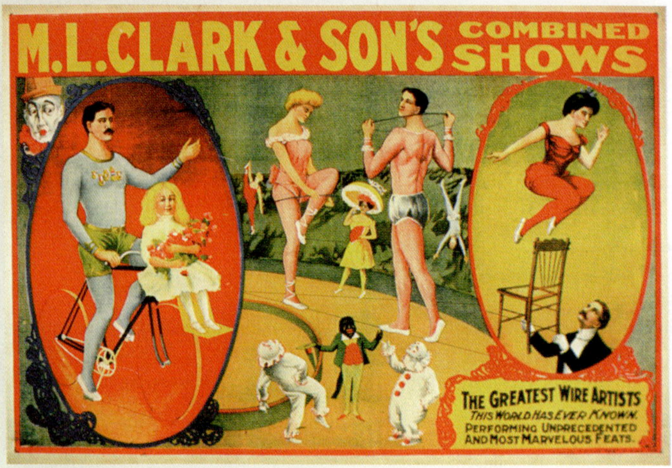

At the theatre Au théâtre

a **'theatre** (GB), **theater** (US)	un théâtre	✐ **the'atrical :** théâtral
a **play**	une pièce	
a **per'formance**	une représentation	**2.** une interprétation ✐ **to perform [a role] :** interpréter [un rôle]
a **di'rector** [dɪ-- *ou* daɪ--]	un metteur en scène	
a **stage**	une scène	✐ **~ fright :** le trac
a **scene change**	un changement de décor	
the wings	les coulisses	
the prompt box	le trou du souffleur	☞ **a prompter :** un souffleur
a **show**	un spectacle	
a **'comedy**	une comédie	✐ **a co'median :** un comique ☞ **a ~ of manners :** une comédie de mœurs

a 'tragedy	*une tragédie*	✐ **tragic :** *tragique*
a 'drama	*un drame, une pièce*	✐ **dra'matic :** *dramatique, spectaculaire*
a 'melodrama	*un mélodrame*	
a 'moralist	*un moraliste*	
a farce	*une farce*	☞ **a 'slapstick 'comedy :** *une grosse farce*
an act	*un acte*	☞ **a scene :** *une scène*
to act	*jouer [un rôle]*	
to re'hearse [rɪ'hɜːs]	*répéter*	✐ **a rehearsal :** *une répétition*
a role	*un rôle*	☞ **a minor part :** *un petit rôle*
the audience ['ɔːdiəns]	*les spectateurs*	SYN. **the public :** *le public*
a 'dramatist	*un auteur dramatique*	SYN. **a 'playwright**
the plot	*l'intrigue*	☞ **a 'subplot :** *une intrigue secondaire*
'stage di'rections	*les indications scéniques/didascalies*	
'stage ef'fects	*des effets scéniques*	
the cast	*la distribution*	
the props	*les accessoires*	
a 'prologue	*un prologue*	
a 'monologue	*un monologue*	☞ **a 'dialogue :** *un dialogue*
an a'side	*un aparté*	
a twist	*un rebondissement*	
a 'happy 'ending	*une fin heureuse*	
an anticlimax [--'klaɪ-]	*une chute*	
the 'denouement	*le dénouement*	

→ p. 373 (Au spectacle)

& Notez bien

■ Les noms **audience** et **public** peuvent être suivis d'un verbe au singulier ou au pluriel. **The audience was/were ecstatic :** *le public était en délire.*
■ On dit **a happy ending** et non **a happy end**, qui ne se dit qu'en français !

☞ Expressions

no performance tonight : *ce soir, relâche* • **to perform a play :** *jouer une pièce* • **to play the leading role in a play/film :** *être la vedette d'une pièce/d'un film* • **to write for the stage :** *écrire pour le théâtre* • **to put on/produce/stage a play :** *monter une pièce* • **The show must go on.** *Il faut continuer malgré tout.*

At the opera À l'opéra

an 'opera	un opéra	☞ **a grand/comic/rock ~ :** un grand opéra/un opéra comique/rock
an opera house	un opéra [édifice]	
ope'ratic	lyrique	
an 'opera 'singer	un chanteur d'opéra	☞ **a diva :** une diva
a 'chorus 'singer	un choriste	
a so'prano	une soprano	☞ **a mezzo- ~ :** une mezzo-soprano
an 'alto	une alto	✐ **a contralto :** une contralto
a 'tenor	un ténor	✐ **a countertenor :** un haute-contre
a 'baritone	un baryton	
a bass [beɪs]	une basse	☞ **a ~ -baritone :** un baryton-basse
to sing *(v. irr.)*	chanter, interpréter	✐ **singing :** le chant
an aria ['ɑːriə]	un air	☞ **a tune :** une mélodie
a recitative [resɪtə'tiːv]	un récitatif	
the 'scenery ['siːnəri]	les décors	Syn. **the set**
the 'costumes	les costumes	

Dancing La danse

to dance	danser	☞ **to ~ the 'tango/the waltz :** danser le tango/la valse ☞ **to tap- ~ :** faire des claquettes
a 'dancer	un danseur, une danseuse	☞ **a folk ~ :** un danseur folklorique
('modern) dance	la danse (moderne)	☞ **con'temporary ~ :** la danse contemporaine
to 'study dance	étudier la danse	
ballet ['bæleɪ]	la danse classique	☞ **a ~ :** un ballet
a ballet dancer	un danseur [classique]	☞ **the 'principal 'dancer :** le danseur étoile
a balle'rina	une ballerine	☞ **the prima ~ :** la danseuse étoile
a tutu ['tuːtuː]	un tutu	
a ballet school	une école de danse	
ballet shoes	des chaussons de danse	
a chore'ographer	un chorégraphe	✐ **to 'choreograph :** chorégraphier ✐ **chore'ography :** la/une chorégraphie
a 'partner	un(e) partenaire	
'ballroom 'dancing	la danse de salon	
to jive [dʒaɪv]	danser le swing	

to do the rock-and-roll	*danser le rock*	
to twirl (round)	*tournoyer*	Syn. **to whirl (round)**

& Notez bien

■ **A ball** est un *grand bal, un bal habillé*. *Aller au bal* se dit **to go dancing**.
Il n'y a pas vraiment l'équivalent des bals populaires dans les pays anglophones.
Pour traduire *bal populaire*, on peut dire **an open-air dance** (*un bal champêtre*) ou **go to the local dance** (*aller au bal*).
Un bal costumé se dit **a fancy dress ball** (GB) *ou* **a costume ball** (US).

The circus *Le cirque*

a 'circus tent	*un chapiteau*	Syn. **a mar'quee** ☞ **(under) the big top :** *(sous) le chapiteau*
the ring	*la piste*	☞ **to enter the ~ :** *entrer en piste*
the 'ringmaster	*M. Loyal*	
a 'number	*un numéro*	Syn. **an act**
a clown [klaʊn]	*un clown*	☞ **a 'whiteface ~ :** *un clown blanc*
'clownish	*clownesque*	☞ **to clown around/about :** *faire le clown*
a juggler ['dʒʌ-]	*un jongleur*	✐ **to juggle :** *jongler*
a 'fire 'breather	*un cracheur de feu*	
a tra'peze 'artist	*un(e) trapéziste*	
an 'acrobat	*un(e) acrobate*	
a 'tightrope 'walker	*un(e) funambule*	
a con'tortionist	*un(e) contorsionniste*	
a 'circus 'rider	*une écuyère*	
a conjurer ['kʌn--]	*un prestidigitateur*	
magic ['mædʒɪk]	*la magie*	✐ **a ma'gician :** *un magicien*
a 'tamer	*un dresseur/dompteur*	✐ **to tame :** *dompter/dresser/apprivoiser*
wild 'animals	*des animaux sauvages*	
a per'forming dog/'monkey	*un chien/singe savant*	
a me'nagerie	*une ménagerie*	
a cage [keɪdz]	*une cage*	
a pa'rade	*une parade, un défilé*	
a 'caravan (GB)	*une roulotte*	Syn. **a 'trailer** (US)

32 Photography and cinema
La photographie et le cinéma

Photography has struggled, through one and a half centuries, now, to place itself as a fine art. To many people, photography has seemed to be merely a reproductive medium. The medium and the work were clear, but the role of the photographer as an artist was not. Many people assumed that the photographer was simply a technician who "operated the medium" and, in that way, produced a photograph. Could the photograph be construed as an art work?

"Photography as Art", Tad Beckman (American academic), Harvey Mudd College, Claremont, CA 91711, © Tad Beckman, 2004.

Voilà un siècle et demi que la photographie se bat pour être reconnue comme un art à part entière. Pour beaucoup, la photographie n'a rien été d'autre qu'un moyen de reproduire la réalité. La place de ce moyen d'expression et de celui de l'objet produit était claire, contrairement au statut du photographe en tant qu'artiste. On a considéré que celui-ci n'était qu'un technicien « au service de ce moyen » et, par là, produisait une photographie. Une photographie peut-elle s'interpréter comme une œuvre d'art ?

Photography La photographie

a 'photo(graph)	*une photo(graphie)*	SYN. **a 'picture** ✐ **a pho'tographer :** un(e) photographe
to take a picture/ photo (of)	*prendre une photo (de)*	SYN. **to 'photograph, to shoot** *(v. irr.)* ☞ **a snap(shot) :** une photo d'amateur, un instantané
a 'camera	*un appareil photo*	**2.** *une caméra* ☞ **a 'digital ~ :** un appareil photo numérique
the lens	*l'objectif, la lentille*	☞ **a zoom ~ :** un téléobjectif
the 'viewfinder	*le viseur*	
a film	*une pellicule*	**2.** *un film* ☞ **to load/de'velop a ~ :** charger/ développer un film
focus ['fəʊkəs]	*la mise au point*	✐ **focusing :** *faire la mise au point*
an exposure [ɪk'spəʊʒə]	*une pose*	

a 'negative	*un négatif*	
a print	*un tirage*	
an enlargement [ɪn'lɑːdʒmənt]	*un agrandissement*	
a slide	*une diapo(sitive)*	☞ **a ~ show :** *une projection de diapositives*

The cinema (GB), the (motion) pictures (US)
Le cinéma

Going to the cinema (GB)/movies (US) *Aller au cinéma*

a 'cinema (GB)	*un cinéma*	SYN. **a 'movie 'theater** (US)
a 'showing	*une projection/séance*	
a screen	*un écran*	
a film (GB)	*un film*	SYN. **a movie** (US) ☞ **a dubbed ~ :** *un film doublé*
'subtitles	*des sous-titres*	✐ **to subtitle :** *sous-titrer*
a 'trailer	*une bande-annonce*	
'credits	*le générique*	SYN. **'credit 'titles**
a 'reel	*une bobine*	

Making a film *Faire un film*

to pro'duce a film	*produire un film*	✐ **the producer :** *le producteur*
a (film) di'rector	*un réalisateur (de films)*	
to di'rect a film	*réaliser un film*	☞ **to di'rect 'actors :** *diriger des acteurs*
a script	*un scénario*	SYN. **a 'screenplay, a sce'nario** ☞ **a 'scriptwriter :** *un(e) scénariste*
the set	*le plateau (de tournage)*	
the crew [kruː]	*l'équipe technique*	
a 'camera	*une caméra*	☞ **~ 'movements :** *les mouvements de caméra*
'Action!	*On tourne !*	
the 'clapperboard	*le clap*	
a shot	*un plan*	☞ **a day-for-night ~ :** *une nuit américaine* ☞ **a high-/low-angle/medium close ~ :** *une plongée/contre-plongée/un plan américain*
a close-up	*un gros plan*	
in the 'foreground	*au premier plan*	☞ **in the 'background :** *à l'arrière-plan*

a take	*une prise*
the cast	*la distribution, les acteurs*
an 'actor/'actress	*un acteur, une actrice*
an 'extra	*un(e) figurant(e)*
a stand-in	*une doublure*
'lighting	*l'éclairage*
a flood (light)	*un projecteur*
'special effects	*les effets spéciaux*
editing ['edɪtɪŋ]	*le montage*
a 'soundtrack	*une musique de film*
a 'blockbuster	*un film à grand succès*
a cult film	*un film culte*
a B-film	*un film de série B*
a 'thriller	*un thriller*

→ p. 373 (Au cinéma)
→ p. 159 (La télévision)

Expressions

to be good box office : *faire recette* • **a silent/black and white/horror/mass-audience/ detective film :** *un film muet/en noir et blanc/d'horreur/grand public/policier* • **to shoot a film on location :** *tourner en extérieur* • **in the original (version) :** *en version originale.*

33 The media
Les médias

The basis of our government being the opinion of the people, the very first object should be to keep that right; and were it left to me to decide whether we should have a government without newspapers, or newspapers without a government, I should not hesitate a moment to prefer the latter.

On the necessity of a free press (1787), Thomas Jefferson, (the third President of the United States, 1801-1809).

Comme notre gouvernement est fondé sur l'opinion du peuple, le tout premier objectif devrait être de maintenir ce droit et, s'il m'appartenait de décider si nous devrions avoir un gouvernement sans journaux ou des journaux sans gouvernement, je n'hésiterais pas un instant à choisir la seconde option.

Being a journalist *Le métier de journaliste*

a ˈjournalist [ˈdʒɜː--]	*un journaliste*	
a reˈporter	*un journaliste, un reporter*	☞ **a special ~ :** *un envoyé spécial*
to reˈport (on)	*faire un reportage (sur)*	
inforˈmation	*l'information*	✐ **to inˈform :** *informer*
an inˈquiry	*une enquête*	☞ **to inˈquire/enquire about sth :** *se renseigner sur qqch.*
to cover sth [ˈkʌvə]	*assurer la couverture de qqch.*	✐ **ˈcoverage :** *un reportage*
to censor [ˈsensə]	*censurer*	✐ **ˈcensorship :** *la censure*
ˈcurrent affairs	*les problèmes d'actualité, l'actualité*	

& Notez bien

- Le nom **information** n'est jamais précédé de **a** et ne prend jamais le **-s** du pluriel. *Une information* se dit **a piece of information**.
- Attention au faux ami **censure :** *la critique* ; **to censure :** *critiquer*.

The written press La presse écrite

the press	*la presse*	☞ **a ~ ˈbaron :** un magnat de la presse ☞ **the ˈquality ~ :** la presse de qualité
a (news)paper	*un journal*	SYN. **a ˈdaily,** PL. **dailies :** un quotidien
a ˈtabloid	*un journal populaire*	
the ˈgutter-press	*la presse à sensation, à scandale*	
a ˈscandal sheet	*un journal à sensation*	
a magaˈzine	*un magazine*	
a ˈweekly	*un hebdomadaire*	☞ **a ˈmonthly :** un mensuel
a ˈquarterly	*une publication trimestrielle*	
a journal [ˈdʒɜːnəl]	*une revue*	☞ **a scienˈtific ~ :** une revue scientifique
a ˈcover ˈstory	*un article en couverture*	
a ˈnews phoˈtographer	*un photographe de presse*	
a ˈheading	*un titre*	☞ **a ˈheadline :** une manchette, les gros titres
an ˈarticle	*un article, un papier*	SYN. **a ˈstory**
an ediˈtorial	*un éditorial*	SYN. **a ˈleading ˈarticle** ✐ **an ediˈtorialist :** un éditorialiste
a column [ˈkɒləm]	*une colonne*	✐ **a ˈcolumnist :** un chroniqueur
a scoop	*une exclusivité, un scoop*	
a carˈtoon	*un dessin humoristique*	✐ **a cartoonist :** un dessinateur
a ˈsupplement	*un supplément*	
an ˈinsert	*un encart*	
an ad(vertisement)	*une publicité*	☞ **a ˈclassified ad :** une petite annonce
the circuˈlation	*le tirage*	
a diˈspatch	*une dépêche d'agence*	

☞ Expressions

to give full coverage to an event : couvrir complètement un événement • **freedom of the press :** la liberté de la presse • **Let's go live now to our permanent correspondent in Berlin.** Nous retrouvons maintenant en direct notre correspondant permanent à Berlin. • **a front-page story :** un article qui fait la une • **The event will get nationwide coverage.** L'événement sera retransmis dans tout le pays. • **to hit the headlines :** *faire les gros titres/la une.*

Radio and television La radio et la télévision

the news [njuːz]	*les nouvelles*	
a 'newscast	*un bulletin d'information*	☞ **a newsflash :** *un flash info*
a ('radio) 'station	*une station (radio)*	
a (radio) set	*un poste (de radio)*	
a listener ['lɪsənə]	*un auditeur, une auditrice*	
to 'broadcast *(v. irr.)*	*diffuser, émettre*	
a 'satellite 'relay	*un relais (par) satellite*	
the waves	*les ondes*	

& Notez bien

■ Le nom **news** est indénombrable : il n'est jamais précédé de **a** (~~**a news**~~). *Une nouvelle* se dit **a piece of news** ou **some news : a good/bad piece of news** ou **some good/bad news** (*une bonne/mauvaise nouvelle*). Il est toujours suivi d'un verbe au singulier : **the news is next** (*les informations vont suivre*).

☞ Expressions

to tune in to a station : *mettre une station* • **live/recorded broadcast :** *émission en direct/en différé* • **Stay tuned!** *Restez à l'écoute !* • **There's no need to broadcast it!** *Pas la peine de le crier sur les toits !*

Television La télévision

'television	*la télévision*	Rem. **TV :** *la télé* ☞ **a ~/TV set :** *un poste de télévision, une télé*
pay-TV	*la télévision payante*	
a television/TV 'serial	*un feuilleton télévisé*	☞ **a television/TV series/film/movie :** *un téléfilm*
an aerial ['eəriəl]	*une antenne*	☞ **a 'satellite dish :** *une antenne parabolique*
a 'channel	*une chaîne*	☞ **a music/movie/news/sports ~ :** *une chaîne de musique/de cinéma/d'information/de sport*
the re'mote (con'trol)	*la télécommande*	
the ('audience) 'ratings	*les parts d'audience, l'audimétrie*	
'prime time	*heures de grande écoute, prime time*	

LEXIQUE THÉMATIQUE

'channel-hopping	*le zapping*	SYN. **to channel-hop, to flick from one channel to the next :** *zapper*
a 'video re'corder	*un magnétoscope*	
to video ['vɪdiəʊ]	*enregistrer*	☞ **a ~ tape/cas'sette :** *une cassette vidéo*
a 'programme (GB)	*une émission*	SYN. **a program** (US) ✪ **the programming :** *la programmation*
a 'viewer	*un téléspectateur*	
an 'anchorman/ -woman	*un présentateur, une présentatrice*	SYN. **a pre'senter**
a host	*un animateur, une animatrice*	
the 'weatherman/ woman	*le présentateur, la présentatrice météo*	
a docu'mentary	*un documentaire*	
a va'riety show [-'raɪə-]	*des variétés*	
a 'talkshow	*une causerie, un talkshow*	SYN. **a chat show**
a game show	*un jeu télévisé*	
a com'mercial	*un spot (publicitaire)*	SYN. **an 'advert, an ad**
a commercial break	*une pause publicitaire*	

☞ Expressions

the 6 o'clock news : les informations/le journal de 18 h 00 • **to turn on/off** *ou* **switch on/off the TV :** allumer/éteindre la télé • **to be glued to the television :** être collé devant la télévision • **after the break :** après la publicité • **to be on/off the air :** être à l'antenne/ rendre l'antenne • **"What's on tonight?" "There's absolutely nothing on!"** Qu'est-ce qu'il y a (à voir) ce soir? – Il n'y a absolument rien (à voir) !

34 Means of communication
Les techniques de communication

Cats were used for a mail service in Liege, Belgium, in 1879. In all, thirty-seven cats were employed to carry bundles of letters to villages within a thirty kilometer radius of the city centre. The experiment was short-lived as the cats proved to be thoroughly undisciplined.

http://www.auspost.com.au/philatelic/stamps

Des chats furent utilisés pour un service postal à Liège, en Belgique, en 1879. En tout, trente-sept chats furent employés pour porter des paquets de lettres à des villages dans un rayon de 30 km du centre-ville. L'expérience fut de courte durée car les chats se révélèrent tout à fait indisciplinés.

The post Le courrier postal

a 'post 'office	*une poste*	
to post (GB), **to mail** (US)	*poster*	✐ **a 'postman** (GB), **'mailman** (US) **:** *un facteur*
a 'letterbox	*une boîte aux lettres*	Syn. **a postbox** (GB), **mailbox** (US)
a 'letter	*une lettre*	☞ **a love/business/registered ~ :** *une lettre d'amour/professionnelle/recommandée*
a stamp	*un timbre*	✐ **to ~ :** *affranchir, timbrer*
an 'envelope [--ləʊp]	*une enveloppe*	☞ **a self-ad'dressed ~ :** *une enveloppe à son nom et adresse*
an ad'dress	*une adresse*	
the 'sender	*l'expéditeur*	Ant. **the address'ee :** *le destinataire*
a 'packet	*un paquet*	Syn. **a 'parcel**

☞ Expressions

postage paid : *port payé* • **postage and packing included :** *frais de port et d'emballage inclus* • **please forward if necessary :** *prière de faire suivre si nécessaire* • **return to sender :** *retour à l'expéditeur* • **by return of post :** *par retour du courrier* • **It is not sufficiently stamped.** *Elle n'est pas suffisamment affranchie.* • **Don't forget to use the postcode** (GB), **zip code** (US)**.** *N'oubliez pas d'indiquer le code postal.* • **Has the post been/come yet?** *Le courrier est-il arrivé ?*

The telephone Le téléphone

a (tele)phone	un téléphone	☞ **a cell/mobile ~ :** un téléphone portable
to (tele)phone	téléphoner	SYN. **to ring** (GB), **to call, to make a phone call**
a 'phone 'number	un numéro de téléphone	☞ **a phone box** (GB), **a phone booth** (US) **:** *une cabine téléphonique*
the 'dialling tone (GB)	la tonalité	SYN. **the dial tone** (US)
a ('telephone) di'rectory	un annuaire	SYN. **a phone book**
a line	une ligne	☞ **a land ~ :** *une ligne terrestre*
to reach sb	joindre qqn	SYN. **to get through to sb**
to hang up *(v. irr.)*	raccrocher	SYN. **to ring off** (GB), **to put the re'ceiver down**
to hang up on sb	raccrocher au nez de qqn	
to cut off	couper	
an 'answering ma'chine	un répondeur	
voice mail	la messagerie vocale	
a 'handsfree kit	un kit mains libres	

➜ p. 253 (Téléphoner)

The Internet Internet

to 'update	mettre à jour, actualiser	✐ **an ~ :** une mise à jour, une actualisation
to log on	se connecter	ANT. **to log off :** se déconnecter SYN. **to go online ≠ to go offline**
a 'network	un réseau	
an 'internet pro'vider	un fournisseur d'accès	
to browse [braʊz]	parcourir	✐ **a browser :** un navigateur
the web	le web	☞ **a website :** un site web
to 'download	télécharger	
an 'email	un mél., un courriel	✐ **to ~ :** envoyer (par mél.)
to at'tach (a 'document)	joindre (un fichier)	✐ **an attachment :** un fichier joint
to hack	pirater	✐ **a hacker :** un pirate informatique

☞ Expressions

to dial a number : composer un numéro • **to pick up the phone :** décrocher le téléphone • **to send a message by SMS (Short Message Service) :** envoyer un SMS • **The line is engaged** (GB)/**busy** (US). La ligne est occupée.

The computer L'ordinateur

a computer [kəm'pjuːtə]	un ordinateur	☞ **a 'personal ~, a PC :** un ordinateur personnel
a 'laptop (computer)	un (ordinateur) portable	☞ **a 'desktop computer :** un ordinateur de bureau
a screen	un écran	
a 'microchip	une puce [électronique]	
to 'format	formater, configurer	
to key sth (in) [kiː]	saisir qqch.	✐ **a 'keyboard :** un clavier
a mouse	une souris	☞ **a ~ pad :** un tapis de souris
a hard disc	un disque dur	
a file	un dossier	☞ **to open a ~ :** ouvrir un fichier
a 'backup 'copy	une copie de sauvegarde	
data ['deɪtə]	les données	☞ **a 'database :** une base de données
to print	imprimer	✐ **a 'printer :** une imprimante
to scan	scanner	✐ **a 'scanner :** un scanner/scanneur
a CD-'ROM	un CD-Rom	REM. sigle de **compact disc read-only memory**
'software	les logiciels	☞ **a piece of ~ :** un logiciel ☞ **'hardware :** le matériel (informatique)
a virus ['vaɪrəs]	un virus	SYN. **a bug**
a USB port/flash drive	un port/une clé USB	

Marketing and advertising
Le marketing et la publicité

to 'advertise [--taɪz]	faire de la publicité pour	✐ **an ad'vertisement/'advert/ad :** une publicité ✐ **an adman :** un publicitaire
mis'leading 'advertising	de la publicité mensongère	
a com'mercial [radio, TV]	une pub, un spot publicitaire	
a 'sponsor	un sponsor	✐ **to ~ :** sponsoriser
hype	un battage publicitaire	✐ **to ~ (up) :** faire un battage publicitaire pour
to 'market sth	commercialiser qqch.	✐ **a market :** un marché
a niche (in the market)	un créneau	SYN. **a gap**
a signboard	une enseigne	
a 'poster	une affiche	☞ **a 'hoarding** (GB), **a 'billboard** (US) **:** un panneau publicitaire

35 Economics and finance
L'économie et la finance

The economy, stupid!

Bill Clinton, 1992 (the forty-second President of the United States).

L'expression "The economy, stupid!" (« L'économie, idiot ! ») a été utilisée par Bill Clinton en 1992, pendant sa campagne présidentielle contre George H. Bush, considéré par son adversaire comme n'ayant pas de programme économique. C'est maintenant une expression courante de la vie politique américaine, où l'on remplace simplement les termes : "(It's) the deficit, stupid!"

Economic life *La vie économique*

the e'conomy	*l'économie*	✐ **eco'nomic, economical :** *économique*
finance ['faınæns]	*la finance*	✐ **fi'nancial :** *financier*
trade	*le commerce*	SYN. **'commerce** ☞ **free ~ :** *le libre-échange*
'industry	*l'industrie*	✐ **in'dustrial :** *industriel*
a free-'market e'conomy	*une économie libérale*	ANT. **state-controlled economy :** *une économie planifiée/d'État*
an economic crisis	*une crise économique*	SYN. **slump** ☞ **the 1929 slump :** *la crise de 1929*
a de'pression	*une dépression*	
the GDP	*le PIB*	REM. sigle de **gross domestic product :** *produit intérieur brut*
the GNP	*le PNB*	REM. sigle de **gross national product :** *produit national brut*
to privatize ['praıvətaız]	*privatiser*	✐ **privati'zation :** *la privatisation*
to 'nationalize	*nationaliser*	✐ **nationali'zation :** *la nationalisation*
the 'stock ex'change	*la Bourse*	SYN. **the 'stock market**
a share [ʃeə]	*une action*	☞ **a 'shareholder :** *un actionnaire*
pro'duction	*la production*	
distri'bution	*la distribution*	
goods and 'services	*les biens et les services*	☞ **the con'sumption of ~ :** *la consommation des biens et des services*

& Notez bien

■ **Economical** signifie *qui permet de faire des énonomies* ; dans les autres sens, on emploie l'adjectif **economic** : **economic growth,** *la croissance économique.*
■ *L'économie*, au sens de science de l'économie, se dit **economics**.

Money *L'argent*

Currency *La monnaie*

money ['mʌni]	*l'argent*	**monetary :** *monétaire*
a currency ['kʌrənsi]	*une monnaie*	**the single [European] ~ :** *la monnaie unique [européenne]* **'foreign ~ :** *une devise étrangère*
'cash re'serves	*des réserves en devises*	**gold reserves :** *des réserves d'or*
in'flation	*l'inflation*	ANT. **de'flation :** *la déflation*
to re'value	*réévaluer*	ANT. **to de'value :** *dévaluer*
the ex'change rate	*le taux de change*	SYN. **the rate of exchange**
to fluctuate ['flʌktʃueɪt]	*fluctuer*	**fluctu'ation :** *fluctuation*

Expressions

a strong/weak currency : *une monnaie forte/faible* • **the government's monetary policy :** *la politique monétaire du gouvernement* • **the central Bank's interest rates :** *les taux d'intérêt de la Banque centrale* • **The yen has fallen by 5 percent against the dollar.** *Le yen a baissé de 5 p. 100 par rapport au dollar.*

At the bank *À la banque*

a bank	*une banque*	**a 'banker :** *un banquier* **a ~ 'statement :** *un relevé bancaire*
a 'banknote (GB)	*un billet de banque*	SYN. **a bill** (US)
a coin	*une pièce [de monnaie]*	
(small) change	*de la (petite) monnaie*	
cash	*les espèces*	
a cheque (GB)	*un chèque*	SYN. **check** (US) **a 'chequebook, checkbook :** *un chéquier*
(bank) 'transfer	*un virement (bancaire)*	**to make a ~ to an account :** *virer sur un compte*
a 'standing 'order	*un virement automatique*	

an account [ə'kaʊnt]	un compte	☞ **a 'current/'savings ~ :** un compte courant/d'épargne ☞ **to de'posit money in an ~ :** verser de l'argent sur un compte
a with'drawal	un retrait	✐ **to with'draw** *(v. irr.)* **:** retirer de l'argent
'credit	le crédit	☞ **a ~ card :** une carte de crédit
a debt [det]	une dette	
an overdraft ['əʊvədrɑːft]	un découvert	
to lend *(v. irr.)*	prêter	ANT. **to borrow (from sb) :** emprunter (à qqn)
a loan [ləʊn]	un prêt	
to re'pay *(v. irr.)*	rembourser	SYN. **to pay back, to reim'burse**
to in'vest	investir	✐ **an in'vestor :** un investisseur ✐ **in'vestment :** un investissement
a 'life in'surance	une assurance vie	
a 'cash di'spenser (GB)	un distributeur de billets	SYN. **an auto'matic 'teller** (US)

➜ p. 371 (À la banque)

☞ Expressions

to pay (in) cash : payer en espèces • **to take out a loan :** contracter un emprunt • **a check for $500 :** un chèque de 500 dollars • **to be in debt :** être endetté • **to get into debt :** s'endetter • **This investment yields over 20 percent per annum. It's a good return.** Cet investissement rapporte plus de 20 p. 100 par an. C'est d'un bon rapport. • **Keep the change.** Gardez la monnaie.

Property La propriété

'property	la propriété	SYN. **'ownership** ☞ **intel'lectual/'private ~ :** la propriété intellectuelle/privée
a property de'veloper	un promoteur	
property tax	l'impôt foncier	
the property market	le marché immobilier	
the owner ['əʊnə]	le propriétaire	SYN. **pro'prietor** ☞ **'landlord :** propriétaire (d'un bien en location)
a mortgage ['mɔːgɪdʒ]	un prêt immobilier	
to own	posséder	☞ **a title deed :** un titre de propriété
a 'notary (public)	un notaire	SYN. **a so'licitor** (GB)

Income Le revenu

'revenue [from a property]	le revenu [d'une propriété]	
an 'income	un revenu	☞ **'monthly/'taxable/per 'capita ~ :** le revenu mensuel/imposable/par habitant
a pension ['penʃən]	une pension	☞ **a re'tirement/re'version/war ~ :** une pension de retraite/réversion/guerre
a 'salary	un salaire	SYN. **wage(s), pay**
a 'basic 'salary	un salaire de base	☞ **'minimum wage :** le salaire minimum ☞ **gross/net pay :** le salaire brut/net
a 'payslip	un bulletin de salaire	
a pay rise (GB), **raise** (US)	une augmentation de salaire	SYN. **a 'pay 'increase**
an al'lowance [-laʊ-]	une allocation, une indemnité	☞ **'London ~ :** indemnité de résidence à Londres
a rent allowance	une allocation de logement	☞ **family al'lowance :** les allocations familiales

Taxes Les impôts

(direct/indirect) tax	l'impôt (direct/indirect)	☞ **taxable :** imposable
to pay tax *ou* **taxes**	payer des impôts	
'income tax	l'impôt sur le revenu	
'income tax re'turn	la déclaration de revenus	
an income tax in'spector	un inspecteur des impôts	☞ **'tax in'spection :** un/le contrôle fiscal
a 'tax col'lector	un percepteur	
the 'tax col'lection 'office (GB)	le centre des impôts	SYN. **the In'ternal 'Revenue 'Service 'office** (US)
the 'tax de'partment	le fisc	☞ **the 'tax 'system :** la fiscalité

& Notez bien

- Le faux ami **propriety** signifie la bienséance.
- Gagner de l'argent se dit **to earn money** ou **to make money**. **I earn a good living :** *je gagne bien ma vie.* **I don't earn much :** *je gagne mal ma vie.*

36 Natural resources
Les ressources naturelles

Agricultural produce and work
Travaux et produits agricoles

ˈfarming	*l'agriculture*	☞ **ˈvegetable/fruit ~ :** *la culture maraîchère/fruitière*
a farm	*une ferme*	✎ **a ˈfarmer :** *un fermier/agriculteur, une fermière/agricultrice* ☞ **ˈfarmland :** *les terres cultivées*
agriˈcultural	*agricole*	☞ **~ ˈimplements :** *l'outillage agricole* ☞ **an ~ ˈworker :** *un travailleur agricole/journalier*
hay [heɪ]	*le foin*	☞ **to make ~ :** *faire les foins* ☞ **a ˈhaystack :** *une meule de foin*
a ˈtractor	*un tracteur*	

a shed	*un hangar*	☞ **the 'outbuildings :** les dépendances
a barn	*une grange*	
straw [strɔː]	*la paille*	
'fodder	*le fourrage*	
the land	*la terre*	☞ **waste ~ :** des terres en friche
a field	*un champ*	☞ **a 'meadow** [me-] **:** un pré, une prairie
to plough, plow (US) [plaʊ]	*labourer*	✎ **a 'ploughman :** un laboureur
to sow *(v. irr.)* [səʊ]	*semer*	☞ **a sowing machine :** un semoir
a seed	*une graine*	
to reap	*moissonner*	✎ **a 'reaper :** [homme] un moissonneur, [machine] une moissonneuse
to 'irrigate	*irriguer*	✎ **irri'gation :** l'irrigation
to fertilize ['fɜːtɪlaɪz]	*fertiliser*	✎ **a fertilizer :** un engrais, un fertilisant
manure [mə'njʊə]	*le fumier*	SYN. **dung**
a pest	*un insecte nuisible*	✎ **a pesticide :** un pesticide
to grow sth *(v. irr.)*	*cultiver qqch.*	
a crop	*une culture*	✎ **to crop :** cueillir, moissonner ✎ **the crops :** la récolte
the 'harvest	*la moisson*	☞ **the yield :** la récolte
a 'combine 'harvester	*une moissonneuse-batteuse*	
cereals ['sɪəriəlz]	*les céréales*	
bran	*le son*	
wheat [wiːt]	*le blé*	
'barley	*l'orge*	
rye	*le seigle*	
corn	*le blé (GB), le maïs (US)*	
maize (GB)	*le maïs*	
oats (N. pl.)	*l'avoine*	
rice	*le riz*	☞ **a ~ field :** une rizière
an orchard ['ɔːtʃəd]	*un verger*	
ripe	*mûr*	✎ **to 'ripen :** mûrir
vine [vaɪn]	*la vigne*	☞ **a 'vineyard** ['vɪn-] **:** un vignoble
grapes	*les raisins*	☞ **to 'harvest/pick the ~ :** faire les vendanges
in'tensive 'farming	*l'agriculture intensive*	
the food 'processing 'industry	*l'agroalimentaire*	

or'ganic 'farming	l'agriculture biologique	
GMOs	des OGM	REM. sigle de **genetically modified organisms :** organismes génétiquement modifiés

→ p. 95 (La campagne)

☞ Expressions

the Reaper : *la Faucheuse (la Mort)* • **to live on a farm :** *vivre dans une ferme* • **to till the land :** *cultiver la terre* • **to make hay while the sun shines :** *battre le fer pendant qu'il est chaud* • **to gather in the crop :** *rentrer la récolte* • **to separate the wheat from the chaff :** *séparer le bon grain de l'ivraie.*

Breeding *L'élevage*

(cattle) 'breeding	l'élevage (du bétail)	SYN. **rearing** ['rɪərɪŋ]
to breed *(v. irr.)*	élever	☞ **to rear a ~ :** élever une race
'chicken/pig/'salmon 'farming	l'élevage de porcs/poulets/saumons	
a fish farm	un centre de pisciculture	☞ **farm trout/salmon :** de la truite, du saumon d'élevage
the dairy ['deəri]	la laiterie	☞ **~ 'farming :** l'industrie laitière ☞ **~ 'produce :** des produits laitiers
a herd	un troupeau	☞ **a ~ of cows :** un troupeau de vaches
'cattle	le bétail	
the livestock ['laɪv-]	le cheptel, les animaux d'élevage	
to feed *(v. irr.)*	nourrir	
a cowshed ['kaʊʃed]	une étable	
to milk	traire	☞ **a milking machine :** une trayeuse
a goat	une chèvre	☞ **~ milk :** du lait de chèvre
a 'stable	une écurie	☞ **a stud farm :** un haras
a pigsty ['pɪgstaɪ]	une porcherie	
the fowls [faʊlz]	les volailles	
'battery 'farming	l'élevage en batterie	☞ **battery chickens :** poulets en batterie
to lay *(v. irr.)*	pondre	
a vet(erinarian)	un vétérinaire	
a slaughterhouse ['slɔː--]	un abattoir	

→ p. 102 (Les mammifères domestiques)
→ p. 103 (Les animaux de basse-cour)

☞ Expressions

To wait till the cows come home. Attendre la semaine des quatre jeudis. • **chicken :** trouillard.

Fishing La pêche

to fish	pêcher	✍ **fishing :** la pêche ☞ **to go fishing :** aller à la pêche
a 'fisherman	un pêcheur	
'angling	la pêche à la ligne	☞ **to go ~ :** pêcher à la ligne
a 'fishing rod	une canne à pêche	
a hook	un hameçon	
a bait [beɪt]	un appât	☞ **to take the ~ :** mordre à l'hameçon
'fishing 'tackle	l'attirail de pêche	
a fishing port	un port de pêche	Syn. **a 'fishing 'harbour** (GB), **harbor** (US)
a fishing boat	un bateau de pêche	
a trawler	un chalutier	✍ **to trawl :** pêcher au chalut
a fishing net, a 'fishnet	un filet	☞ **meshes :** les mailles
a shoal [ʃəʊl]	un banc de poissons	
a 'fish 'factory	une conserverie de poissons	

➜ p. 42 (Le poisson), 105 (Les animaux aquatiques)

Mineral resources Les ressources minières

a mine [maɪn]	une mine	✍ **a miner :** un mineur
mineral ['mɪnərəl]	minéral	☞ **~ deposits :** des gisements miniers
coal [kəʊl]	le charbon	☞ **a ~ mine :** une mine de charbon ☞ **a 'coalfield :** un gisement de houille
'precious 'metals	les métaux précieux	
gold	l'or	☞ **~ -plated :** (en métal) doré
'silver	l'argent	☞ **~ -plated :** (en métal) argenté
'platinum	le platine	☞ **~ blond :** blond(e) platine
'copper	le cuivre	
zinc	le zinc	
alu'minium (GB)	l'aluminium	Syn. **a'luminum** (US)
'alloys	les alliages	

bronze	*le bronze*	
brass	*le laiton*	
steel	*l'acier*	
'marble	*le marbre*	
to quarry ['kwɒri]	*exploiter une carrière*	**a ~ :** une carrière
stone	*la pierre*	☞ **crushed ~ :** pierre concassée
a pit	*un puits*	SYN. **a shaft**
a gallery	*une galerie*	
to dig *(v. irr.)*	*creuser*	☞ **a 'gold 'digger :** un chercheur d'or
to smelt	*fondre*	SYN. **to cast** *(v. irr.)*
to grind *(v. irr.)*	*broyer*	
to forge	*forger*	
me'tallurgy	*la métallurgie*	SYN. **the metal'lurgical 'industry**
ore	*un minerai*	☞ **to ex'tract 'iron ~ :** *extraire du minerai de fer*
a foundry ['faʊndri]	*une fonderie*	
a 'blast 'furnace	*un haut-fourneau*	

37 The processing industry
Les activités de transformation

Biofuels

Although definitions vary, first-generation biofuels are generally regarded as those made from food crops like sugar cane, corn and palm oil, and are used commercially as ethanol and bioesters. [...]
Second-generation biofuels are those made from nonfood feedstocks, like jatropha, wood chips, and cellulose. [...]. If used at 100 percent concentration, second-generation biofuels could reduce production-to-driving carbon dioxide production by up to 90 percent.

Sonia Kolesnikov-Jessop, in *International Herald Tribune*, October 29, 2007.

Les biocarburants

Bien que les définitions varient, on peut considérer que les biocarburants de première génération sont ceux que l'on produit à partir de cultures agricoles telles que la canne à sucre, le maïs et l'huile de palme, et qui sont commercialement utilisés comme ethanol et bioesters. [...]
Les biocarburants de deuxième génération sont tirés de matières premières végétales non comestibles telles que le jatropha, les copeaux de bois et la cellulose. [...] Concentrés à 100 p. 100, les biocarburants de deuxième génération pourraient réduire de 90 p. 100 le dioxyde de carbone produit par les gaz d'échappement.

Energy production *La production d'énergie*

ˈenergy	*l'énergie*	Syn. **ˈpower** [ˈpaʊə] ☞ **reˈnewable ~ :** *les énergies renouvelables*
a ˈtidal ˈpower ˈstation	*une usine marémotrice*	
a ˈwindpump	*une éolienne*	
ˈbio/ˈagrofuel	*le bio/agrocarburant*	
fuel	*un combustible*	☞ **ˈfossil ~/energy :** *les énergies fossiles*
oil	*le pétrole*	☞ **an ~ ˈplatform/rig :** *une plateforme pétrolière*
a pipeline [ˈpaɪplaɪn]	*un oléoduc*	
a (super)tanker	*un (super)pétrolier*	
[oil] **to drill**	[pétrole] *forer*	**drilling :** *le forage*
a reˈfinery [-ˈfaɪn-]	*une raffinerie*	**to reˈfine :** *raffiner*

LEXIQUE THÉMATIQUE

'petrol (GB)	*l'essence*	SYN. **gas(oline)** (US)
(natural) gas	*le gaz (naturel)*	
a 'gas 'carrier/'tanker	*un méthanier*	
coal [kəʊl]	*le charbon*	
nuclear ['nju:kliə]	*nucléaire*	☞ **~ 'energy :** *l'énergie nucléaire* ☞ **a ~ re'actor :** *un réacteur nucléaire* ☞ **a ~ plant :** *une centrale nucléaire*
steam	*la vapeur*	
elec'tricity	*l'électricité*	✐ **e'lectric :** *électrique*
a dam	*un barrage*	
'energy conser'vation	*la conservation d'énergie*	
'energy-ef'ficient	*économe en énergie*	
the 'OPEC 'countries	*les pays de l'OPEP*	REM. sigle de **Organization of Petrol Exporting Countries :** *Organisation des pays exportateurs de pétrole*

The world of industry Le monde industriel

'industry	*l'industrie*	✐ **in'dustrial :** industriel ✐ **an industrialist :** un industriel
a tycoon [taɪ'ku:n]	*un magnat*	☞ **an oil ~ :** *un magnat du pétrole*
'heavy 'industry	*l'industrie lourde*	ANT. **light industry :** *l'industrie légère*
small 'businesses	*les petites et moyennes entreprises*	☞ **a large firm :** *une grosse entreprise*
a 'factory	*une usine*	SYN. **a plant**
to manu'facture	*fabriquer, manufacturer*	
to pro'duce	*produire*	✐ **a 'product :** un produit
'chemical 'products	*les produits chimiques*	
the 'aerospace 'industry	*l'aérospatiale*	☞ **the car/textile/hotel/tourist industry :** *l'industrie automobile/textile/hôtelière/touristique*
pharma'ceuticals [--su:--]	*l'industrie pharmaceutique*	
weaponry ['wepənri]	*l'armement, le matériel de guerre*	
elec'tronics	*l'électronique*	
to mass-pro'duce	*fabriquer en série*	☞ **mass production :** *la fabrication en série*
the as'sembly line	*la chaîne de montage*	
a robot ['rəʊbɒt]	*un robot*	✐ **ro'botics :** *la robotique*
to 'automate	*automatiser*	✐ **automated :** automatisé, robotisé ✐ **auto'matic :** automatique

a device [dɪˈvaɪs]	*un appareil/dispositif*	
an engine [ˈendʒɪn]	*un moteur*	✐ **an engineer :** *un ingénieur*
a machine [məˈʃiːn]	*une machine*	☞ **to ˈoperate a ~ :** *faire fonctionner une machine*
a meˈchanic [-ˈkæ-]	*un mécanicien*	
goods	*des marchandises*	☞ **manufactured ~ :** *des produits manufacturés*
the ˈoutput	*la production, le rendement*	

☞ Expressions

to make sth on an assembly/production line : *produire qqch. à la chaîne* • **to scale up/down production :** *augmenter/diminuer la production* • **to run at full capacity :** *tourner à pleine capacité.*

The crafts and craftsmen/craftswomen
L'artisanat et les artisans

a craft	*un métier artisanal*	☞ **the ~ ˈindustry :** *l'artisanat*
ˈhandicrafts	*des objets artisanaux*	
a ˈcraftsman	*un artisan*	Syn. **an ˈartisan** ✐ **craftsmanship :** *le savoir-faire (artisanal)*
arts and crafts	*l'artisanat d'art*	
ˈhandmade	*fait main*	☞ **a ˈworkshop :** *un atelier*
ˈpottery	*la poterie*	✐ **a potter :** *un potier*
clay	*l'argile*	
ˈearthenware [ˈɜːθən-]	*la terre cuite, la faïence*	
ceˈramics	*la céramique*	
china [ˈtʃaɪnə]	*la porcelaine*	Syn. **ˈporcelain**
a ˈjoiner	*un menuisier*	☞ **ˈwoodwork :** *la menuiserie, l'ébénisterie*
a ˈcarpenter	*un charpentier*	
a ˈtailor	*un tailleur*	☞ **a ˈdressmaker :** *une couturière*
an upˈholsterer	*un tapissier*	✐ **upholstery :** *la tapisserie (d'ameublement)*
a (black)smith	*un forgeron*	✐ **the ˈsmithy :** *la forge*
wrought iron	*le fer forgé*	

→ p. 138 (Les métiers d'art)

38 Commerce and services
Le commerce et les services

Commerce Le commerce

trade	les échanges commerciaux	SYN. **'commerce :** le commerce ☞ **'balance of ~ :** la balance commerciale
'import-'export	l'import-export	☞ **an ex'porting 'country :** un pays exportateur
a con'sumer	un consommateur	☞ **~ so'ciety :** la société de consommation
a 'product	un produit	✎ **a pro'ducer :** un producteur
a brand (name)	une marque	SYN. **a 'trademark**
to sell *(v. irr.)*	vendre	☞ **the sales :** les soldes
to buy *(v. irr.)*	acheter	SYN. **to 'purchase**
to spend *(v. irr.)*	dépenser	

a purchase ['pɜːtʃəs]	*un achat*	☞ **the 'purchasing 'power :** *le pouvoir d'achat*
a re'tailer	*un détaillant*	ANT. **a 'wholesaler :** *un grossiste*
a 'warehouse	*un entrepôt*	☞ **to store :** *entreposer*
a price	*un prix*	☞ **a ~ cut :** *un rabais* ☞ **rock-bottom ~ s :** *des prix défiant toute concurrence*
to sup'ply	*fournir*	✎ **a supplier :** *un fournisseur*
a bargain ['bɑːgɪn]	*une affaire*	✎ **to ~ for sth :** *marchander qqch.*

☞ Expressions

consumer spending : *les dépenses de consommation* • **to buy sth on credit :** *acheter qqch. à crédit* • **the after-sales service :** *le service après-vente* • **not for sale :** *cet article n'est pas à vendre* • **The sales are on.** *C'est la saison des soldes.* • **The sale begins/the sales begin tomorrow.** *Les soldes commencent demain.* • **to spend money on sth :** *dépenser de l'argent pour qqch.*

Small shopkeepers and hypermarkets
Petits commerçants et grandes surfaces

a shop (GB), **a store** (US)	*un magasin*	☞ **a 'self-service store :** *un libre-service* ☞ **a 'shopwindow :** *une vitrine*
a delica'tessen, a 'deli	*un traiteur, une épicerie fine*	
a bou'tique	*une boutique (à la mode)*	
a price tag	*une étiquette (de prix)*	
to go 'shopping	*faire des courses, du shopping*	☞ **to go 'window-shopping :** *faire du lèche-vitrines*
to run 'errands	*faire ses courses*	
a trolley ['trɒli]	*un chariot*	
a 'market	*un marché*	☞ **a 'supermarket :** *un supermarché*
a stall [stɔːl]	*un étal, un stand*	SYN. **a stand**
a de'partment store	*un grand magasin*	☞ **a department :** *un rayon*
a 'shopping centre (GB)	*un centre commercial*	SYN. **a shopping mall** (US), **an ar'cade**
a counter ['kaʊntə]	*un comptoir*	☞ **the cheese/fish/meat ~ :** *le rayon fromages/poissons/viande*
a cash desk	*une caisse*	SYN. **a check-out** ☞ **a 'cashier :** *un caissier*
a delivery [dɪ'--]	*une livraison*	

☞ Noms de magasins

■ Les noms des petits commerces sont souvent formés avec le mot **shop** : **a baker's shop :** *une boulangerie* ; **a butcher's shop :** *une boucherie* ; **a grocer's shop :** *une épicerie* ; **a fish shop :** *une poissonnerie* ; **a shoe shop :** *un magasin de chaussures* ; **a shoe repair shop :** *une cordonnerie* ; **a stationer's (shop) :** *une papeterie.*

to wrap [ræp]	*envelopper*	☞ **'wrapping 'paper :** *du papier cadeau*
brown 'paper	*du papier d'emballage*	
a 'discount card	*une carte de fidélité*	
'shoplifting	*le vol à l'étalage*	✐ **a 'shoplifter :** *un voleur, une voleuse à l'étalage*
a 'customer	*un client*	SYN. **a 'patron**
a 'shop as'sistant	*un vendeur, une vendeuse*	SYN. **a sales clerk** (US), **a 'salesman**
an 'escalator	*un escalier roulant/ escalator*	
a chain of shops	*une chaîne de magasins*	
'mass distri'bution	*la grande distribution*	

☞ Expressions

Shoplifters will be prosecuted. *Les voleurs feront l'objet de poursuites.* • **Parking for patrons only.** *Stationnement réservé à la clientèle.* • **I don't buy it.** *Je ne marche pas ou Je ne suis pas d'accord.* • **She bought the whole story.** *Elle a gobé toute l'histoire.* • **She's an awkward customer.** *Elle n'est pas commode.*

Transporting goods
Le transport des marchandises

a means/mode of transport	*un mode de transport*	
to trans'port goods by plane/land/train	*transporter des marchandises par avion/par la route/ par le train*	
road/air transport	*le transport routier/aérien*	
'sea 'transport	*le transport maritime*	SYN. **shipping**
a con'tainer ship	*un porte-conteneurs*	
a 'haulage (GB) **'company**	*une entreprise de transport*	SYN. **a trucking company** (US)
freight [freɪt]	*le fret*	SYN. **'cargo :** *la cargaison, le chargement*

a goods/freight train	*un train de marchandises*	
a freight plane	*un avion-cargo, un avion de fret*	
air freight	*le fret aérien*	

Services Les services

infor'mation and communi'cation	*l'information et la communication*	
a con'sultant	*un consultant*	☞ **a com'puter ~ :** *un consultant en informatique*
telecommuni'cations	*les télécommunications*	
'medical care	*les services médicaux/de santé*	SYN. **health care**
an in'surance	*une assurance*	☞ **an ~ 'policy :** *une police d'assurance*
'rental	*la location*	☞ **a car ~ :** *une location de voiture*
to 'operate	*faire fonctionner*	☞ **to ~ fa'cilities :** *faire fonctionner des équipements, des installations*
'management	*la gestion*	☞ **waste management :** *la gestion des déchets*
'public 'office	*des fonctions officielles*	☞ **'public admini'stration :** *l'administration publique*

→ Services traités également p. 39 (La consultation et les examens), p. 116 (Le tourisme et les moyens de transport), p. 165 (À la banque)

39 Nations and states
Nations et États

Nationalism is an infantile sickness. It is the measles of the human race.
Albert Einstein (1879-1955).

Le nationalisme est une maladie infantile. C'est la rougeole de l'espèce humaine.

Individuals may form communities, but it is institutions alone that can create a nation.
Benjamin Disraeli (British politician, 1804-1881).

Si les individus forment des communautés, seules les institutions peuvent créer une nation.

Nationality *La nationalité*

a state	*un État*	☞ **a 'sovereign ~ :** *un État souverain*
a country ['kʌntri]	*un pays*	
a nation ['neɪʃən]	*une nation*	☞ **a ~ -state :** *une nation-État*
a 'border	*une frontière*	☞ **to cross the ~ :** *traverser la frontière* ☞ **a lin'guistic/'natural 'boundary :** *une frontière linguistique/naturelle*
terri'torial 'waters	*les eaux territoriales*	
a 'citizen	*un citoyen*	✐ **citizenship :** *la citoyenneté* ☞ **to be granted British citizenship :** *se faire naturaliser britannique*
a native ['neɪtɪv]	*un autochtone*	☞ **a ~ of 'Ireland :** *un(e) Irlandais(e) de naissance*
a national ['næʃənəl]	*un ressortissant*	☞ **an Au'stralian ~ :** *un citoyen australien* ☞ **'foreign ~s :** *les ressortissants étrangers*
(dual) natio'nality	*la (double) nationalité*	☞ **to ac'quire Ca'nadian ~ :** *acquérir la nationalité canadienne*
nationali'zation	*la nationalisation*	☞ **naturalization :** *la naturalisation*
a patriot ['peɪtriət]	*un patriote*	✐ **patri'otic :** *patriotique* ✐ **'patriotism :** *le patriotisme*

a flag	*un drapeau*	
a 'national 'anthem	*un hymne national*	
foreign ['fɒrən]	*étranger*	**a 'foreigner :** *un étranger*
an 'immigrant	*un immigrant*	**the immi'gration de'partment :** *les services de l'immigration* **il'legal immigration :** *l'immigration clandestine*
a refu'gee	*un réfugié*	**a ~ 'status :** *un statut de réfugié*
a 'stateless 'person	*un apatride*	
an asylum 'seeker [-'saɪ-]	*un demandeur d'asile*	
exile ['eksaɪl]	*l'exil*	**to go/send into ~ :** *s'exiler/exiler qqn*
an un'documented 'person	*une personne sans papiers*	
a 'residence 'permit	*une carte de séjour*	
a work permit (GB), **a green card** (US)	*un permis de travail*	

L'État, la patrie, l'étranger

■ Un État (avec une majuscule) est une entité politique autonome **(a self-governing political entity)**, alors qu'une nation est un groupe de personnes uni, qui partage une culture commune **(a tightly knit group of people who share a common culture)**.

■ Les États-Unis, qui constituent un seul État, sont divisés en 50 États **(the United States is divided into fifty states)**. On dit parfois **the States** [informel] pour désigner ce pays.

■ Patrie peut se dire **fatherland** (*la terre du père*) ou **motherland** (*la mère patrie*), mais ces termes s'emploient peu. Notez les traductions suivantes : *mourir pour sa patrie* : **to die for one's country** ; *c'est ma deuxième patrie* : **it's my adoptive country** ; *l'Écosse est ma nouvelle patrie* : **Scotland is my new homeland**.

■ **Foreign** signifie *étranger* au sens de *qui vient d'un autre pays*. Notez ces autres traductions du mot *étranger*. *Ils sont étrangers à notre famille* : **they are not related to us** ; *ce sentiment m'est étranger* : **this feeling is unknown to me**.

Expressions

the state of the art : *l'état actuel de la connaissance* • **to be in a sorry state :** *être dans un triste état* • **The minister is on a state visit to Japan.** *La ministre est en visite d'État au Japon.* • **They were escorted back to the frontier.** *Ils ont été reconduits à la frontière.*

The European Union (EU)
L'Union européenne (UE)

Europe ['jʊərəp]	*l'Europe*	**Euro'pean :** *européen* **a European :** *un Européen*
Western/Central/ Eastern Europe	*l'Europe de l'Ouest/ centrale/de l'Est*	
a 'founder 'member	*un membre fondateur*	
a 'member state/ 'country	*un État/pays-membre*	
an EU 'citizen	*un citoyen de l'UE*	
an 'applicant 'country	*un pays candidat (à l'adhésion)*	
to join the EU	*adhérer à l'UE*	
the EU's en'largement	*l'élargissement de l'UE*	
Euro'pean inte'gration	*l'intégration européenne*	
the euro ['jʊərəʊ]	*l'euro*	☞ **the 'single 'currency :** *la monnaie unique* ☞ **the ~ zone :** *la zone euro*
a free-trade 'area	*une zone de libre-échange*	
the Euro'pean insti'tutions	*les institutions européennes*	
the 'Council of 'Europe	*le Conseil de l'Europe*	
the Euro'pean 'Central Bank (ECB)	*la Banque centrale européenne (BCE)*	
the Euro'pean Com'mission	*la Commission européenne*	
the Euro'pean 'Parliament	*le Parlement européen*	
the Euro'pean Court of 'Justice	*la Cour de justice européenne*	
the 'Common Agri'cultural 'Policy	*la politique agricole commune*	REM. sigle **CAP :** PAC
a euro MP	*un député européen*	SYN. **a member of the European Parliament**
a 'eurocrat	*un eurocrate*	
euro'sceptic	*eurosceptique*	

& Notez bien

■ On dit **a European** (et non **an...**) car **Eu-** se prononce comme **you**. Ce mot commence donc par un son de consonne. On dit **an EU citizen** car **E** se prononce [iː].

Political systems and regimes
Systèmes et régimes politiques

to rule	*diriger*	
power ['paʊə]	*le pouvoir*	☞ **'absolute ~ :** *le pouvoir absolu* ☞ **in ~ :** *au pouvoir*
a democracy	*une démocratie*	✐ **a 'democrat :** *un démocrate* ✐ **demo'cratic :** *démocratique*
a 'people's de'mocracy	*une démocratie populaire*	
a re'public	*une république*	
a consti'tution	*une constitution*	✐ **constitutional :** *constitutionnel*
a 'president	*un(e) président(e)*	✐ **presi'dential :** *présidentiel*
a 'monarchy ['mɒnəki]	*une monarchie*	✐ **a 'monarch :** *un monarque*
to reign [reɪn]	*régner*	✐ **a ~ :** *un règne*
to crown [kraʊn]	*couronner*	
a king, a queen	*un roi, une reine*	
to 'abdicate	*abdiquer*	
an empire ['empaɪə]	*un empire*	✐ **an 'emperor, 'empress :** *un empereur, une impératrice*
a dic'tator	*un dictateur*	✐ **a dictatorship :** *une dictature*
a tyrant ['taɪrənt]	*un tyran*	✐ **'tyranny** ['tɪrəni] **:** *la tyrannie* ✐ **ty'rannical :** *tyrannique*
a coup [kuː]	*un coup d'État*	
martial law ['mɑːʃəl]	*la loi martiale*	
to have full powers	*avoir les pleins pouvoirs*	
anarchy ['ænəki]	*l'anarchie*	✐ **'anarchism :** *l'anarchisme*
'communism	*le communisme*	✐ **a communist :** *un(e) communiste*
'marxism	*le marxisme*	✐ **a marxist :** *un(e) marxiste*
'socialism	*le socialisme*	✐ **a socialist :** *un(e) socialiste*
totali'tarianism	*le totalitarisme*	
'liberalism	*le libéralisme*	
'politics	*la politique, les opinions politiques*	

& Notez bien

■ Le nom **politics** est suivi d'un verbe au singulier quand il signifie *la politique*. **Politics is the art of the possible :** *la politique est l'art du possible.* Quand il signifie *opinions politiques*, il s'emploie avec un verbe au pluriel. **What are your politics?** *Quelles sont vos opinions politiques ?*

40 How a democracy works
Le fonctionnement d'une démocratie

We hold these truths to be self-evident, that all men are created equal, that they are endowed by their Creator with the certain unalienable Rights, that among these are life, liberty, and the pursuit of happiness. That to secure these rights, governments are instituted among men, deriving their just powers from the consent of the governed.

The Unanimous Declaration of Independence of the United Sates of America (July 4th 1776).

Nous tenons pour évidentes par elles-mêmes les vérités suivantes : tous les hommes sont créés égaux ; ils sont doués par le Créateur de certains droits inaliénables ; parmi ces droits se trouvent la vie, la liberté et la recherche du bonheur. Les gouvernements sont établis parmi les hommes pour garantir ces droits, et leur juste pouvoir émane du consentement des gouvernés.

Political parties and elections
Partis politiques et élections

a (poˈlitical) ˈparty	*un parti (politique)*	☞ **the ˈruling ~ :** *le parti au pouvoir*
a ˈpolicy	*une politique*	
the left	*la gauche*	☞ **a ~ -wing poliˈtician :** *un homme/une femme politique de gauche*
the right	*la droite*	☞ **a ~ -wing politician :** *un homme/une femme politique de droite*
conˈservative	*conservateur*	✎ **a ~ :** *un conservateur, une conservatrice*
proˈgressive	*progressiste*	
to vote	*voter*	✎ **a voter :** *un électeur, une électrice* ☞ **the right to ~ :** *le droit de vote*
an eˈlection	*une élection*	✎ **the eˈlectorate :** *l'électorat* ☞ **a by- ~** (GB) **:** *une élection partielle*
a ˈcandidate	*un(e) candidat(e)*	
a presiˈdential eˈlector (US)	*un grand électeur*	

a 'primary e'lection	*une (élection) primaire*	
a ma'jority	*une majorité*	ANT. **a mi'nority :** *une minorité* ☞ **e'lected by a ~ of :** *élu(e) à une majorité de*
a (po'litical) 'platform	*un programme (politique)*	

☞ Partis du monde anglophone

■ Quelques noms de partis politiques dans le monde anglophone : **the Conservative party :** *le parti conservateur* ; **Labour :** *les travaillistes*, **the Labour Party :** *le parti travailliste* ; **the Republicans** (US) **:** *les Républicains*, **the Republican Party :** *le parti républicain*, dont l'emblème est un éléphant **(Elephant)** ; **the Democrats** (US) : *les Démocrates*, **the Democratic Party :** *le parti démocrate*, dont l'emblème est un âne **(Donkey)**.

☞ Expressions

to call an election : *organiser des élections* • **to run for President/the Presidency** (US) **:** *être candidat à la présidence* • **to stand for Parliament** (GB) **:** *se présenter aux élections législatives.*

The organisation of power
L'organisation du pouvoir

Legislative and executive power
Les pouvoirs législatif et exécutif

the sepa'ration of powers	*la séparation des pouvoirs*	
a 'government ['gʌ--]	*un gouvernement*	✐ **to 'govern :** *gouverner*
a 'president	*un(e) président(e)*	☞ **a vice- ~ :** *un vice-pésident* ☞ **an in'cumbent ~ :** *un président sortant*
a head of state	*un chef d'État*	
a 'minister	*un(e) ministre*	☞ **a prime ~ :** *un(e) Premier ministre*
a 'parliament	*un parlement*	
a (parlia'mentary) 'session	*une session (parlementaire)*	
a bill	*un projet de loi*	☞ **to a'mend a ~ :** *amender un projet de loi*

an a'mendment	un amendement	
an Act of Parliament (GB)	une loi votée par le Parlement	
a com'mittee	une commission	

☞ Grandes institutions politiques

■ **The House of Commons** (GB) **:** *la chambre des Communes* ; **a Member of Parliament/ an MP** (GB) **:** *un(e) député(e)* ; **the White House (in Washington) :** *la Maison-Blanche (à Washington)* ; **the Senate** (US) **:** *le Sénat* ; **the House of Representatives** (US) **:** *la chambre des Représentants* ; **a representative :** *un membre de la chambre des Représentants.*

☞ Expressions

a four-year presidential term : *un mandat présidentiel de quatre années* • **a five-year term (of office) :** *un quinquennat* • **to dissolve Parliament :** *dissoudre le Parlement* • **In the United States, it's the Vice-President who presides over the Senate.** *Aux États-Unis, c'est le vice-président qui préside le Sénat.*

The law *La justice*

ju'dicial power	le pouvoir judiciaire	
a law [lɔː]	une loi	☞ **~ -a'biding :** respectueux des lois ☞ **to en'force the ~ :** (faire) appliquer la loi
'lawful	légal	SYN. **'legal** ANT. **unlawful, illegal :** illégal
justice ['dʒʌstɪs]	la justice	
the 'civil/'penal code	le code civil/pénal	
a right	un droit	
a law court	un tribunal	☞ **the 'courtroom :** la salle d'audience
a judge [dʒʌdʒ]	un juge	☞ **a 'magistrate :** un magistrat
a case	une affaire	☞ **a trial :** un procès
a suspect ['sʌs-]	un suspect	✎ **to ~ that :** soupçonner que
the de'fendant	l'accusé	SYN. **the ac'cused**
to 'prosecute	poursuivre en justice	SYN. **to sue :** faire un procès à ☞ **a 'public 'prosecutor :** un procureur
the jury ['dʒʊəri]	le jury	✎ **a 'juror :** un juré
the 'verdict	le verdict	
'innocent	innocent(e)	✎ **innocence :** l'innocence
a culprit ['kʌlprɪt]	un(e) coupable	☞ **guilt :** la culpabilité

a 'sentence	*une peine, une sentence*	☞ **a jail ~ :** *une peine de prison* ✎ **to ~ :** *condamner*
the 'death 'penalty	*la peine de mort*	
a su'spended 'sentence	*une peine avec sursis*	
a 'witness	*un témoin*	☞ **the ~ box :** *la barre des témoins*
a proof	*une preuve*	
a lawyer ['lɔːjə]	*un avocat*	Syn. **a 'barrister** (GB), **an at'torney** (US)
to plead	*plaider*	**to ~ guilty/not guilty :** *plaider coupable/non coupable*
to ap'peal	*faire appel*	✎ **an ~ :** *un appel*
to 'pardon	*grâcier*	
a 'prison	*une prison*	Syn. **a jail** ✎ **a prisoner :** *un prisonnier*
(in) 'solitary con'finement	*(en) isolement cellulaire*	

☞ Expressions

to pass a law : *faire voter une loi* • **to take the law into one's own hands :** *se faire justice soi-même* • **an alternative sentence :** *une peine de substitution* • **a light/long/heavy sentence :** *une peine légère/longue/sévère* • **to send sb to prison/jail :** *condamner qqn à la prison* • **It's against the law.** *C'est contraire à la loi.* • **They got a ten-year sentence** *ou* **They were sentenced to ten years' imprisonment.** *Ils ont été condamnés à dix ans de prison.*

41 Modern societies
Les sociétés modernes

Nous sommes égaux !

Social inequalities and strikes
Inégalités sociales et mouvements sociaux

dis'parities in 'income	les inégalités de revenus	
poor	pauvre	✐ **the ~ :** les pauvres
'poverty	la pauvreté	☞ **~ stricken :** dans le dénuement
the under'privileged	les défavorisés	ANT. **the 'privileged :** les privilégiés
the 'needy	les nécessiteux	
the 'homeless	les sans domicile fixe	
a 'night 'shelter	un asile de nuit	
to beg	mendier	✐ **a 'beggar :** un mendiant
a tramp	un clochard	
an al'lowance [-'laʊ-]	une allocation	

a 'benefit	*une prestation*	☞ **to be on ~(s) :** *recevoir des allocations*
the 'minimum 'wage	*le salaire minimum*	
the 'welfare state	*l'État-providence*	
a demon'stration	*une manifestation*	✐ **to 'demonstrate :** *manifester*
to take to the street	*descendre dans la rue*	
a strike	*une grève*	
a 'protest 'movement	*un mouvement de protestation*	
a riot [raɪət]	*une émeute*	☞ **the ~ 'police :** *les unités anti-émeute*

& Notez bien

■ **The poor** (*les pauvres*) est suivi d'un verbe au pluriel : **the poor are those with incomes of less than... :** *les pauvres sont ceux dont les revenus sont inférieurs à...*

☞ Expressions

to hold a demonstration : *manifester, organiser une manifestation* • **to live on welfare :** *vivre des prestations sociales* • **to rough it :** *vivre à la dure* • **to live in (extreme) poverty :** *vivre dans la misère (extrême)* • **intent on helping the underprivileged sections of the population :** *résolu(e) à aider les couches défavorisées de la population.*

Violence, crime La violence, la criminalité

violence ['vaɪələns]	*la violence*	☞ **'racial ~ :** *la violence raciale* ☞ **to be violent (with sb) :** *être violent (envers qqn)*
a 'minor offence	*un délit mineur*	
to rob sb of sth	*voler qqch. à qqn*	Syn. **to steal sth from sb** *(v. irr.)*
a thief	*un voleur*	Syn. **a 'robber :** *un cambrioleur* ✐ **a theft, a robbery :** *un vol*
bru'tality	*la brutalité*	✐ **'brutal :** *brutal* ✐ **a 'brute :** *une brute*
cruel [kru:l]	*cruel*	✐ **'cruelty :** *la cruauté*
a crime [kraɪm]	*un crime*	✐ **criminal** ['krɪmɪnəl] **:** *criminel* ✐ **a criminal :** *un criminel*
to bully ['bʊli]	*tyranniser, persécuter*	Syn. **to 'persecute** ✐ **bullying :** *des brimades*
to hit *(v. irr.)*	*frapper*	Syn. **to beat, to strike** *(v. irr.)*
to assault [ə'sɔ:lt]	*agresser*	Syn. **to mug, to attack**
an as'sault	*une agression*	Syn. **'mugging, an at'tack**

a 'mugger	*un agresseur*	SYN. **an ag'gressor, an at'tacker**
to 'kidnap	*enlever*	
a ransom ['rænsəm]	*une rançon*	
a 'homicide [--saɪd]	*un homicide*	✐ **homi'cidal :** meurtrier, ayant des tendances meurtrières
to kill	*tuer*	✐ **a (serial) killer :** un tueur (en série)
to shoot sb *(v. irr.)*	*abattre qqn*	
a gun	*un pistolet*	SYN. **a 'handgun** ☞ **to wear a ~ :** avoir/porter une arme (à feu)
a rifle [raɪfl]	*un fusil*	
to stab	*poignarder*	
to strangle	*étrangler*	
to 'murder	*assassiner*	✐ **a ~ :** un meurtre ✐ **a 'murderer :** un meurtrier
to slaughter ['slɔːtə]	*massacrer*	SYN. **to 'massacre**
a 'hooligan	*un voyou*	SYN. **a thug** ✐ **hooliganism :** le vandalisme/hooliganisme
to 'ransack	*piller, saccager*	
to rape	*violer*	✐ **a ~ :** un viol ✐ **a rapist :** un violeur
'arson	*un incendie volontaire*	✐ **an arsonist :** un incendiaire/pyromane
a 'victim	*une victime*	

☞ Expressions

an escalation of violence : une escalade de la violence • **People have been shot for less!** On en a tué pour moins que ça ! • **robbery with violence :** vol avec coups et blessures • **armed robbery :** vol à main armée • **to point a gun at sb :** braquer un pistolet sur qqn • **at point-blank range :** à bout portant.

Human rights and associations
Les droits de l'homme et le mouvement associatif

'civic/'civil rights	*les droits civiques/civils*
the right to vote	*le droit de vote*
'women's rights (movement)	*(le mouvement pour) les droits des femmes*

gay rights	*les droits des homosexuels*	
'tolerance	*la tolérance*	ANT. **intolerance :** *l'intolérance* ✐ **tolerant/intolerant :** *tolérant/intolérant*
soli'darity	*la solidarité*	☞ **to show ~, to stick to'gether :** *être solidaire*
sup'port	*le soutien*	☞ **to ~ sb :** *soutenir qqn*
a demon'stration	*une manifestation*	
to sign a pe'tition	*signer une pétition*	✐ **to petition sb :** *adresser une pétition à qqn*
a fight for/against	*une lutte pour/contre*	✐ **to fight** *(v. irr.)* **:** *lutter* ☞ **the ~ against op'pression/racial violence :** *la lutte contre l'oppression/la violence raciale*
e'quality (between men and women)	*la parité (hommes-femmes)*	
'violence against 'women	*la violence envers les femmes*	☞ **do'mestic violence :** *la violence familiale*
'sexual muti'lation	*la mutilation sexuelle*	
to abuse sb [ə'bju:z]	*faire subir des violences à qqn*	☞ **sexual/spousal/child abuse :** *les violences sexuelles/conjugales/la maltraitance d'enfant*
a 'genocide [--saɪd]	*un génocide*	
a po'litical 'prisoner	*un prisonnier politique*	☞ **a 'prisoner of 'conscience :** *un prisonnier d'opinion*
'torture ['tɔ:tʃə]	*la torture*	✐ **to ~ :** *torturer* ✐ **a torturer :** *un tortionnaire, un bourreau*
com'munity life	*la vie associative*	
an associ'ation	*une association*	☞ **a con'sumer/sports/non-'profit (-making) ~ :** *une association de consommateurs/sportive/à but non lucratif*
'freedom of associ'ation	*la liberté d'association*	
repre'sentatives of associ'ations	*des représentants du milieu associatif*	
Alco'holics A'nonymous (AA)	*les Alcooliques anonymes*	

& Notez bien

■ *Une manifestation*, au sens politique du terme, se dit **a demonstration**. Au sens de *réunion*, on traduit par **event**. **An artistic/cultural/sporting event :** *une manifestation artistique/culturelle/sportive.*

42 The world population
La population mondiale

According to the International Programs Center, U.S. Census Bureau, the total population of the World, projected to 03/21/08 at 17:39 GMT (EST+5) is

6,658,376,630

Monthly World	Population figures
08/01/07	6,608,818,475
09/01/07	6,615,362,139
10/01/07	6,621,694,717
11/01/07	6,628,238,381
12/01/07	6,634,570,959
01/01/08	6,641,114,623
02/01/08	6,647,658,287
03/01/08	6,653,779,780
04/01/08	6,660,323,443
05/01/08	6,666,656,022
06/01/08	6,673,199,685
07/01/08	6,679,532,264

U.S. Census Bureau, International Data Base.

Selon le Centre de recherche international des services américains du Recensement, la population mondiale, telle que prévue au 21.03.2008 à 17h39 GMT, s'élève à

Population growth
La croissance démographique

de'mography — *la démographie* — ☞ **demo'graphic 'studies/trends :** les études/prévisions démographiques

an in'habitant — *un habitant* — ✐ **inhabited :** *habité*

the popu'lation	*la population*	☞ **the ci'vilian ~ :** *la population civile* ☞ **a fall/rise in the ~ :** *une diminution/un accroissement (de la population)*
popu'lation 'figures	*les chiffres de la démographie*	☞ **popu'lation 'planning :** *la planification démographique*
a high popu'lation 'density	*une forte densité de population*	
an 'ageing popu'lation	*une population vieillissante*	
'life ex'pectancy	*l'espérance de vie*	
the birth/death rate	*le taux de natalité/mortalité*	
the fer'tility rate	*le taux de fertilité*	☞ **a high/low ~ :** *un taux de fertilité élevé/bas*
to in'crease, to grow	*s'accroître*	ANT. **to de'crease :** *décroître*
to 'stabilize, to be'come 'stabilized	*se stabiliser*	
to settle	*s'installer, s'établir*	
overpopu'lation	*la surpopulation*	**over'populated :** *surpeuplé* ☞ **'sparsely 'populated :** *peu peuplé*

☞ Expressions

an increase in population, a population increase : *une poussée démographique* • **The number of children per family is dwindling.** *Le nombre d'enfants par famille diminue.* • **The fertility index (i.e. the number of offspring per female) fell below the replacement threshold of 2.1 children per female.** *L'indice de fécondité (c'est-à-dire le nombre d'enfants par femme) est tombé sous le seuil de renouvellement de 2,1 enfants par femme.* • **Deaths have outnumbered births.** *Le nombre des décès a dépassé celui des naissances.*

Shifts in population
Mouvements de population

to migrate [maɪ'greɪt]	*migrer*	**a 'migrant :** *un migrant, un travailleur immigré*
an 'immigrant	*un immigrant*	**to 'immigrate :** *immigrer* ☞ **~ 'workers :** *la main-d'œuvre immigrée*
un'documented immigrants	*les sans-papiers*	

LEXIQUE THÉMATIQUE

immi'gration	*l'immigration*	☞ **the flow of ~ :** *le flux de l'immigration*
to 'emigrate	*émigrer*	✐ **emi'gration :** *l'émigration*
to 'integrate (into)	*s'intégrer (dans)*	
affirmative 'action (US)	*la discrimination positive*	SYN. **'positive discrimi'nation** (GB)
discrimi'nation	*la discrimination*	☞ **racial/religious/sex ~ :** *la discrimination raciale/religieuse/sexuelle*
to di'scriminate against sb	*faire subir une discrimination*	✐ **to be discriminated against :** *être victime d'une discrimination*
to de'port sb from	*expulser qqn de*	SYN. **to ex'pel**
to move (out)	*déménager*	
a 'border	*une frontière*	
to extradite ['ekstrədaɪt]	*extrader*	✐ **extra'dition :** *l'extradition*
multi'culturalism	*le multiculturalisme*	☞ **a multi'cultural so'ciety :** *une société multiculturelle*

☞ Expressions

in search of a better life/of political, religious freedom : *en quête d'une vie meilleure/de la liberté politique, religieuse* • **to redress discrimination through active measures to ensure equal opportunity :** *lutter contre la discrimination grâce à des mesures actives garantissant l'égalité des chances* • **drift from the land :** *l'exode rural* • **brain drain :** *l'exode des cerveaux.*

43 The world economy
L'économie mondiale

What is globalization?
Human societies across the globe have established progressively closer contacts over many centuries, but recently the pace has dramatically increased. Jet airplanes, cheap telephone service, e-mail, computers, huge oceangoing vessels, instant capital flows, all these have made the world more interdependent than ever. Multinational corporations manufacture products in many countries and sell them to consumers around the world. Money, technology and raw materials move ever more swiftly across national borders.

http://www.globalpolicy.org/globaliz/define/index.htm

Qu'est-ce que la mondialisation?
Sur une période de plusieurs siècles, les sociétés humaines, à travers le monde, ont progressivement établi des contacts plus étroits, mais le rythme s'est considérablement accru récemment. Les avions à réaction, un service téléphonique bon marché, les courriels, les ordinateurs, les énormes navires de haute mer, les mouvements de capitaux instantanés, tout cela a rendu le monde plus interdépendant que jamais. Des multinationales fabriquent des produits dans de nombreux pays et les vendent à des consommateurs du monde entier. L'argent, la technologie et les matières premières traversent de plus en plus vite les frontières nationales.

The unequal distribution of wealth
La répartition inégale des richesses

Inequality L'inégalité

dis'parity	l'inégalité, la disparité	
the North-South di'vide	le fossé Nord-Sud	
an e'merging 'country	un pays émergent	
an in'dustrializing 'country	un pays en voie d'industrialisation	
a de'veloping 'country	un pays en voie de développement	
underde'veloped	sous-développé	
rich/wealthy countries	les pays riches	ANT. **poor ~ :** les pays pauvres

per 'capita 'income	*revenu par habitant*	
poverty ['pɒvəti]	*la pauvreté*	☞ **the ~ 'threshold/line :** *le seuil de pauvreté*
in'dustrial 'backwardness	*le retard industriel*	
a de'prived 'region	*une région déshéritée*	
to be under'nourished	*être sous-alimenté*	
star'vation	*la famine*	SYN. **'famine** ✎ **to starve :** *manquer de nourriture*
mor'tality	*la mortalité*	☞ **'infant ~ :** *la mortalité infantile*
insa'lubrity	*l'insalubrité*	

Aid *L'aide, l'assistance*

help	*l'aide*	✎ **to ~ :** *aider*
de'velopment	*le développement*	☞ **a ~ 'programme :** *un programme de développement*
an aid agency ['eɪdʒənsi]	*une organisation humanitaire*	
a non-'governmental organi'zation	*une organisation non gouvernementale*	REM. sigle **an NGO :** *une ONG*
a charity ['tʃærɪti]	*une association caritative*	
humani'tarian	*humanitaire*	✎ **humanitarianism :** *l'humanitarisme*
a refu'gee	*un réfugié*	☞ **a ~ camp :** *un camp de réfugiés*
to write off a debt	*annuler une dette*	SYN. **to 'cancel a debt**

Globalization *La mondialisation*

to 'globalize	*passer à l'échelle mondiale*	☞ **'Global 'Village :** *le village global*
on a 'worldwide scale	*à l'échelle mondiale*	
to 'outsource	*délocaliser*	✎ **outsourcing :** *la délocalisation*
to relo'cate	*se délocaliser*	
e'conomies of scale	*des économies d'échelle*	
interde'pendence	*l'interdépendance*	☞ **inter'action :** *l'interaction*
a 'network	*un réseau*	
ICT	*TIC*	REM. sigle de **Information and Communications Technologies :** *technologies de l'information et de la communication*

Expressions

the growth of cross-cultural contacts : *le développement des contacts interculturels* • **Our firm is planning to relocate abroad.** *Notre entreprise a l'intention de se délocaliser à l'étranger.* • **Music has become globalized.** *La musique s'est mondialisée.*

coope'ration	*la coopération*	
su'stainable de'velopment	*le développement durable*	
(eco'nomic) inte'gration	*l'intégration économique*	
the 'standard of 'living	*le niveau de vie*	SYN. **the living standard**
pros'perity	*la prospérité*	☞ **wealth :** *la richesse*
con'sumer rights	*les droits des consommateurs*	
'cultural assimi'lation	*l'assimilation culturelle*	
cross-'border tran'sactions	*des transactions transfrontalières*	
com'petitiveness	*la compétitivité*	☞ **in'creased compe'tition :** *la concurrence accrue*
'private 'interests	*les intérêts privés*	☞ **to pro'tect one's interests :** *protéger ses intérêts*
pro'tectionism	*le protectionnisme*	
detri'mental to	*au détriment de*	SYN. **at the ex'pense of**
('corporate) im'perialism	*l'impérialisme des entreprises*	☞ **'cultural ~ :** *l'impérialisme culturel*
'capitalism	*le capitalisme*	☞ **'capital flows :** *les flux de capitaux*
multi'national 'enterprises	*les (entreprises) multinationales*	
fi'nancial 'markets	*les marchés financiers*	
(eco'nomic) 'liberalism	*le libéralisme (économique)*	SYN. **free 'enterprise** [--praɪz]
the 'market e'conomy	*l'économie de marché*	
free trade	*le libre-échange*	
liberali'zation	*la libéralisation*	

44 International relations
Les relations internationales

War and peace *La guerre et la paix*

War *La guerre*

a war [wɔː]	*une guerre*	✎ **a 'warrior :** *un guerrier* ☞ **a 'prisoner of ~ :** *un prisonnier de guerre*
'warfare	*la guerre* [notion]	
the 'headquarters	*le quartier général*	
the 'army	*l'armée*	☞ **the Air Force :** *l'armée de l'air*
the navy ['neɪvi]	*la marine*	
'military	*militaire*	☞ **~ 'service :** *le service militaire*
the troops	*les troupes*	
the front [frʌnt]	*le front*	☞ **killed in 'action :** *tué au front*
an 'enemy	*un ennemi*	ANT. **an 'ally** PL. **allies :** *un allié*
a fight	*un combat*	SYN. **a battle :** *une bataille* ✎ **to fight** *(v. irr.)* **:** *se battre*

to at'tack	*attaquer*	☞ **a (counter-)~ :** *une (contre-) attaque*
a siege [si:dʒ]	*un siège*	☞ **to be'siege :** *assiéger*
to fire at sb	*tirer sur qqn*	SYN. **to shoot** *(v. irr.)* **at sb**
to snipe	*tirer (en embuscade)*	✐ **a sniper :** *un tireur embusqué, un sniper*
to kill	*tuer*	☞ **to shoot down** *(v. irr.)* **:** *abattre*
to de'fend	*défendre*	☞ **to ~ one'self :** *se défendre*
an in'vasion	*une invasion*	✐ **to in'vade :** *envahir* ✐ **an invader :** *un envahisseur*
to 'occupy [--paɪ]	*occuper*	☞ **'occupied 'territories :** *des territoires occupés*
to de'stroy	*détruire*	
a ci'vilian	*un civil*	
a consci'entious ob'jector	*un objecteur de conscience*	
de'sertion	*la désertion*	✐ **a de'serter :** *un déserteur*
a firing squad [skwɒd]	*un peloton d'exécution*	

☞ Noms de guerres

■ **The Wars of the Roses :** *la guerre des Deux-Roses* ; **The Boer war :** *la guerre des Boers* ; **The American Civil War :** *la guerre de Sécession* ; **The First World War** *ou* **World War One :** *la Première Guerre mondiale* ; **The Second World War** *ou* **World War Two :** *la Seconde Guerre mondiale* ; **Star Wars :** *la guerre des étoiles.*

Weapons *Les armes*

arms	*les armes*	☞ **an ~ cache :** *une cache d'armes* ☞ **to ~! :** *aux armes !*
weapons ['wepənz]	*les armes*	☞ **~ of mass de'struction :** *des armes de destruction massive*
a mine [maɪn]	*une mine*	☞ **an antiperson'nel ~ :** *une mine antipersonnelle*
a gun	*un revolver, un fusil*	✐ **a 'handgun :** *un revolver/pistolet* ☞ **a rifle :** *un fusil*
a ma'chine gun	*une mitrailleuse*	
mu'nitions	*des munitions*	SYN. **ammu'nition**
a bullet ['bʊlɪt]	*une balle*	
the 'infantry	*l'infanterie*	
('heavy) ar'tillery	*l'artillerie (lourde)*	
a 'cannon	*un canon*	☞ **~ 'fodder :** *la chair à canon*
an 'armoured (GB) **di'vision**	*une division blindée*	SYN. **an armored** (US) **~**

a tank	un char, un tank	
a shell	un obus	
a missile ['mɪsaɪl]	un missile	
a bomb ['bɒm]	une bombe	☞ **a ~ at'tack :** un attentat à la bombe ☞ **the atom(ic) ~ :** la bombe atomique
a bomber ['bɒmə]	un bombardier	✐ **bombing, shelling :** un bombardement
to fire	*faire feu*	
to blow up *(v. irr)*	exploser	SYN. **to ex'plode**
to blow *(v.irr)* **sth up**	*faire exploser*	

Peace La paix

a 'pacifist	un pacifiste	
a ceasefire ['si:s-]	un cessez-le-feu	SYN. **a truce :** une trêve
a de'feat	une défaite	☞ **to 'suffer ~ :** essuyer une défaite
to re'sist	résister	✐ **re'sistance :** la résistance ANT. **to sur'render :** se rendre
'victory	la victoire	✐ **a 'victor :** un vainqueur ✐ **vic'torious :** victorieux, victorieuse
an 'armistice	un armistice	☞ **Armistice Day :** l'Armistice (le 11 novembre)
peace	la paix	✐ **'peaceful :** paisible ☞ **~ talks :** des pourparlers de paix
ruins ['ru:ɪnz]	les ruines	
the casualties ['kæʒuəltiz]	les morts et les blessés, les pertes	
the 'death toll	le nombre de morts, le bilan	
demobili'zation	la démobilisation	
'war crimes	les crimes de guerre	
demilitari'zation	la démilitarisation	
the Ge'neva Con'vention	la Convention de Genève	

& Notez bien

- Munitions se dit **munitions** (avec un **-s**) ou **ammunition** (sans **-s**). **Ammunition** est un nom indénombrable.
- Le mot **foot** est invariable quand il désigne *les fantassins*. **Five thousand foot :** *cinq mille fantassins.*
- **The National Rifle Association (NRA)** est une puissante association américaine qui milite pour le droit de porter des armes.

International cooperation
La coopération internationale

to co'operate	*coopérer*	**coope'ration :** la coopération
inter'national law	*le droit international*	
dis'armament	*le désarmement*	
se'curity	*la sécurité*	**'national/international ~ :** *la sécurité nationale/internationale*
an extra'dition	*une extradition*	**to 'extradite :** *extrader*
mandated territories	*territoires sous mandat*	
an alliance [ə'laɪəns]	*une alliance*	
a summit ['sʌmɪt]	*un sommet*	**the G8 ~ :** *le sommet du G8*
to ratify ['--faɪ]	*ratifier*	**ratifi'cation :** *la ratification*
diplomacy [-'pləʊ--]	*la diplomatie*	**a 'diplomat :** *un diplomate* **diplo'matic (im'munity) :** *(l'immunité) diplomatique*
an 'embassy [--si]	*une ambassade*	**an am'bassador :** *un ambassadeur, une ambassadrice*
a consul ['kɒnsəl]	*un consul*	**a 'consulate :** *un consulat*
an at'taché	*un attaché*	**a 'military/'embassy ~ :** *un attaché militaire/d'embassade*
the Blue 'Helmets	*les Casques bleus*	
to inter'vene	*s'interposer*	
a treaty ['tri:ti]	*un traité*	
an a'greement	*un accord*	**to a'gree :** *être d'accord* **to disagree :** *être en désaccord*
negotiations [nɪgəʊʃi'eɪʃənz]	*des négociations*	**to ne'gotiate :** *négocier* **to be'gin ~ :** *entamer des négociations*

Organisations internationales

■ **The World Bank :** *la Banque mondiale* ; **the IMF (International Monetary Fund) :** *le FMI (Fonds monétaire international)* ; **the WHO (World Health Organization) :** *l'OMS (Organisation mondiale de la santé)* ; **the UN** *ou* **UNO (United Nations Organization) :** *l'ONU (l'Organisation des Nations-Unies)* ; **NATO (North Atlantic Treaty Organization) :** *l'OTAN (Organisation du traité de l'Atlantique Nord)* ; **the OECD (Organization for Economic Cooperation and Development) :** *l'OCDE (Organisation de coopération et de développement économique)* ; **the International Criminal Court** *(la Cour pénale internationale).*

45 Time, measuring time
Le temps, la mesure du temps

What time is it at the North Pole?
The International Date Line runs through the North Pole, leaving the pole sitting eternally between one date and the next. In other words, it is always midnight at the North Pole.
This, of course, explains how Father Christmas manages to deliver presents to every good little boy or girl throughout the world in the space of a single night.
He just heads out of his grotto due south (which from the North Pole is any direction), drops off as many presents as he can fit on his sleigh and then heads back home where it is exactly the same time as when he left.

Why Don't Penguins' Feet Freeze? Ed. Mick O'Hare, © New Scientist 2006.

Quelle heure est-il au pôle Nord ?
La ligne de changement de date passe par le pôle Nord, le laissant éternellement entre une date et l'autre. Autrement dit, il est toujours minuit au pôle Nord.
Ce qui explique, bien sûr, pourquoi le père Noël réussit à distribuer ses jouets à tous les enfants sages du monde en l'espace d'une seule nuit. En sortant de sa grotte, il se dirige droit au sud (ce qui, du pôle Nord, correspond à n'importe quelle direction), sème tous les cadeaux qui peuvent tenir sur son traîneau puis remonte tout droit chez lui, où il est exactement la même heure qu'à son départ.

Day and night Le jour et la nuit

a day	un jour	☞ **the ~ 'after :** le lendemain ☞ **the ~ be'fore :** la veille
'daily	quotidien	
'during the day	pendant la journée	
'daybreak	l'aube, l'aurore	Syn. **dawn**
'sunrise	le lever du soleil	
the 'morning	le matin	☞ **this ~ :** ce matin ☞ **to'morrow ~ :** demain matin
noon	midi	Syn. **'midday**
the after'noon	l'après-midi	☞ **this ~ :** cet après-midi ☞ **tomorrow ~ :** demain après-midi

the evening ['i:vnɪŋ]	*le soir, la soirée*	
dusk	*le crépuscule, la semi-obscurité*	SYN. '**twilight** ['twaɪlaɪt]
a night	*une nuit*	☞ **by ~ :** de nuit ☞ **all ~ (long) :** toute la nuit
'**midnight**	*minuit*	
over'night	*pendant la nuit, du jour au lendemain*	

& Notez bien

■ La préposition **at** s'emploie dans les expressions temporelles suivantes : **at daybreak/at dawn :** *à l'aube, au point du jour* ; **at sunrise :** *au lever du jour* ; **at noon :** *à midi* ; **at dusk :** *au crépuscule* ; **at night fall :** *à la nuit tombante* ; **at night** (*ou* **in the night**) : *(durant) la nuit* ; **at midnight :** *à minuit*.
■ **Last night** signifie soit *cette nuit (la nuit dernière)*, soit *hier soir*. Ne pas confondre avec **tonight** : *ce soir/cette nuit (la nuit à venir)*.
■ **Night** a également le sens de *soir, soirée*. **To have a night out :** *passer la soirée dehors*.

☞ Expressions

in the early morning/afternoon : *au petit matin/tôt dans l'après-midi* • **in the early/small hours (of the morning) :** *au petit matin, aux premières heures du jour* • **far into the night :** *tard dans la nuit* • **from morning till night :** *du matin au soir* • **I'll do it first thing in the morning.** *Je le ferai demain à la première heure.* • **It's getting dark.** *La nuit tombe.*

Chronological time Le temps chronologique

the hour ['aʊə]	*l'heure*	☞ **at all ~s :** à toute heure
a watch [wɒtʃ]	*une montre*	✐ **a 'stopwatch :** un chronomètre
a clock	*une horloge*	☞ **a 'cuckoo ~ :** une pendule à coucou/un coucou ☞ **an a'larm ~ :** un réveil
the dial ['daɪəl]	*le cadran*	☞ **a 'sundial :** un cadran solaire
the hand	*l'aiguille*	☞ **the hour/'minute ~ :** la petite/grande aiguille ☞ **the 'second ~ :** la trotteuse
to tick	*faire tic-tac*	✐ **the ticking (of a clock) :** le tic-tac (d'une horloge)
to time	*chronométrer*	☞ **to be on ~ :** être à l'heure
an 'hourglass	*un sablier*	

De la seconde au millénaire

Time is measured in seconds, hours, days, weeks, fortnights, months, quarters, semesters, seasons, years, decades, centuries, millennia.
Le temps se mesure en secondes, heures, jours, semaines, quinzaines, mois, trimestres, semestres, saisons, années, décennies, siècles, millénaires.

Expressions

by my watch : à ma montre • **with clockwork precision :** avec la précision d'une horloge • **at the eleventh hour :** à la onzième heure, à la dernière minute • **for the time being :** pour le moment • **Time flies!** Comme le temps passe ! • **from time out of mind/ from time immemorial :** de temps immémorial • **to set the alarm clock for 6 o'clock :** mettre le réveil à 6 heures • **to put the watch back/forward an hour :** retarder/avancer la montre d'une heure • **to change to summer/winter time :** passer à l'heure d'été/ d'hiver • **What day is it today?** Quel jour sommes-nous ?

→ p. 268 (Dire l'heure)
→ p. 270-278 (Passé, présent et avenir)
→ p. 281 (Durée)

46 The great periods of History
Les grandes périodes de l'histoire

The story of the human race can be compared to a river, an endless flow of events, each one leading continuously into the next. It is a long chain of actions and results, causes and effects, but it is also clear that the human story sometimes moves forward in quite sudden surges or spasms. Every so often there is a major event, such as the outbreak of war, that throws whole communities, sometimes whole continents, into turmoil. These events produce step-changes in everyone's lives.

Rodney Castleden (British writer), *The History of World Events*,

L'histoire du genre humain peut être comparée à un fleuve, à un flux intarissable d'événements, chacun menant sans interruption au suivant. C'est une longue chaîne d'actions et de résultats, de causes et d'effets, mais il est également évident que l'histoire de l'humanité avance parfois par mouvements assez imprévus ou par spasmes. De temps à autre, il se produit un événement majeur, par exemple le début d'une guerre, qui bouleverse des communautés entières et parfois des continents entiers. Ces événements produisent des changements radicaux dans la vie de chacun.

'history	l'histoire	✐ **hi'storic/al :** historique ✐ **a hi'storian :** un historien
an event [ɪ'vent]	un événement	
to take place	se produire	Syn. **to 'happen, oc'cur**
to date	dater	☞ **to ~ back to, to ~ from :** dater de
a di'scovery	une découverte	
a 'conquest	une conquête	☞ **an in'vasion :** une invasion
'nationalism	le nationalisme	
inde'pendence	l'indépendance	
'downfall	la chute	
a revo'lution	une révolution	
a re'bellion	une rébellion	✐ **a 'rebel :** un rebelle
a riot ['raɪət]	une émeute	
a plot	un complot	Syn. **a con'spiracy** [-spɪ--]
an era ['ɪərə]	une ère	
chro'nology	la chronologie	✐ **chrono'logical :** chronologique

Prehistory La préhistoire

prehi'storic	*préhistorique*	☞ ~ **'people :** les hommes et les *femmes de la préhistoire*
a cave	*une grotte, une caverne*	✐ **a 'caveman :** un homme des cavernes ☞ **a ~ 'painting :** une peinture préhistorique
no'madic	*nomade*	ANT. **'sedentary :** *sédentaire*
a 'hunter	*un chasseur*	
a 'mammoth	*un mammouth*	
a 'gatherer	*un cueilleur*	
a fire	*un feu*	
a tool	*un outil*	
Neanderthal [ni'ændəθɔ:l]	*Néandertal*	☞ ~ **man :** l'homme de Néandertal ☞ **in ~ times :** à l'époque de Néandertal
pre-'literate 'peoples	*les peuples sans écriture*	
neo'lithic	*néolithique*	
do'mesticating	*la domestication*	
the Ice/Stone/Iron/ age	*l'ère glaciaire, l'âge de pierre/du fer*	
to die out	*disparaître, s'éteindre*	
arch(a)e'ology	*l'archéologie*	✐ **an arch(a)e'ologist :** un archéologue
exca'vations	*des fouilles*	☞ **to 'carry out ~ :** *faire des fouilles*
a 'fossil	*un fossile*	

Antiquity L'Antiquité

antique [æn'ti:k]	*ancien, ancienne*	
ancient 'history ['eɪnʃənt]	*l'histoire ancienne*	☞ **the ancient world :** le monde antique
Mesopo'tamia [---'teɪ-]	*la Mésopotamie*	
cuneiform 'writing ['kju:--]	*l'écriture cunéiforme*	
ancient 'Egypt ['i:dʒɪpt]	*l'Égypte ancienne*	
the 'Pyramids	*les Grandes Pyramides*	
a pharaoh ['feərəʊ]	*un pharaon*	
hieroglyphs ['haɪrəglɪfs]	*les hiéroglyphes*	
the 'Trojan war	*la guerre de Troie*	
the Greek/'Roman 'legacy	*l'héritage romain/grec*	

the 'Roman 'Empire	*l'Empire romain*	☞ **the Fall of the ~ :** *la chute de l'Empire romain*
'Ancient 'China	*la Chine ancienne*	
The Great Wall of China	*la Grande Muraille*	
Gaul [gɔ:l]	*la Gaule*	✐ **a ~ :** *un Gaulois*
the Celts [kelts *ou* selts]	*les Celtes*	✐ **'celtic :** *celtique*

The Middle Ages *Le Moyen Âge*

medieval [medi'i:vəl]	*médiéval*	☞ **in ~ times :** *à l'époque médiévale*
feudal ['fju:dəl]	*féodal*	✐ **'feudalism :** *la féodalité*
a lord	*un seigneur*	☞ **the ~ of the 'manor :** *le châtelain*
the court	*la cour*	☞ **to live at ~ :** *vivre à la cour*
a 'nobleman/woman	*un(e) noble*	✐ **the no'bility :** *la noblesse*
a coat of arms	*des armoiries*	
a knight [naɪt]	*un chevalier*	
a serf	*un serf*	✐ **'serfdom :** *le servage*
a cru'sade [-seɪd]	*une croisade*	✐ **a crusader :** *un croisé*
chivalry ['ʃɪvəlri]	*la chevalerie*	
a 'tournament	*un tournoi*	
a shield	*un bouclier*	
'armour (GB), **'armor** (US)	*l'armure*	SYN. **a suit of ~ :** *une armure* ☞ **in full ~ :** *armé de pied en cap*
a castle ['kɑ:səl]	*un château fort*	☞ **a keep :** *un donjon*
a 'drawbridge	*un pont-levis*	
a 'dungeon	*un cachot*	
the 'Norman 'conquest	*la conquête normande*	
the 'Norsemen	*les peuples nordiques*	☞ **the 'Vikings :** *les Vikings*
the 'Hundred Years' War	*la guerre de Cent Ans*	
'Gothic art	*l'art gothique*	

☞ Les origines de l'Angleterre

■ Les Angles, les Saxons et les Jutes sont des tribus germaniques **(Germanic tribes)**. Ils ont dû combattre la population locale, des Celtes appelés **Britons**, dont certains sont allés s'établir en Bretagne, d'où les parentés toponymiques entre **Britain** (*Grande-Bretagne*) et **Britanny** (*la Bretagne*), **Britons** et Bretons.

■ Le mot **English** est un adjectif formé sur le nom Angle. **English** est donc littéralement la langue des Angles.

Modern Times Les Temps modernes

'Christopher Co'lumbus	Christophe Colomb	
the New World	le Nouveau Monde	☞ **the di'scovery of the ~ :** la découverte du Nouveau Monde
the co'lonial 'Empires	les empires coloniaux	
coloni'zation	la colonisation	ANT. **decolonization :** la décolonisation
perse'cution	la persécution	
the Inqui'sition	l'Inquisition	
the stake	le bûcher	☞ **to be con'demned to the stake :** être condamné au bûcher
an 'uprising	un soulèvement, une révolte	☞ **a peasant ~ :** une révolte paysanne
the Renaissance [rɪ'neɪsəns]	la Renaissance	
the press	l'imprimerie	
a war of re'ligion	une guerre de religion	
the Refor'mation	la Réforme	☞ **the 'Counter- ~ :** la Contre-Réforme
Gali'leo's 'trial	le procès de Galilée	
the Puritans ['pjʊərɪtənz]	les Puritains	
the 'Thirty Years' 'War	la guerre de Trente ans	
'absolutism	l'absolutisme	
the (age of) En'lightenment	le siècle des/les Lumières	
the Decla'ration of Inde'pendence	la Déclaration d'indépendance américaine	
the (French) Revo'lution	la Révolution (française)	
the In'dustrial Revo'lution	la révolution industrielle	

☞ La révolution américaine

■ Aux États-Unis, quand on dit **The Revolution**, on sous-entend **The American Revolution**. Les Britanniques parlent de **The American War of Independence**.

Contemporary Era L'époque contemporaine

Na'poleon's wars	les guerres napoléoniennes
the 'Civil War	la guerre de Sécession

slavery ['sleɪvəri]	*l'esclavage*	✐ **a slave :** un esclave ☞ **the abo'lition of ~ :** l'abolition de l'esclavage
the First World War	*la Première Guerre mondiale*	SYN. **World War I, the Great War :** la guerre de 14-18, la Grande Guerre
the 'Russian Revo'lution	*la Révolution russe/ de 1917*	
the 'interwar years	*l'entre-deux-guerres*	
the roaring 'twenties ['rɔːrɪŋ]	*les années folles*	
the 'Second World 'War	*la Seconde Guerre mondiale*	SYN. **World War II**
Nazism ['nɑːtsɪzəm]	*le nazisme*	
the Holocaust ['hɒləkɔːst]	*l'holocauste, la Shoah*	
the Occu'pation	*l'Occupation*	
the (French) Re'sistance	*la Résistance*	
the 'postwar 'years	*l'après-guerre*	
the Iron 'Curtain ['aɪən]	*le rideau de fer*	
'communism	*le communisme*	
a de'mocracy	*une démocratie*	PL. **democracies**
a dic'tatorship [-'teɪ--]	*une dictature*	✐ **a dictator :** un dictateur
the cold war	*la guerre froide*	
the USSR	*l'URSS*	☞ **the col'lapse of the ~ :** l'effondrement de l'URSS
self-determi'nation	*l'autodétermination*	
a great 'power	*une grande puissance*	SYN. **a 'superpower**
the 'Berlin Wall	*le mur de Berlin*	**the fall of ~ :** la chute du mur de Berlin
the Gulf War	*la guerre du Golfe*	
'global 'terrorism	*le terrorisme mondial*	☞ **the war against 'terrorism :** la guerre contre le terrorisme

☞ Expressions

the rise, climax, decay and (down)fall of empires : *l'essor, l'apogée, le déclin et la chute des empires* • **the historical present :** *le présent de narration* • **a historical landmark :** *un grand monument, un grand site (historique)* • **to make history :** *être historique* • **It dates from/goes back to Queen Victoria's time.** *Cela date du/remonte au temps de la reine Victoria.* • **All that's ancient history.** *Tout ça, c'est de l'histoire ancienne.*

47 Geological characteristics of our planet

Caractéristiques géologiques de notre planète

The world's shortest river, according to the Guinness Book of World Records, is the Roe River. It is only 200 feet (61 meters) long and flows between Giant Springs and the Missouri River near Great Falls, Montana. There has been debate, though, about which river is really the shortest. The D River in Oregon has been measured as being only 120 ft (37 m) long. It connects Devil's Lake directly to the Pacific Ocean near Lincoln City. Because the D River flows into the ocean though, its length changes according to the tide, and so has been measured at several different lengths.

kidzworld.com/site/

Le plus petit fleuve du monde, selon le Livre Guinness des records, est le fleuve Roe. Il ne fait que 61 mètres de longueur et coule entre Giant Springs et le fleuve Missouri près de Great Falls, dans le Montana. Il y a eu des discussions, cependant, pour savoir quel fleuve est vraiment le plus petit. La mesure faite du fleuve D dans l'Oregon montre qu'il n'a que 37 mètres de long. Il relie directement le Devil's Lake (« le lac du Diable ») à l'océan Pacifique près de Lincoln City. Cependant, comme le fleuve D se jette dans l'océan, sa longueur varie selon la marée, et donc plusieurs longueurs différentes ont été enregistrées.

Geology *La géologie*

Earth science	*les sciences de la Terre*	
ˈplate tecˈtonics	*la tectonique des plaques*	☞ **a tecˈtonic/oceˈanic plate :** *une plaque tectonique/océanique*
ˈsediments	*des sédiments*	☞ **a sediˈmentary rock :** *une roche sédimentaire*
mineˈralogy	*la minéralogie*	
a deˈposit	*un gisement*	✐ **an oil/coal/fossil ~ :** *un gisement de pétrole/charbon/fossiles*
ˈrock forˈmation	*la formation des roches*	

the geoˈlogical ˈeras	*les ères géologiques*	☞ **the ˈsecondary/ˈtertiary/ quaˈternary era :** *l'ère secondaire/ tertiaire/quaternaire*
pal(a)eonˈtology	*la paléontologie*	
a dinosaur [ˈdaɪnəsɔː]	*un dinosaure*	
exˈtinction	*l'extinction*	
evoˈlution	*l'évolution*	
ˈnatural seˈlection	*la sélection naturelle*	

Water on our planet *L'eau sur notre planète*

a source [sɔːs]	*une source*	Syn. **a (hot) spring :** *une source (chaude)*
the mouth (of a river)	*l'embouchure (d'un fleuve)*	
an estuary [ˈestjʊəri]	*un estuaire*	
a bank	*une rive*	✎ **the ~s :** *le rivage*
a lock	*une écluse*	
a ˈriver	*une rivière, un fleuve*	☞ **a stream :** *un ruisseau*
a sea	*une mer*	☞ **the ˈseabed :** *le fond de la mer* ☞ **the ~ ˈlevel :** *le niveau de la mer*
an ocean [ˈəʊʃən]	*un océan*	
the tide	*la marée*	☞ **the rising/falling ~ :** *la marée montante/descendante* ☞ **at low/high ~ :** *à marée basse/ haute*
a wave	*une vague*	☞ **a ˈtidal ~ :** *un raz-de-marée*
foam	*l'écume*	
a cove [kəʊv]	*une anse, une crique*	Syn. **an ˈinlet, a creek** (GB)
straits/a strait	*un détroit*	☞ **the Straits of ˈDover :** *le pas de Calais*
a swamp [swɒmp]	*un marais, un marécage*	Syn. **a marsh** ✎ **marshy/swampy :** *marécageux*
an ˈice floe	*une banquise (flottante)*	☞ **an ˈiceberg :** *un iceberg*
a reef	*un récif*	☞ **a ˈcoral ~ :** *un récif corallien*
a lagoon [ləˈguːn]	*un lagon, une lagune*	
a lake	*un lac*	
a pond	*un étang, une mare*	☞ **a pool :** *une mare, une flaque*
a ˈwaterfall	*une cascade, une chute*	Syn. **a caˈscade**
ˈrainwater	*l'eau de pluie*	☞ **ˈground ˈwater :** *la nappe phréatique*
steam	*la vapeur d'eau*	Syn. **(water) ˈvapour** (GB), **vapor** (US)

LEXIQUE THÉMATIQUE

a 'torrent	*un torrent*	☞ **~ s of 'water :** des torrents d'eau
(heavy) 'rainfall	*(de fortes) précipitations*	
drought [draʊt]	*la sécheresse*	
a flood	*une inondation*	✐ [Bible] **the Flood :** le Déluge ☞ **a 'river in ~ :** une rivière en crue
a dam	*un barrage*	Syn. **a 'barrage** [-rɑːʒ]
a 'water 'treatment plant	*une station d'épuration*	

Volcanoes and earthquakes *Volcans et séismes*

the earth's crust	*la croûte terrestre*	☞ **the 'mantle :** le manteau
'magma	*le magma*	☞ **(mag'matic) gases :** des gaz (magmatiques)
a volcano [vɒl'keɪnəʊ]	*un volcan*	✐ **vol'canic :** volcanique
lava ['lɑːvə]	*la lave*	☞ **a ~ flow :** une coulée de lave
a crater ['kreɪtə]	*un cratère*	
to gush	*jaillir*	
an e'ruption	*une éruption*	✐ **to e'rupt :** entrer en éruption ☞ **an erupting volcano :** un volcan en éruption
'ashes	*les cendres*	☞ **clinders** ['sɪndəz] **:** les scories
vulca'nology	*la volcanologie*	✐ **a vulca'nologist :** un volcanologue
a 'natural di'saster	*une catastrophe naturelle*	
a ca'tastrophe [kə'tæstrəfi]	*une catastrophe*	✐ **cata'strophic :** catastrophique
an 'earthquake	*un tremblement de terre/séisme*	✐ **to quake :** trembler ☞ **~'damage :** dégâts provoqués par un tremblement de terre
a tsu'nami	*un tsunami*	
the 'Richter scale	*l'échelle de Richter*	
seismic ['saɪzmɪk]	*sismique*	☞ **~ waves :** des ondes sismiques
a 'landslide	*un glissement de terrain*	Syn. **a 'landslip**
to crack	*se fendre*	✐ **a ~ :** une crevasse, une fissure
'molten rock	*de la roche en fusion*	

48 The climate, the weather
Le climat, le temps qu'il fait

Global Warming

The latest report from the climate panel predicted that the global climate is likely to rise between 3.5 and 8 degrees Fahrenheit if the carbon dioxide concentration in the atmosphere reaches twice the level of 1750.
By 2100, sea levels are likely to rise between 7 to 23 inches, it said, and the changes now underway will continue for centuries to come.

The New York Times, Nov. 27, 2007.

Le réchauffement planétaire

Le dernier rapport émis par le groupe d'experts sur le climat prédisait que la température terrestre pourrait augmenter de 1,8 °C à 4 °C si la concentration en dioxyde de carbone dans l'atmosphère double le niveau atteint en 1750. En 2100, le niveau des mers, dit le rapport, devrait monter de 18 cm à 60 cm et les changements actuellement à l'œuvre se poursuivront dans les siècles à venir.

The climate, the seasons *Le climat, les saisons*

the 'climate ['klaɪmət]	*le climat*	☞ **~ change :** *les changements climatiques*
'temperate	*tempéré*	
'maritime [--taɪm]	*maritime*	SYN. **oce'anic :** *océanique*
Mediter'ranean [---'reɪ-]	*méditerranéen*	
conti'nental	*continental*	
alpine ['ælpaɪn]	*alpin*	
dry	*sec*	
'arid	*aride*	☞ **semi'arid :** *semi-aride*
'tropical	*tropical*	☞ **subtropical :** *subtropical*
the wet/rainy 'season	*la saison des pluies*	ANT. **the dry season :** *la saison sèche*
the monsoon [mɒn'suːn]	*la mousson*	☞ **the ~ season :** *la mousson d'été*
the four 'seasons	*les quatre saisons*	
spring	*le printemps*	☞ **in (the) ~ :** *au printemps*
'summer	*l'été*	☞ **in (the) ~ :** *en été*
'autumn/fall (US)	*l'automne*	☞ **in autumn/in the fall :** *en automne*

LEXIQUE THÉMATIQUE

winter	*l'hiver*	☞ **in ~ :** en hiver
a 'latitude	*une latitude*	☞ **in these ~s :** sous ces latitudes
the equator [ɪ'kweɪtə]	*l'équateur*	☞ **at the ~ :** sous l'équateur
the 'tropics	*les tropiques*	☞ **in the ~ :** sous les tropiques ☞ **the 'Tropic of 'Cancer/'Capricorn :** le tropique du Cancer/Capricorne
the North/South Pole	*le pôle Nord/Sud*	☞ **the ma'gnetic pole :** le pôle magnétique
'polar	*polaire*	☞ **the Polar Circle :** le cercle polaire
'arctic	*arctique*	☞ **ant'arctic :** antarctique
the 'rain 'forest	*la forêt tropicale*	☞ **a 'virgin 'forest :** une forêt vierge
the jungle	*la jungle*	
the sa'vanna(h)	*la savane*	
the tundra ['tʌndrə]	*la toundra*	
moss, lichen ['laɪkən]	*la mousse, le lichen*	
the taiga ['taɪgə]	*la taïga*	
a co'niferous 'forest	*une forêt de conifères*	
the steppe	*la steppe*	
a desert ['dezət]	*un désert*	☞ **a ~ 'island :** une île déserte

The weather *Le temps qu'il fait*

the weather ['weðə]	*le temps*	☞ **the ~ con'ditions :** les conditions météorologiques
the 'weather 'forecast	*la météo*	☞ **a 'weather re'port :** un bulletin météo(rologique)
a ther'mometer	*un thermomètre*	☞ **a ba'rometer :** un baromètre
the 'temperature	*la température*	☞ **the ~ has dropped/risen :** la température a baissé/est montée
'changeable	*variable*	Syn. **un'settled :** instable
a cloud	*un nuage*	✐ **'cloudy :** nuageux ✐ **'cloudless :** sans nuage
rain	*la pluie*	✐ **'rainy :** pluvieux ☞ **a 'rainbow :** un arc-en-ciel
'drizzle	*la bruine, le crachin*	
a 'shower ['ʃaʊə]	*une averse*	☞ **'April 'showers :** les giboulées de mars
a 'downpour	*un déluge*	Syn. **a 'deluge**
hail [heɪl]	*la grêle*	☞ **a 'hailstone :** un grêlon
a 'sunny spell	*une éclaircie*	Syn. **a bright 'interval**
'sunshine	*le soleil* [lumière]	☞ **ten hours of ~ :** dix heures d'ensoleillement

bright	*radieux, éclatant*	
clear	*clair, pur*	☞ **a ~ sky :** *un ciel dégagé*
dry	*sec*	✐ **a drought** [draʊt] **:** *une sécheresse*
warm	*chaud, doux*	✐ **warmth :** *la chaleur (douce)* ANT. **cool :** *frais*
hot	*très chaud*	☞ **'scorching :** *torride*
a heat wave	*une vague de chaleur*	☞ **dog days :** *la canicule*
stifling ['staɪflɪŋ]	*étouffant*	SYN. **close, 'sultry :** *lourd*
the thunder ['θʌndə]	*le tonnerre*	✐ **'thundery :** *orageux, menaçant* ☞ **a 'thunderstorm :** *un orage*
a flash of 'lightning	*un éclair*	☞ **to be struck by lightning :** *être foudroyé*
the wind	*le vent*	✐ **'windy :** *venteux* ☞ **a gust of ~ :** *une rafale de vent*
to blow *(v. irr.)*	*souffler*	
a gale	*un grand vent*	☞ **a force 6 wind :** *un vent de force 6*
a storm	*une tempête*	
a tornado [tɔː'neɪdəʊ]	*une tornade*	
a hurricane ['hʌrɪkeɪn]	*un ouragan*	☞ **a cyclone** ['saɪkləʊn] **:** *un cyclone*
'humid ['hjuːmɪd]	*humide*	SYN. **damp**
a mist	*une brume*	✐ **'misty :** *brumeux*
a fog	*un brouillard*	✐ **'foggy (day) :** *(jour) de brouillard*
ice	*la glace*	✐ **'icy :** *glacé, glacial*
(black) ice	*le verglas*	☞ **a patch of ~ ice :** *une plaque de verglas*
to freeze *(v. irr.)*	*geler*	✐ **frost :** *la gelée, le gel*
to snow	*neiger*	✐ **'snowy :** *enneigé* ☞ **a 'snowflake :** *un flocon de neige*
thaw	*le dégel*	✐ **to thaw, melt :** *fondre*

☞ Expressions

in this weather : *par ce temps* • **on a clear day :** *par temps clair* • **to be chilled to the bone :** *être transi de froid* • **It's raining cats and dogs/buckets.** *Il pleut des cordes.* • **What's the weather like?** *Quel temps fait-il ?* • **We had fine/bad weather.** *On a eu beau/mauvais temps.* • **It looks like rain.** *On dirait qu'il va pleuvoir.* • **It's pouring (with rain).** *Il pleut à verse.* • **It's snowing.** *Il neige.* • **It's hailing.** *Il grêle.* • **It's foggy.** *Il y a du brouillard.* • **It's warm.** *Il fait chaud, bon.* • **It's clearing up.** *Le temps s'éclaircit.* • **It is hot.** *Il fait très chaud.* • **It's very close.** *Il fait très lourd.* • **The sun is shining.** *Le soleil brille.* • **I'm freezing/melting.** *Je suis gelé/je fonds.* • **We saw lightning.** *Nous avons vu des éclairs.* • **It's thundering.** *Il tonne.*

49 Continents and countries

Continents et pays

Great areas of the Earth and settlement
Grandes régions du globe et peuplement

a 'continent	un continent	
a country [ˈkʌntri]	un pays	
the 'northern/ 'southern 'hemisphere	l'hémisphère Nord/Sud	
the north	le nord	☞ **the Far North :** le Grand Nord
the south	le sud	
the east	l'est	
the west	l'ouest	
the Near East	le Proche-Orient	
the Middle East	le Moyen-Orient	
the Far East	l'Extrême-Orient	
over'seas	l'outre-mer	☞ **the ~ 'territories :** les territoires d'outre-mer
an island [ˈaɪlənd]	une île	SYN. **an isle** *(litt.)*
a 'time zone	un fuseau horaire	☞ **to cross ~s :** changer de fuseau horaire
the 'Arctic	l'Arctique	SYN. **the North Pole :** le pôle Nord
'Greenland	le Groenland	☞ **the Inuit** [ˈɪnuɪt] **:** les Inuit
Ant'arctica	l'Antarctique	SYN. **the South Pole :** le pôle Sud
to 'settle a land	coloniser, peupler une terre	☞ **to settle in a place :** s'établir
a 'settlement	une colonie	SYN. **a 'colony**
a 'settler	un colon, un colonisateur	SYN. **a 'colonist**
coloni'zation	la colonisation	
mi'gration	la migration	
indigenous [ɪnˈdɪdʒənəs]	indigène, autochtone	☞ **a 'native :** un autochtone
'local	local, du pays	
a 'people	un peuple	☞ **a tribe :** une tribu

☞ Points cardinaux

■ À chaque point cardinal correspondent trois adjectifs terminés en **-erly**, **-ern** ou **-ernmost**. Ainsi, formés sur **north**, on trouve :

– **northerly** qui s'applique à une direction : **in a northerly direction** (en direction du nord) ou au vent : **a northerly wind** (un vent du nord).

– **northern** qui se dit d'un lieu : **a northern city** (une ville du nord), **Northern Ireland** (l'Irlande du Nord).

– **northernmost** qui signifie le plus au nord : **the northernmost tip of the British Isles :** la pointe la plus septentrionale des îles Britanniques.

Africa L'Afrique

'Africa	l'Afrique	**African :** africain
Al'geria	l'Algérie	**Algerian :** algérien
'Congo	le Congo	**Congolese :** congolais
'Ivory Coast	la Côte d'Ivoire	**Ivorian :** ivoirien
Mada'gascar	Madagascar	**Madagascan :** malgache
Mo'rocco	le Maroc	**Moroccan :** marocain
Sene'gal [--'gɔːl]	le Sénégal	**Senegalese :** sénégalais
South 'Africa	l'Afrique du Sud	**South African :** sud-africain
'Togo	le Togo	**Togolese :** togolais
Tu'nisia	la Tunisie	**Tunisian :** tunisien
the Sa'hara ('Desert)	le Sahara	

The Americas Le continent américain

A'merica	l'Amérique	**American :** américain
Argen'tina	l'Argentine	**Argentinian :** argentin
Bra'zil	le Brésil	**Brazilian :** brésilien
'Canada	le Canada	**Canadian :** canadien
Chile ['tʃɪli]	le Chili	**Chilean :** chilien
Que'bec	le Québec	**Quebec(k)er :** québécois
The U'nited 'States	les États-Unis	
The West 'Indies	les Antilles	**West Indian :** antillais
the French West Indies	les Antilles françaises	
the 'Amazon	l'Amazone	**Ama'zonia :** l'Amazonie
the Andes ['ændiːz]	les Andes	
the 'Indians	les Indiens	☞ **the Native Americans :** les Amérindiens

Asia L'Asie

('Saudi) A'rabia	l'Arabie (Saoudite)	**'Arab :** arabe
'China	la Chine	**Chi'nese :** chinois
'India	l'Inde	**Indian :** indien
I'raq	l'Irak	**Iraqi :** Irakien
'Israel	Israël	**Israeli :** israélien
Ja'pan	le Japon	**Japa'nese :** japonais
Paki'stan	le Pakistan	**Pakistani :** pakistanais
Viet'nam	le Vietnam	**Vietna'mese :** vietnamien

the Hima'layas [--'leɪəz]	l'Himalaya	
Mount 'Everest	l'Everest	

Australasia L'Australasie

Au'stralia	l'Australie	**Australian** *ou* **Aussie** *(fam.)* : australien
New 'Zealand	la Nouvelle-Zélande	**New Zealander** *ou* **Kiwi** *(fam.)* : néo-zélandais
Poly'nesia	la Polynésie	**Polynesian :** polynésien
Ta'hiti	Tahiti	**Tahitian :** tahitien
a 'Maori	un Maori	
an Abo'rigene [---dʒəni]	un aborigène	**aboriginal :** aborigène

Europe l'Europe

Austria ['ɒstriə]	l'Autriche	**Austrian :** autrichien
the 'Baltic States ['bɔːltɪk]	les pays baltes	**E'stonia :** l'Estonie **'Latvia :** la Lettonie **Lithu'ania :** la Lituanie
Belgium ['beldʒəm]	la Belgique	**Belgian :** belge
(Great) 'Britain [-tən]	la Grande-Bretagne	**British :** britannique
Bul'garia [-'geə-]	la Bulgarie	**Bulgarian :** bulgare
'Cyprus ['saɪprəs]	Chypre	**Cypriot** [sɪ-] **:** chypriote
the Czeck Re'public	la République tchèque	**Czeck :** tchèque
'Denmark	le Danemark	**Danish :** danois **a/the Dane(s) :** un/les Danois
'England ['ɪŋglənd]	l'Angleterre	**English :** anglais **an Englishman/-woman :** un(e) Anglais(e)
'Europe ['jʊərəp]	l'Europe	**Euro'pean :** européen
'Finland	la Finlande	**Finnish :** finlandais, finnois
'France	la France	**French :** français **a Frenchman/-woman :** un(e) Français(e)
'Germany	l'Allemagne	**German :** allemand
Greece	la Grèce	**Greek :** grec, grecque
'Holland, the 'Netherlands	la Hollande, les Pays-Bas	**Dutch :** hollandais **a Dutchman/-woman :** un(e) Hollandais(e)
'Hungary ['hʌŋgəri]	la Hongrie	**Hun'garian :** hongrois

'Ireland ['aɪələnd]	*l'Irlande*	✐ **Irish :** *irlandais* ✐ **an Irishman/-woman :** *un(e) Irlandais(e)*
'Italy	*l'Italie*	✐ **I'talian :** *italien*
'Luxembourg ['lʌks--]	*le Luxembourg*	✐ **from/of ~ :** *luxembourgeois* ✐ **a/the Luxembourger(s) :** *un/les Luxembourgeois*
'Malta ['mɔːltə]	*Malte*	✐ **Mal'tese :** *maltais*
'Poland	*la Pologne*	✐ **Polish :** *polonais* ✐ **a/the Pole(s) :** *un/les Polonais*
'Portugal	*le Portugal*	✐ **Portu'guese :** *portugais*
Ro'mania [-'meɪ-]	*la Roumanie*	✐ **Romanian :** *roumain*
'Russia ['rʌʃə]	*la Russie*	✐ **Russian :** *russe*
'Scotland	*l'Écosse*	✐ **Scottish :** *écossais* ✐ **a/the Scot(s) :** *un/les Écossais*
Slo'vakia [-'væ-]	*la Slovaquie*	✐ **'Slovak :** *slovaque*
Slo'venia [-'viː-]	*la Slovénie*	✐ **Slovene :** *slovène*
Spain [speɪn]	*l'Espagne*	✐ **'Spanish :** *espagnol* ✐ **a/the Spaniard(s) :** *un/les Espagnol(s)*
'Sweden ['swiːdən]	*la Suède*	✐ **Swedish :** *suédois* ✐ **a/the Swede(s) :** *un/les Suédois*
'Switzerland	*la Suisse*	✐ **Swiss :** *suisse, suissesse*
'Turkey	*la Turquie*	✐ **Turkish :** *turc, turque*
Wales	*le pays de Galles*	✐ **Welsh :** *gallois* ✐ **a Welshman/-woman :** *un(e) Gallois(e)*

& Notez bien

- Les noms et adjectifs de nationalité ont toujours une majuscule en anglais. En français, seuls les noms de nationalité prennent une majuscule. Comparez : *une voiture canadienne* : **a Canadian car**.
- **the United States** est toujours suivi d'un verbe au singulier. **The United States is smaller than Canada :** *les États-Unis* **sont** *plus petits que le Canada.*

50 The Earth in the universe
La Terre dans l'univers

The solar system Le système solaire

the sun	*le Soleil*	
the Earth	*la Terre*	
the sky	*le ciel*	SYN. **the 'heavens** *(litt.)*
a UFO	*un OVNI*	REM. sigle de **Uni'dentified Flying 'Object :** *objet volant non identifié*
'gravity	*la pesanteur*	
'weightlessness ['weɪt--]	*l'apesanteur*	**to be 'weightless :** *être en apesanteur*
the moon	*la Lune*	☞ **to land on the ~ :** *alunir*
an e'clipse	*une éclipse*	
a 'planet	*une planète*	☞ **(inter)planetary :** *(inter)planétaire*
a 'satellite [--laɪt]	*un satellite*	

a star	*une étoile*	☞ **a shooting ~ :** *une étoile filante* ☞ **the Pole Star :** l'étoile Polaire
a ˈcomet [ˈkɒmɪt]	une comète	☞ **an ˈasteroid :** un astéroïde
a ˈmeteor [ˈmiːtɪə]	un météore	☞ **a ˈmeteorite :** un(e) météorite
the ˈMilky Way	la Voie lactée	
to reˈvolve [rɪˈvɒlv]	tourner, graviter	✎ **a revoˈlution :** une révolution
a ceˈlestial ˈbody	un corps céleste	
an ˈorbit	une orbite	✎ **to orbit :** être en orbite
space	l'espace	☞ **the Space Age :** l'ère spatiale **a ~ ˈshuttle :** une navette spatiale
a ˈspace ˈstation	une station spatiale	☞ **an ˈorbiting ˈstation :** une station orbitale
a probe	une sonde spatiale	
a (space) ˈrocket	*une fusée (spatiale)*	
the solar system	le système solaire	

The universe L'univers

the ˈcosmos	le cosmos	✎ **cosˈmology :** la cosmologie
an obˈservatory	un observatoire	
an aˈstronomer	un astronome	
a ˈtelescope	un télescope	**2.** une lunette astronomique
ˈboundless	infini	
a void	un vide	☞ **a black hole :** un trou noir
sidereal [saɪˈdɪəriəl]	sidéral	
light speed	la vitesse de la lumière	
a light year	une année-lumière	
extraterˈrestrial	extraterrestre	SYN. **an ˈalien** [ˈeɪliən]
a ˈgalaxy	une galaxie	☞ **intergaˈlactic :** intergalactique
a constelˈlation	une constellation	
a sign of the zodiac [ˈzəʊdiæk]	un signe du zodiaque	

☞ Planètes et signes du zodiaque

■ Noms des autres planètes du système solaire : **Mercury :** Mercure, **ˈVenus** [ˈviːnəs] **:** Vénus, **Mars** [mɑːz] **:** Mars, **ˈJupiter :** Jupiter, **ˈSaturn :** Saturne, **ˈUranus** [ˈjʊərənəs] **:** Uranus, **ˈNeptune :** Neptune, **ˈPluto :** Pluton.

■ Noms des signes du zodiaque : **Aries :** le Bélier, **Taurus** [ˈtɔːrəs] **:** le Taureau, **Gemini** [ˈdʒemɪnaɪ] **:** les Gémeaux, **ˈCancer :** le Cancer, **Leo** [ˈliːəʊ] **:** le Lion, **ˈVirgo :** la Vierge, **ˈLibra :** la Balance, **ˈScorpio :** le Scorpion, **Sagitˈarius :** le Sagittaire, **ˈCapricorn :** le Capricorne, **Aˈquarius :** le Verseau, **Pisces** [ˈpaɪsiːz] **:** les Poissons.

GUIDE DE COMMUNICATION

Bescherelle

ANGLAIS

1 Saluer, prendre congé

A chance meeting in the street...
Louise Lesley, hi! How are you? How's it going?
Lesley Fine, thanks. How are things? How is your work coming along?
Louise I'm doing fine, thank you. My work is going very well.
Lesley Oh, I'm pleased. That's good. I'm glad I ran into you. Nice weather, isn't it?
Louise It's lovely. I hope it stays like that for a few days.
Lesley Yes, I hope so too. Anyway, I have to rush now. I'm already late. It was nice talking to you. Hope to see you soon.
Louise Yes. Give me a ring. See you.
Lesley Bye. Give my love to Jerry.
Louise I will. Bye!

@ www.bescherelle.com

['æktʃʊəli]	['weðə]	['lʌvli]	['enɪweɪ]	[ɔːl'redi]
actually	weather	lovely	anyway	already

Saluer

Hello!/Hello there! *(fam.) ou* **Hi!** (de plus en plus fréquent)**/Hi there!**
Bonjour ! *ou* Salut !
Good morning! *ou* **Morning!** (avant midi) Bonjour !
Good afternoon! (après midi) Bonjour !
Good evening! (à partir de 18 heures) Bonsoir !

Demander comment ça va

Standard

How are you? Comment ça va ?
Is everything all right/OK? *ou* **Are you all right/OK?**
Tout va bien ?
(I'm) fine, thank you.
(Je vais) bien, merci.

Plus familier

How are things? *ou* **How are you doing?**
How's life (treating you)?
Comment ça va ?
I'm doing fine. *ou* **(I feel) great!**
Ça va bien/super bien !

Prendre congé

Standard

Goodbye!/Bye!/Bye-bye!/Bye for now! Au revoir !
So long! *ou* **See you!/See you soon!** À bientôt !
See you later!/next month! À tout à l'heure !/Au mois prochain !
Take care! *(fam.) ou* **Cheerio!/Cheers!** (GB *fam.*)
Au revoir ! *ou* Salut !
Have a nice day! Bonne journée !
Good night! Mind the bugs don't bite! *(fam.)*
Bonne nuit ! Dors bien ! [*littér.* Attention que les punaises ne te piquent pas.]

À la radio ou à la télévision

Until then/Until next Sunday, goodbye!
D'ici là/D'ici dimanche prochain, au revoir.

Commencer une conversation

■ Il est fréquent aux États-Unis qu'on vous demande : **How are you today?** dans les magasins ou dans les services, même si l'on ne vous connaît pas. Il suffit de répondre : **Fine!** *ou* **Not too bad! And how are you?** et on vous répondra de même : **Fine (thank you)!**

Lexique

Verbes et expressions

Go and say hello to...
Va dire bonjour à...
I'd better be going. *ou*
I have to go now.
Il faut que je parte.
Right, shall we go?
Bon, on y va ?
Have a safe journey.
Bon voyage.
keep in touch with sb
rester en contact
greet sb
saluer qqn
leave sb
prendre congé de qqn

Traduction du texte p. 224
Une rencontre fortuite dans la rue… / **Louise** *Lesley, bonjour ! Comment vas-tu ? Comment ça se passe pour toi ? /* **Lesley** *Très bien merci. Et toi ? Et ton travail, ça va ? /* **Louise** *Ça va bien, merci. Pour mon travail, ça va en fait très bien. /* **Lesley** *Oh, je suis contente. C'est bien. Je suis ravie qu'on se soit rencontrées. Il fait beau, hein ? /* **Louise** *Très beau. J'espère que ça va durer quelques jours. /* **Lesly** *J'espère aussi. Bon, il faut que je me dépêche. Je suis déjà en retard. Ça m'a fait plaisir de te parler. À bientôt, j'espère. /* **Louise** *C'est ça. Appelle-moi. À bientôt. /* **Lesley** *Au revoir. Embrasse Jerry pour moi. /* **Louise** *Je n'y manquerai pas. Au revoir !*

2 Se présenter, présenter quelqu'un

Anabelle Mary, you haven't met Neville Halliwell?
Mary No, I haven't. Pleased to meet you, Neville. Anabelle has often told me about you.
Neville Nice to meet you, Mary.
Anabelle What about Professor Eagles, have you met him?
Mary No, I haven't.
Anabelle Professor Eagles, I would like you to meet my childhood friend, Mary.
Prof. How do you do!
Mary How do you do! I'm really honoured to meet you. I've read all your books on male and female identity.
Prof. No, that's my brother but I've actually written a few books on medieval wheat-growing.
Mary That sounds interesting. I'm sorry but I must see some other people. It was nice meeting you, Professor.
Prof. It was a real pleasure to meet you, Mary.

@ www.bescherelle.com

[prəˈfesə]	[ˈɒnəd]	[aɪˈdentɪti]	[medɪˈiːvəl]	[ˈpleʒə]
professor	honoured	identity	medieval	pleasure

Se présenter

Hello! I'm Tracey. *Bonjour ! Je m'appelle Tracey.*
Pleased to meet you. I'm Steve. *Enchanté. Je m'appelle Steve.*
Hi! I'm Renato. *ou* **My name's Renato.** *Bonjour ! Je m'appelle Renato.*
I'm Joe, but I'm sorry I didn't catch your name.
Je m'appelle Joe, mais désolé, je n'ai pas saisi votre nom.
May I introduce myself? *(sout.)* **I'm Doctor Manx. Just call me Tony.**
Puis-je me présenter ? Je suis le docteur Manx. Vous pouvez m'appeler Tony.

Présenter quelqu'un

First, I'd like to make the introductions.
Tout d'abord, je voudrais faire les présentations.
I'd like you to meet Berto.
J'aimerais te présenter Berto.
I'd like to introduce you to Renato.
J'aimerais vous présenter à Renato.
Come and meet my friend Robert.
Venez que je vous présente mon ami Robert.
This is Ann and this is Dominique, Ann's daughter.
Voici Anne et voici Dominique, la fille d'Ann.
Have you two met?
Vous vous connaissez ?
You must be Neville. I've heard so much about you.
Vous êtes certainement Neville. J'ai tellement entendu parler de vous.

☞ Enchanté !

■ Les équivalents de Enchanté ! sont **Pleased to meet you! Nice to meet you! How do you do?** *(sout.)* On répond **How do you do?** à **How do you do?**
How do you do? ne signifie pas Comment allez-vous ? Ce n'est pas une question, malgré les apparences. L'intonation est descendante.
■ Après avoir rencontré quelqu'un, à la fin d'une conversation, il est très fréquent de dire :

It was nice to meet you. *ou* **(It was) nice meeting you.**
J'ai été ravi de faire votre connaissance.

Aux États-Unis, c'est presque aussi automatique que de dire Au revoir ! dans les pays francophones.

Traduction du texte p. 226

Annabelle Mary, tu ne connais pas Neville Halliwell? / **Mary** Non. Ravie de vous rencontrer, Neville, Anabelle m'a souvent parlé de vous. / **Neville** Très heureux de vous connaître, Mary. / **Annabelle** Et tu connais le professeur Eagles? / **Mary** Non, pas encore. / **Annabelle** Monsieur, j'aimerais vous présenter Mary, mon amie d'enfance. / **Prof.** Enchanté. / **Mary** Enchantée. Je suis très honorée de faire votre connaissance. J'ai lu tous vos livres sur l'identité masculine et féminine. / **Prof.** Non, ça, c'est mon frère, mais en fait j'ai écrit quelques ouvrages sur la culture du blé au Moyen Âge. / **Mary** Ça doit être très intéressant. Je suis désolée, mais il faut que j'aille voir d'autres personnes. J'ai été ravie de vous rencontrer, Monsieur. / **Prof.** J'ai été très heureux de vous connaître, Mary.

3 Souhaiter la bienvenue

Tom Yes? Who is it?
Scott Hi. It's me. Scott.
Tom Oh, hello! Do come in. How good to see you! Welcome home.
Scott Thanks. It's so nice to see you. What a warm welcome! You're really hospitable. But I don't want to put you out.
Tom Not at all. Make yourself at home. I'll get you a cup of tea or would you rather have coffee?
Scott Actually, Scotch would be nicer if you have any.
Tom Certainly. What about something to eat?
Scott That'd be great. I feel so relaxed with you.
Tom Great! Just feel free to do what you like.
Scott I will, don't worry. Where's your phone?

@ www.bescherelle.com

[hɒ'spɪtəbəl]	[ɪ'senʃəl]	[ɪ'gzɔːstɪd]	['sɜːtənli]	['wʌri]
hospitable	essential	exhausted	certainly	worry

Souhaiter la bienvenue à quelqu'un

Welcome!
Bienvenue ! *ou* Soyez le bienvenu !
Welcome back!
Bienvenue ! *ou* Content de vous revoir !
You'll always be welcome here.
Vous serez toujours les bienvenus ici.

How nice to see you! Do come in!
Ça me fait plaisir de vous voir. Entrez donc.
Hi! Great to see you!
Bonsoir! (Bonjour!) ou Salut! Je suis super content de te voir.

Souhaiter un bon anniversaire, une bonne année

Happy birthday to you! Many happy returns!
Bon anniversaire!
We wish you a merry Christmas and a happy New Year!
Nous vous souhaitons un joyeux Noël et une bonne année!
Season's greetings! [dans les cartes de vœux]
Meilleurs vœux!

À dire et à ne pas dire

- Il n'est pas dans la tradition anglo-saxonne de souhaiter sa fête à quelqu'un, car c'est là une pratique catholique.
- En anglais américain, **You're welcome** correspond à *Je vous en prie* (réponse à **thanks**). On emploie de plus en plus cette expression dans le reste du monde anglophone.

Lexique

Verbes et expressions
feel at ease *ou* **feel comfortable with sb**
se sentir à l'aise avec qqn
feel ill at ease *ou* **uncomfortable with sb**
se sentir mal à l'aise avec qqn
He (really) made me feel welcome.
J'ai (vraiment) bien été accueilli par lui.
You're welcome to use it.
N'hésite pas à l'utiliser.
These ideas were welcomed by...
Ces idées ont été bien accueillies par...
She's easy to get on with. *ou* **It is easy to get on with her.**
Il est facile de bien s'entendre avec elle.

Traduction du texte p. 228
Tom Oui? Qui c'est? / **Scott** Salut! C'est moi, Scott. / **Tom** Oh, salut! Entre. Ça fait plaisir de te voir. Tu es le bienvenu. / **Scott** Merci. Je suis vraiment content de te voir. Quel accueil chaleureux! Tu as vraiment le sens de l'hospitalité. Mais je ne veux pas te déranger. / **Tom** Pas du tout. Fais comme chez toi. Je te prépare une tasse de thé à moins que tu préfères du café? / **Scott** En fait, j'aimerais autant un whisky, si tu en as. / **Tom** Bien sûr. Tu veux manger quelque chose? / **Scott** Ça serait génial. Je me sens tellement à l'aise avec toi. / **Tom** Super. N'hésite pas, fais vraiment comme tu veux. / **Scott** D'accord, ne t'en fais pas. Où est ton téléphone?

4 Inviter, accepter une invitation

A conversation between husband and wife...

Mr Wells Do you fancy going out tonight, darling?

Mrs Wells That would be nice after a day at work. What do you have in mind?

Mr Wells Well, we could go to the pub for a pint and a packet of crisps. Then we could have a game of darts. We could even ask our neighbours to join us.

Mrs Wells (Aside...) That's what I call life in the fast lane.

@ www.bescherelle.com

[təˈnaɪt]	[ˈdɑːlɪŋ]	[paɪnt]	[ˈneɪbəz]
tonight	darling	pint	neighbours

Inviter quelqu'un

We're giving/having a party on Saturday. Would you like to join us? *ou* **Would you like to come along?**

Nous organisons une fête samedi. Voulez-vous vous joindre à nous ?

What are you doing tonight? Would you like to go to the pub?

Que faites-vous ce soir ? Ça vous dirait d'aller au pub ?

Do you have anything arranged/planned for tonight?

Do you have any plans/arrangements for tonight?

Vous avez quelque chose de prévu pour ce soir ?

You really must come and see us some time.

Il faut absolument que vous veniez nous voir.

Why don't you come round for a drink after dinner?

Pourquoi tu ne viendrais pas prendre un verre après dîner ?

Répondre par écrit à une invitation

Mrs McCrory vient de recevoir un carton d'invitation de la part de ses voisins australiens.

Joan and Will have just turned eighty (that is forty each). We are giving a birthday party on September 2, to celebrate. I hope you will be able to attend. As they say – the more the merrier – and we know we can count on you for merriment. So leave your cares behind and come and have a good time with us! Our motto for the evening:
FUN, FUN, FUN.
Be there or be square!
Weather permitting we'll have a barbecue.
RSVP

Réponse de Mrs McCrory

Dear neighbours,
Thank you for your lovely invitation. Unfortunately, my husband and I will not be able to attend your party as we already have an engagement on that day. My husband will be giving a lecture on the image of death in Hume's philosophy.
Yours sincerely,
E.A. McCrory

Lexique

Verbes et expressions

attend a party
assister à une soirée/une fête

invite sb to dinner/to a party
inviter qqn à dîner/à une fête

ask sb out (to dinner/to see a film)
inviter qqn à sortir (inviter qqn au restaurant/au cinéma)

ask sb over
inviter qqn chez soi

have sb round *ou* **invite sb over**
inviter qqn (à venir)

have a good time
bien s'amuser

RSVP
[sur un carton d'invitation] *Réponse attendue.*

Noms

an invitation
une invitation

an invitation card
un carton d'invitation

a guest
un invité

a host, a hostess
un hôte, une hôtesse

Traduction du texte p. 230
Conversation entre un mari et sa femme... / **M. Wells** Chérie, ça te dirait de sortir ce soir ? / **Mme Wells** Ça serait sympa, après une journée de travail. Qu'est-ce que tu as prévu ? / **M. Wells** Eh bien, on pourrait aller au pub prendre un demi avec des chips. Puis on pourrait faire une partie de fléchettes. On pourrait même demander aux voisins de venir avec nous. / **Mme Wells** (En aparté.) Ça, c'est ce qui s'appelle mener la grande vie.

Traduction des textes p. 231
Joan et Will viennent d'atteindre 80 ans (à eux deux). / Nous organisons une fête le 2 septembre pour célébrer l'événement. J'espère que vous pourrez venir. Plus on est de fous, plus on rit, comme on dit, et nous savons que nous pouvons compter sur vous pour mettre de l'ambiance. Alors laissez vos soucis à la maison et préparez-vous à passer un bon moment avec nous. Notre devise pour la soirée : / On s'amuse, on s'amuse, on s'amuse ! / Ringards, s'abstenir. / S'il fait beau, on fera un barbecue. / Réponse attendue.

Chers voisins, / Merci pour votre charmante invitation. Malheureusement, mon mari et moi-même ne pourrons pas assister à votre fête car nous sommes déjà pris ce jour-là. En effet, mon mari doit donner une conférence sur l'image de la mort dans la philosophie de Hume. / Avec mes sentiments les meilleurs.
E.A. McCrory

5 Offrir

Maureen Have some more apple pie.
Mick No thank you.
Maureen It doesn't taste right, does it?
Mick No, it was great, it's just that I'm not hungry any more. I'm full.
Maureen Look, I didn't like it either. So there's no need to find an excuse.

@ www.bescherelle.com

['æpəl paɪ]	[teɪst]	['hʌŋgri]	['aɪðə]	[ɪk'skjuːs]
apple pie	taste	hungry	either	excuse

Offrir un cadeau

I've brought you a book on 18th century Chinese silk-making.
Je vous ai apporté un livre sur la fabrication de la soie en Chine au XVIIIe *siècle.*

I have/Here's a present for you.
J'ai/Voici un cadeau pour vous.
I've got a little something for you. Close your eyes.
J'ai quelque chose pour toi. Ferme les yeux.
My parents gave me a gold watch for Christmas.
Mes parents m'ont offert une montre en or pour Noël.

Offrir à boire/à manger

Can I offer you a drink? *Je peux vous offrir un verre ?*
How about *ou* **What about a drink? What can I get you?**
Et si on buvait quelque chose ? Qu'est-ce que je peux vous offrir ?
What would you like to drink/to eat?
Que veux-tu boire/manger ?
What are you having? *Qu'est-ce que vous prenez ?*
Would you care for a cup of tea?
Désirez-vous une tasse de thé ?
Anyone for tea or coffee? *ou* **Tea or coffee, anyone?**
Qui veut du thé ou du café ?
It's my round *ou* **It's on me.** *ou* **The drinks are on me.**
C'est ma tournée.

Offrir à quelqu'un de se servir

Help yourself/yourselves. *Sers-toi/Servez-vous.*
Have some more./some more chips. *Reprenez-en./Reprenez des frites.*
Help yourself to some more. *Reprenez-en.*
Anyone for seconds? *(fam.) Qui en reveut ?*

Accepter ou refuser une offre

Thank you! *Merci !*
Please. *ou* **Yes, please.** *Oui, je veux bien.*
That would be nice/lovely. *Très volontiers !*
Yes, I'd love some (more). *Oui, j'en veux bien (un peu plus).*
No, thank you/thanks. *ou* **I'm all right/I'm fine.**
Non merci. Ça ira comme ça.
No, I couldn't (eat any more), I'm full.
Non, je ne pourrais pas (en reprendre), je n'ai plus faim.

Quelques formules de politesse

- En français, on dit souvent *Merci !* (avec un geste négatif) pour *Non, merci !* En anglais, **Thank you!** sera interprété comme **Yes, thank you!**
- Dans les pays anglophones, il n'existe pas de formule comparable à *Bon appétit !* On peut éventuellement dire **Have a good meal!/Enjoy your meal!/Enjoy!** (US) à quelqu'un qui va dîner à l'extérieur. Certains hôtes, notamment en Grande-Bretagne, utilisent l'expression française **Bon appétit!**

& Notez bien

- Les verbes **give** et **offer** acceptent deux constructions : **give sb sth** *ou* **give sth to sb**.

  I gave Lindsay a book. *ou* **I gave a book to Lindsay.**

  Si le COD est un pronom (**it**, **them**, par exemple), une seule structure est possible.

  I gave it to Lindsay.
- Quand *offrir* signifie *donner*, il se traduit par **give** plutôt que par **offer**.

Lexique

Verbes et expressions

accept, refuse an offer
accepter, refuser une offre

give sth to sb *ou* **give sb sth**
offrir qqch. à qqn

make sb an offer
faire une offre, une proposition à qqn

offer sth to sb *ou* **offer sb sth**
offrir qqch. à qqn

clink glasses
trinquer

Cheers!
À la tienne ! À la vôtre !

Traduction du texte p. 232

Maureen *Reprends de la tarte aux pommes.* / **Mick** *Non, merci.* / **Maureen** *Tu ne l'as pas trouvée bonne, c'est ça ?* / **Mick** *Non, elle était super, c'est simplement que je n'ai plus faim. J'ai trop mangé.* / **Maureen** *Écoute, moi non plus je n'ai pas aimé. Alors, inutile de chercher une excuse.*

6 Demander ou donner une permission

Max Mummy, can I have some more ice cream?
Mummy 'May I?'
Max What?
Mummy 'May I have some more ice cream?'
Max It's up to you. You are Mummy, you don't need to ask me.
Mummy I'm not asking you. I'm just saying that when you're polite you say 'May I?' and not 'Can I?'
Max All right then, may I or may I not?
Mummy Yes, sweetheart, you can have some more. I mean, you may have some more.

@ www.bescherelle.com

['mʌmi]	['aɪs kriːm]	[pə'laɪt]	['swiːthɑːt]
mummy	ice cream	polite	sweetheart

Demander une permission

Standard

Can I have some more tea? *Je peux avoir un peu plus de thé ?*
May I have a biscuit? *Puis-je avoir un biscuit ?*
Could I (possibly) talk to your mother?
Pourrais-je parler à votre mère ?
Is it all right *ou* **OK if we have a break now?**
On peut faire une pause maintenant ?

Plus soutenu

Are we allowed to smoke in here? *Il est permis de fumer ici ?*
Is it possible to speak to the manager, please?
Est-il possible de parler au directeur, s'il vous plaît ?
I was wondering if I could see your letter.
Je me demandais s'il était possible de voir votre lettre.

Donner ou refuser une permission

En général

Feel free./Feel free to do so. Je vous en prie.
Certainly. *ou* **By all means.** Mais certainement.
Sure. (US. *fam.*) **No problem.** *(fam.)* Bien sûr. Aucun problème.
Well, if you must. *ou* **Well, if you insist.** S'il le faut. *ou* Si vous insistez.
Certainly/Definitely not. Certainement pas.
No way! *ou* **Out of the question!/That's out of the question!**
Hors de question!

Répondre à *'Can I...?'* (Je peux... ?)

Yes/Of course (you can). Oui. Bien sûr.
Please do. Je vous en prie.
No, you can't. *ou* **No, you may not.**
Non. *ou* Non, vous n'avez pas le droit.

Répondre à *'Do you mind if...?'* (Cela vous dérange si... ?)

Do you mind if I smoke? Cela vous dérange si je fume?
No, I don't mind at all. Non, ça ne me dérange pas du tout.
It's OK by me *ou* **with me.** OK. Ça me va.
I'd rather you didn't smoke. Je préférerais que vous ne fumiez pas.

& Notez bien

- Pour renvoyer au passé, on emploie **could** ou **was/were allowed to**.
  As a child I could do what I wanted.
  Quand j'étais enfant, je pouvais faire ce que je voulais.
  We visited the cathedral but weren't allowed to enter the crypt.
  Nous avons visité la cathédrale mais nous n'avons pas eu le droit d'entrer dans la crypte.

Lexique

Verbes et expressions

let sb do sth
laisser qqn faire qqch.

allow sb to do sth *ou* **authorize sb to do sth** *(sout.)*
autoriser qqn à faire qqch.

forbid sb to do sth *(sout.)* *ou* **tell sb not to do sth**
interdire à qqn de faire qqch.

Traduction du texte p. 235
Max Maman, je peux avoir un peu plus de glace? / **Maman** « Est-ce que tu permets? » / **Max** Quoi? / **Maman** « Est-ce que tu me permets d'avoir un peu plus de glace? » / **Max** Ça, c'est toi qui décides. C'est toi, ma mère. Tu n'as pas besoin de me demander. / **Maman** Mais je ne te le demande pas. Je suis juste en train de te dire que quand on est poli on dit : « Est-ce que tu permets... » et non « Je peux... » / **Max** D'accord, alors est-ce que tu permets ou non? / **Maman** Oui, mon chéri, tu peux en reprendre. Je veux dire, je te permets d'en reprendre.

7 Demander un service, une information

In a snack-bar: a waitress and customers...

Waitress Yes?
Customer 1 Two packs of cookies.
Waitress Four dollars. Next?
Customer 2 A slice of carrot cake, please.
Waitress Two dollars, please. Next?
Customer 3 Could I have a muffin, please?
Waitress Yes, certainly. That's one dollar, please. Next?
Customer 4 Excuse me, I wonder whether you serve cold milk?
Waitress Yes, of course we do. Here you are. That's two dollars, please. Next?
Customer 5 I'm sorry to disturb you but I was wondering if I could possibly have a glass of tap water, if that's not too much trouble?
Waitress Water? Well, I suppose I could get you some. It's free but service is not included.

@ www.bescherelle.com

['wʌndə]	[dɪ'stɜ:b]	[sə'pəʊz]	['sɜ:vɪs]	[ɪn'klu:dɪd]
wonder	disturb	suppose	service	included

Demander un service

Relations familières

Could/Would you pass me the salt?
Tu pourrais me passer le sel?
I wonder if you could lend me $100 (a hundred dollars)?
Est-ce que tu pourrais me prêter 100 dollars?
I was wondering if you could... Je me demandais si tu pourrais...

Relations plus formelles

Can I trouble you for the mustard?/to open the window?
Puis-je vous demander la moutarde?/d'ouvrir la fenêtre?
Would you be so kind as to *ou* **kind enough to give me her address?**
Auriez-vous l'amabilité de me donner son adresse?
I'd be (very much) obliged *ou* **grateful if you wouldn't talk about it.**
Je vous serais (très) obligé de ne pas en parler.

Répondre à une demande de service

By all means! *ou* **Yes, of course./Yes, sure.** *(fam.) ou* **Certainly.**
Oui, bien sûr. *ou* Mais certainement.
Anything to oblige! *(fam.)* Toujours prêt à rendre service!
Sorry, but I can't./I'm afraid I can't. Désolé, mais je ne peux pas.

Demander une information

Excuse me, where/who/when...?
Excusez-moi, où/qui/quand...?
Excuse me, when does the train from Brighton arrive?
Excusez-moi, quand arrive le train de Brighton?
Could you tell me if/whether/when/who/what...
Pourriez-vous me dire si/quand/qui/ce qui...
I'd like to know if *ou* **whether there's still time to catch the train.**
Je voudrais savoir s'il est encore temps d'attraper le train.
Do you know (by any chance) if the plane from Chicago has already landed?
Savez-vous (par hasard) si l'avion de Chicago a déjà atterri?
Could you let me know as soon as possible?
Vous pourriez me prévenir le plus tôt possible?

& Notez bien

Deux structures sont possibles avec **ask**.

- **ask sb for sth :** demander pour obtenir quelque chose
  I asked Peter for some money.
  J'ai demandé de l'argent à Peter.
- **ask sb sth :** demander pour obtenir une réponse verbale
  I asked my neighbour his name/the time/a question.
  J'ai demandé son nom/l'heure à mon voisin./J'ai posé une question à mon voisin.

Please!

- **Please** est beaucoup plus employé en anglais (surtout britannique) que son équivalent s'il vous plaît en français. Il est assez habituel d'ajouter **please** quand on demande un service.

Lexique

Verbes et expressions

ask a question about sth
poser une question sur qqch.

inquire (enquire) about sth
se renseigner sur qqch.

ask for information about sth, sb
demander des renseignements, informations sur qqch., qqn

question sb about sth
interroger qqn au sujet de qqch.

request sth from sb *(sout.)*
demander qqch. à qqn

Nom

a piece of information
[pas ~~**an information**~~]
un renseignement, une information

Traduction du texte p. 237

Dans un snack-bar : une serveuse et des clients. / **La serveuse** Vous désirez ? / **Client 1** Deux paquets de biscuits. / **La serveuse** Quatre dollars. C'est à qui ? / **Client 2** Une tranche de gâteau aux carottes, s'il vous plaît. / **La serveuse** Deux dollars, s'il vous plaît. C'est à qui ? / **Client 3** Je pourrais avoir une brioche, s'il vous plaît ? / **La serveuse** Oui, bien sûr. C'est un dollar. À qui ? / **Client 4** Excusez-moi, je me demande si vous servez du lait froid ? / **La serveuse** Oui bien sûr. Voilà. Ça fait deux dollars, s'il vous plaît. À qui ? / **Client 5** Je suis désolé de vous déranger mais je me demandais s'il était possible d'avoir un verre d'eau du robinet, si ça ne pose pas trop de problèmes ? / **La serveuse** De l'eau ? Oui, je pense que je vais pouvoir vous en donner. C'est gratuit mais le service n'est pas compris.

8 Remercier

A rich extravagantly-dressed woman holding a big fat cat is talking to a man, whose face bears marks of scratches...
Woman Thank you ever so much for rescuing Mitsy.
Man It's all right.
Woman It was so kind of you.
Man It's quite all right.
Woman I really appreciate it. How can I ever thank you enough?
Man You already have, Madam.
She hands him some money.
Oh, thanks a million.
Woman Not at all. Thank you again for what you did.
Man My pleasure!

@ www.bescherelle.com

['reskjuːɪŋ]	[ə'priːʃɪeɪt]	[ɪ'nʌf]	[ɔːl'redi]	['mɪljən]
rescuing	appreciate	enough	already	million

Relations familières

Thank you./Thanks./Many thanks./Thanks a lot. Merci.
Thanks a million. *(fam.)*
Merci mille fois.
Thank you so much/very much/ever so much/very much indeed.
Merci beaucoup.

Relations plus formelles

(Thank you.) That's very kind/ever so kind of you.
(Merci.) C'est très aimable de votre part.
(Thank you.) I'm really grateful (to you).
(Merci.) Je vous suis très reconnaissant(e).
(Thank you.) I really appreciate it/what you've done for our son.
(Merci.) Je vous suis très reconnaissant(e)/pour ce que vous avez fait pour notre fils.

Pour répondre à un remerciement

You're welcome! *ou* **Sure!** (US)
Il n'y a pas de quoi.
Not at all. Don't mention it. *(sout.)*
Je vous en prie.
It's OK/all right/quite all right.
Il n'y a pas de quoi.
No problem! *(fam.)*
Pas de problème !
It was a pleasure!/Pleasure!/My pleasure!
Avec plaisir ! *ou* Volontiers !

Je vous en prie !

- En Grande-Bretagne, comme en France, il est fréquent qu'on ne réponde rien après **Thank you!** Merci, sans que cela paraisse impoli. Toutefois, dans les magasins, on répond souvent **Thank you!** après qu'on vous a dit '**Thank you!**'.
- Aux États-Unis, on répond presque toujours après **Thank you!**, notamment à l'aide de '**You're welcome**'. Ne pas répondre peut être interprété comme une impolitesse.

Lexique

Verbes et expressions
be grateful to sb for sth
être reconnaissant à qqn de qqch.
write to sb to thank them for sth
écrire à qqn pour remercier de qqch.

Adjectifs
thankful *ou* **grateful**
reconnaissant
ungrateful ingrat

Traduction du texte p. 240
Une dame riche, à l'allure très voyante et portant un gros chat dans les bras, s'adresse à un homme dont le visage porte des traces de griffes. / **La femme** Merci infiniment d'avoir sauvé Mitsy. / **L'homme** Ce n'est rien. / **La femme** C'était si aimable à vous. / **L'homme** Ce n'était vraiment rien. / **La femme** Je vous suis vraiment reconnaissante. Comment vous remercier ? / **L'homme** Mais vous venez de le faire, Madame. (Elle lui tend de l'argent.) Oh, merci mille fois. / **La femme** Pas du tout, c'est moi qui vous remercie pour ce que vous avez fait. / **L'homme** C'était un plaisir.

9 S'informer sur quelqu'un

A woman and a man meeting at a party...
Sheryl Pleased to meet you, I'm Sheryl. What's your name?
Deng Hello, I'm Deng.
Sheryl Oh, where are you from?
Deng From Liverpool. But my parents are from Singapore.
Sheryl And what's your job?
Deng I'm in computers.
Sheryl Do you live alone? Or do you have a girlfriend?
Deng No, I live on my own. What about you?
Sheryl I do too. But don't get me wrong. I'm only asking those questions because I can't help it, it's my job. I'm a policewoman.

@ www.bescherelle.com

[pli:zd]	['lɪvəpu:l]	['peərənts]	[kəm'pju:təz]	[pə'li:swʊmən]
pleased	Liverpool	parents	computers	policewoman

Sur son identité

Who is it/that? [quand quelqu'un frappe à la porte]
Qui est-ce ? ou Qui c'est ?
What's your address? Where do you live?
Quelle est votre adresse ? Où habitez-vous ?
Where are you from? Where were you born?
D'où venez-vous ? Où es-tu né(e) ?
How old are you? *Tu as quel âge ?*
How long have you lived *ou* **been living here?**
Depuis combien de temps vivez-vous ici ?
What nationality are you ?
De quelle nationalité êtes-vous ?
What do you do (for a living)?
Qu'est-ce que vous faites (dans la vie) ?
What's your job? Where do you work?
Quel est votre métier ? Où travailles-tu ?
Where are you studying? *ou* **Where do you study?** *Où étudiez-vous ?*

Sur sa vie de famille

Do you live on your own?/Do you share a flat?
Tu vis seul(e) ?/Tu partages un appartement ?
Are you married/single?
Vous êtes marié(e)/célibataire ?
Do you have any children?
Vous avez des enfants ?
How many children do you have?
Combien d'enfants avez-vous ?
Do you have a girlfriend/a boyfriend?
Tu as une petite amie/un petit ami ?

& Notez bien

- L'intonation des questions qui commencent par un mot en **wh-** ou **how** est toujours descendante.
- Attention à la structure des interrogatives en **wh-** : mot en **wh-** + auxiliaire/modal + sujet.

  Where do you live? [**do** auxiliaire]
  Où habites-tu ?
  Where are you from? [**are** auxiliaire]
  D'où êtes-vous ?
  Where can he be? [**can** modal]
  Où peut-il être ?
- Si le mot en **wh-** est sujet de la phrase, on ne fait pas appel à **do**.

  What happened?
  Qu'est-ce qui s'est passé ?
  Who wants some more tea?
  Qui veut encore un peu de thé ?

Questions personnelles

- La convenance veut que l'on ne pose pas de questions trop personnelles en Grande-Bretagne, lorsque l'on rencontre quelqu'un pour la première fois. Aux États-Unis, c'est davantage permis, voire attendu.

Traduction du texte p. 242
Une femme et un homme se rencontrent à une soirée...
Sheryl *Enchantée. Je m'appelle Sheryl. Et vous ?* / **Deng** *Bonsoir, je m'appelle Deng.* / **Sheryl** *Oh, d'où venez-vous ?* / **Deng** *De Liverpool. Mais mes parents sont de Singapour.* / **Sheryl** *Et qu'est-ce que vous faites comme métier ?* / **Deng** *Je travaille dans l'informatique.* / **Sheryl** *Vous vivez seul ou vous avez une petite amie ?* / **Deng** *Non, je vis seul. Et vous ?* / **Sheryl** *Moi aussi. Mais ne vous méprenez pas. Je pose ces questions par déformation professionnelle. Je suis agent de police.*

10 Décrire quelqu'un ou quelque chose

Mel True, you're pretty, even beautiful, you're always elegant but you're not my type.
Flo What's wrong with my physique? I would so much like to appeal to you.
Mel Well, you have a nice body, not too small, not too big. It's just right.
Flo So what? You say I'm good-looking. You're not handsome. You're fat and heavy, not very tall, narrow-chested. You look like Santa Claus, in fact. And you still won't go out with me?
Mel Well, you have a point there. But your description of my physique is not exactly flattering.
Flo That doesn't bother me. Personally, I just find you charming and attractive.

@ www.bescherelle.com

['prɪti]	[fɪ'ziːk]	['hænsəm]	['bɒðə]	['pɜːsənəli]
pretty	physique	handsome	bother	personally

Décrire quelqu'un

What's she like?
– She's tall and attractive./She has dark hair and brown eyes.
Elle est comment ?
– Elle est grande et séduisante./brune avec des yeux marron.
What does he look like?
– He looks like a rugby player.
À quoi ressemble-t-il ?
– Il ressemble à un joueur de rugby.
How tall are you?
– I'm five foot four.
Vous mesurez combien ?
– Je mesure 1,63 m.

Le système métrique dans le monde anglophone

■ Le système métrique a été introduit officiellement en Grande-Bretagne en 1971. Il est maintenant utilisé dans tous les domaines, notamment dans les magasins. Toutefois, lorsqu'il s'agit de se décrire, les Britanniques continuent à employer les **feet**, les **inches**, les **stones** et les **pounds**. Il est rare d'entendre un Britannique dire '**I'm 1.63 (one point six three) m tall'** ou '**I weigh 70 (seventy) kilos'**. Le système métrique est bien implanté au Canada, en Australie et en Nouvelle-Zélande : les distances sur route y sont données en kilomètres (en miles en Grande-Bretagne).

■ Les États-Unis n'ont pas adopté le système métrique. Ils emploient toujours l'ancien système de mesures britannique.

an inch [abréviation **in**] *un pouce* = 2,54 cm
a foot Pl. **feet [ft]** *un pied* = 12 inches = 30,48 cm
a yard [yd] = 3 feet = 91,44 cm
a mile [mi] *un mile* = 1 609 km
a pound [lb] *une livre* = 453, 59 g
a stone [st] = 14 *livres* = 6,348 kg
a gallon [gal] *un gallon* = 3,54 l (GB) = 3,78 l (US)
a pint [pt] *une pinte* = 0,57 l. (GB) 0,47 l. (US)
an ounce [oz] *une once* = 28,35 g

■ On dit **5 foot 4 (five foot four)**, plutôt que **5 feet 4**.

Décrire quelque chose

What is it like?
– It's bland/tasty/hot/sweet/boring.
C'est comment ?
– C'est fade/savoureux/fort (épicé)/sucré/ennuyeux.
What does it taste like?
– It tastes bitter/of *ou* **like banana. – It doesn't taste at all.**
Quel goût ça a ?
– Ça a un goût amer/de banane. – Ça n'a aucun goût.
What is it like to be married? – It's magic/indescribable.
Qu'est-ce que ça fait d'être marié(e) ? – C'est magique/indescriptible.
What colour/color (US)**/shape is it?**
– It's yellow. It's round/oval/rectangular.
Quelle est sa couleur ? Quelle forme ça a ?
– C'est jaune. C'est rond/ovale/rectangulaire.
How does it work? – You just have to press the button.
Comment ça marche ? – Il suffit d'appuyer sur le bouton.

→ p. 85 (Décrire son environnement)

Lexique

How
How wide is the road?
Quelle est la largeur de la route ?
How high is the tower?
Quelle est la hauteur de la tour ?
How far is it from here?
C'est à quelle distance d'ici ?
How heavy is it?
Ça pèse combien ?
How long does it take?
Il faut combien de temps ?
How much is it? *ou* **How much does it cost?**
Combien ça coûte ?

Traduction du texte p. 244
Mel C'est vrai, tu es jolie, même belle, tu es toujours élégante mais tu n'es pas mon type. / **Flo** Qu'est-ce qui ne va pas avec mon physique ? J'aimerais tant te plaire. / **Mel** En fait, tu as un joli corps, tu n'es ni trop petite ni trop grande. Tu es parfaite. / **Flo** Et alors ? Tu dis que je suis jolie. Toi, tu n'es pas beau. Tu es gros et lourdaud, tu n'es pas grand, tu as le buste étroit. En fait tu ressembles au Père Noël. Et tu continues à ne pas vouloir sortir avec moi. / **Mel** Il y a du vrai dans ce que tu dis. Mais le portrait que tu fais de moi n'est pas précisément flatteur. / **Flo** Ça ne me dérange pas. Personnellement, je te trouve tout simplement charmant et séduisant.

11 Conseiller

A conversation between two young women...
Fay I just don't understand. I am young and attractive, but I live on my own. What should I do to change my life?
Gladys If I were you, I would start with a new haircut. You know it's time you did something about your looks.
Fay That's precisely why I want to go shopping to buy a new dress.
Gladys True, but why don't you buy a nice designer dress instead of your usual style?
Fay Are you saying I have bad taste?
Gladys I'm just trying to advise you.
Fay And you call yourself a friend! Take my advice: don't ever mention my appearance again.

@ www.bescherelle.com

[ʌndəˈstænd]	[prɪˈsaɪsli]	[ˈjuːʒuəl]	[ədˈvaɪs]	[əˈpɪərəns]
understand	precisely	usual	advice	appearance

Conseiller quelque chose à quelqu'un

Listen to me. I've got some important advice to give you.
Écoute-moi. J'ai un conseil important à te donner.
I'd like to advise you on that point.
J'aimerais vous conseiller à ce sujet.
Take my advice: don't talk to that creep. *ou* **My advice to you would be not to talk to that creep.**
Suis mon conseil : ne parle pas à ce sale type.
You should do something about it.
Tu devrais réagir.
You must go and see that exhibition.
Il faut que tu ailles voir cette exposition.

Enjoindre quelqu'un de faire quelque chose

It's (about/high) time you improved your manners.
Il est (grand) temps que tu améliores tes manières.
You ought to react more positively.
Tu devrais réagir de façon plus positive.
You'd better start cooking right now.
Tu ferais mieux de commencer à cuisiner tout de suite.

Suggérer quelque chose à quelqu'un

You could try getting a job at Marks and Spencers.
Tu pourrais essayer de trouver un emploi chez Marks and Spencer.
You know what you could do? *Tu sais ce que tu pourrais faire ?*
Why not phone her? *Pourquoi ne pas lui téléphoner ?*
Shall we take a taxi?
Et si nous prenions un taxi ?
How about/What about giving it a try?
Et si on tentait le coup ?
Let's go out for a drink, shall we?
On va prendre un verre, si tu veux bien ?
We could/might give them a ring, don't you think?
On pourrait leur téléphoner, tu ne crois pas ?
What if I called him first?
Et si je lui téléphonais en premier ?

& Notez bien

- Le nom **advice** est indénombrable. Il ne peut donc pas être immédiatement précédé de l'article **a**. *Un conseil* se dit **a piece of advice** ou **some advice**.
- On trouve deux constructions avec **suggest**.

– Exemple avec un seul sujet **(I)** :

I would suggest going to the movies.
Je proposerais d'aller au cinéma.

– Exemple avec deux sujets (**I** et **you**) :

I suggest that you (should) leave the company.
Je suggère que tu quittes la société.

Lexique

Verbes et expressions

advise sb to do sth
recommander à qqn de faire qqch.

advise sb against doing sth
déconseiller à qqn de faire qqch.

make a suggestion about sth
faire une suggestion

on the advice of sb
sur les conseils de qqn

recommend sb to do sth
recommander à qqn de faire qqch.

suggest sth to sb
proposer qqch. à qqn

Nom

a tip
un tuyau

Traduction du texte p. 246

Conversation entre deux jeunes femmes... / **Fay** *Je n'arrive pas à comprendre. Je suis jeune, séduisante et pourtant je vis seule. Qu'est-ce que je devrais faire pour que ça change? /* **Gladys** *Si j'étais toi, je commencerais par changer de coiffure. Tu sais, il serait temps que tu fasses quelque chose pour ton physique. /* **Fay** *C'est justement pour ça que je veux aller m'acheter une nouvelle robe. /* **Gladys** *D'accord, mais pourquoi ne pas t'acheter une jolie robe d'une bonne marque plutôt que ton style habituel. /* **Fay** *Est-ce que tu serais en train de me dire que j'ai mauvais goût? /* **Gladys** *Je te donne un conseil, c'est tout. /* **Fay** *Et tu te prétends mon amie! À mon tour de te donner un conseil : ne me parle plus jamais de mon physique.*

12 S'excuser

A young man and an older woman in the street...
Man Sorry! I hope I didn't hurt you.
Woman As a matter of fact you did, young man. You stepped on my foot and now it hurts.
Man I'm ever so sorry. Please excuse me.
Woman You could have been more careful.
Man Look, I said I was really sorry. I didn't mean to hurt you.
I have apologized. So, please, don't overdo it.
Woman The cheek of it! What impudence!
Man I wonder why I even bothered to apologize.

@ www.bescherelle.com

[ə'pɒlədʒaɪzd]	['ɪmpjʊdəns]	['wʌndə]	['bɒðəd]
apologized	impudence	wonder	bothered

S'excuser pour demander quelque chose

Excuse me, can you tell me what time it is?
Excusez-moi, vous pouvez me donner l'heure ?
Pardon?/Pardon me? (US)**/I beg your pardon?** *(sout.)*
Pardon ? Vous pouvez répéter ?
(So) sorry to disturb you.
Désolé(e) de vous déranger.

S'excuser d'avoir fait quelque chose

Oops! Sorry about that! I didn't do it on purpose.
Hop-là ! Désolé(e). Je ne l'ai pas fait exprès.
I'm (terribly/awfully) sorry I didn't warn you.
Je suis (vraiment) désolé(e) de ne pas vous avoir prévenu.
I'm (ever so) sorry for what happened/for calling so early.
Je suis (vraiment) désolé(e) de ce qui est arrivé/d'avoir appelé si tôt.
Forgive me for what I did yesterday.
Excusez-moi pour ce que j'ai fait hier.

I want/would like/wish to apologize for not writing sooner.
Je voudrais/souhaite m'excuser de ne pas avoir écrit plus tôt.
It was wrong of me (not) to phone you.
J'ai eu tort de (ne pas) vous téléphoner.

Répondre à des excuses

It's all right/quite all right! *ou* **It's OK/quite OK!/That's OK!**
Don't worry! No problem! *(fam.)* Y a pas de mal! C'est pas grave!
There's no need to apologize. *(sout.)*
Ce n'est pas la peine de vous excuser.

Lexique

Verbes et expressions
forgive (forgave, forgiven) sb for sth
pardonner qqch. à qqn
apologize to sb for sth
s'excuser auprès de qqn d'avoir fait qqch.
say (said, said) you're sorry dire qu'on est désolé *ou* s'excuser
make an apology for sth, for having done sth *(sout.)*
s'excuser de qqch., d'avoir fait qqch.
No offence (meant).
Je ne voulais pas vous froisser.

Noms
a letter of apology
une lettre d'excuse

Traduction du texte p. 249
Un jeune homme et une femme d'un certain âge, dans la rue... / **L'homme** Désolé! J'espère que je ne vous ai pas fait mal. / **La femme** En fait si, jeune homme. Vous m'avez marché sur le pied et maintenant il me fait mal. / **L'homme** Je suis absolument désolé. Je vous prie de m'excuser. / **La femme** Vous auriez pu faire attention. / **L'homme** Écoutez, je vous ai dit que j'étais désolé, je ne l'ai pas fait exprès. Je me suis excusé. Alors s'il vous plaît, n'en rajoutez pas. / **La femme** Oh, quel toupet! Quelle impertinence! / **L'homme** Je me demande pourquoi je me suis donné la peine de faire des excuses.

13 Changer de conversation

Clint Do you know I'm getting married?
Danny Oh? By the way, I came first in my exams. And incidentally, I was awarded a scholarship to study at Oxford.
Clint Good. Oh, before I forget, I'm getting married.

@ www.bescherelle.com

['mærɪd]	[ɪg'zæmz]	[ɪnsɪ'dentəli]	[ə'wɔːdɪd]	['stʌdi]
married	exams	incidentally	awarded	study

Relations familières

Incidentally, are you planning to spend Christmas with your parents?
À propos, tu comptes passer Noël chez tes parents ?
Talking of which, do you know who's going to Mark's party?
À ce propos, tu sais qui va à la soirée de Mark ?
Talking of Juanita, do you know she's pregnant?
À propos de Juanita, tu sais qu'elle est enceinte ?
Which reminds me, could you give me my DVDs back?
Maintenant que j'y pense, pourrais-tu me rendre mes DVD ?
Anyway, it's not a big issue.
De toute façon, ce n'est pas un problème important.

Relations plus formelles

I would now like to move on to my next section/to a new topic.
Je voudrais maintenant passer à la partie suivante/à un autre sujet.
I would now like to consider another question.
Je voudrais maintenant considérer une autre question.
We can now consider the next item on the agenda.
Nous pouvons maintenant considérer le point suivant à l'ordre du jour.
On a different note, I'd like to point out that...
Pour changer de sujet, j'aimerais faire remarquer que...
To change the subject completely, could we talk about...?
Pour changer complètement de sujet, pourrions-nous parler de... ?

I know this has no connection with what we've been talking about, but I'd like to say that...

Je sais que ça n'a aucun rapport avec ce qui vient d'être dit, mais j'aimerais signaler que...

Pour ménager une transition

As for/to my parents, they've decided to live in the country.

Quant à mes parents, ils ont décidé de vivre à la campagne.

As for the reason for the accident, we still don't have a clue.

Quant aux raisons de l'accident, nous n'en avons toujours aucune idée.

As regards the plane tickets, I'll see to them.

Pour ce qui est des billets d'avion, je m'en occupe.

Lexique

Verbes et expressions

Don't keep on about it! *(fam.)*
Change de disque!

I can't see the connection.
Je ne vois pas le rapport.

What's that got to do with it?
Où est le rapport?

That's beside the point.
C'est sans rapport avec le sujet.

That's irrelevant (to the subject).
Ça n'a rien à voir (avec le sujet).

Prépositions

as regards *ou* **with regard to** *ou* **regarding**
en ce qui concerne

Traduction du texte p. 251

Clint Tu sais que je vais me marier? / **Danny** Oh? Au fait, j'ai été reçu premier à mes examens. Et à ce propos, on m'a accordé une bourse pour aller faire mes études à Oxford. / **Clint** Ah bon. Au fait, avant que j'oublie, je vais me marier.

14 Téléphoner

A man calling the Grand Hotel... The receptionist answers.

Reception Grand Hotel, can I help you?

Man Could I have room 1066 (one-oh-six-six)? I think it's extension 563 (five-six-three).

Reception Hold the line. I'll put you through... I'm afraid there's no one in. Would you like to leave a message?

Man No, I just want to talk to Mrs Vanderbilt.

Reception There's no answer in room 1066, Sir.

Man But she asked me to call her at five p.m. sharp.

Reception Excuse me, Sir, but where are you calling from?

Man Singapore.

Reception It's actually four p.m. in New York. You got the time difference wrong.

Man Oh, I'm sorry. Can you tell her that her husband will definitely call at five p.m.?

Reception Sure.

@ www.bescherelle.com

[həʊ'tel]	[ə'freɪd]	['mesɪdʒ]	['dɪfərəns]	['defənətli]
hotel	afraid	message	difference	definitely

Dans un contexte privé

Hello! *ou* **Hi!** [plus fréquents que **Good morning!/afternoon!/evening!**]

Bonjour ! *ou* Bonsoir ! *ou* Allô !

Pour demander quelqu'un

Hello, this is Vivien. I'd like to speak to Atsuko, if possible.

Bonjour. C'est Vivien. J'aimerais parler à Atsuko, si c'est possible.

Hi, is that Sheryl? (et non ~~**Is it Sheryl?**~~) *Allô, c'est Sheryl ?*

Hello, could I speak to Sylvia Page?

Bonjour/Allô, pourrais-je parler à Sylvia Page ?

Hi, is Patsy there, please?

Bonjour, est-ce que Patsy est là, s'il vous plaît ?

Pour répondre

Speaking. C'est moi./C'est elle-même/lui-même.
Yes it is, who's calling, please? Oui, c'est moi, qui est au téléphone ?
Yes, I'll get her/him for you. Hold on, please.
Oui, je vous l'appelle. Ne quittez pas.
No, this is her daughter. Who is that?
Non, c'est sa fille. Qui est au téléphone ? *ou* C'est de la part de qui ?
I'm afraid she's not home. Would you like to leave a message?
Désolé, mais elle n'est pas à la maison. Vous voulez laisser un message ?
Can I get her *ou* **Shall I ask her to call you back?**
Je lui demande de vous rappeler ?
I'm afraid you dialled the wrong number. There is no Sheryl in this house.
Désolé(e), mais vous avez fait un mauvais numéro. Il n'y a pas de Sheryl ici.

Dans un contexte professionnel

Pour demander quelqu'un

Hello, I'd like to speak to Mrs Page, please, if that's possible.
Allô ! J'aimerais parler à Mrs Page, si c'est possible.
Would you put on Mr Paoli?
Pouvez-vous me passer Mr Paoli ?
Could/Would it be possible to speak to/with Mr Hill?
Serait-il possible de parler à Mr Hill ?
Could I have extension 584 (five-eight-four), please?
Pourrais-je avoir le poste 584, s'il vous plaît ?
Could you put me through to/connect me to (US) **the computer department, please?**
Pourriez-vous me passer le rayon informatique ?

Pour répondre

Certainly, who's calling, please? *ou* **What name shall I say?**
Certainement, qui dois-je annoncer ?
Hold the line, please. I'll put you through (to him).
Ne quittez pas, je vous le passe.
Hold the line, I'm trying to connect you.
Ne quittez pas, j'essaie de vous le/la passer.

I'm afraid the line is engaged/busy (US) **at the moment.**
Could you call back/try again later?
Désolé(e), mais c'est occupé. Pouvez-vous rappeler ?
The number is ringing but there's no answer. I'll try another extension.
Ça sonne mais personne ne répond. Je vais essayer un autre poste.

& Notez bien

- *Je vous le/la passe* se traduit de deux façons :
  – **Here he/she is.** (Quand la personne est à côté.)
  – **I'll put you through to him/her.** (Quand la personne est sur un autre poste.)

Messages enregistrés fréquents

- **This is 483 566 254 (four-eight-three five-double six two-five-four). There's no one at home at the moment but please leave a message after the tone and we'll get back to you as soon as possible.**
Vous êtes bien au 483 566 254. Il n'y a personne pour l'instant. Merci de laisser un message après le bip/le signal sonore et nous vous rappellerons dès que possible.
- **The number you have dialled is not in service. Please check the number in the phone book or call one of our operators.**
Le numéro que vous avez composé n'est pas en service. Veuillez vérifier le numéro dans l'annuaire ou appeler les renseignements.
- **Please hold while we transfer you to an adviser** (GB), **advisor** (US).
Merci de ne pas quitter. Nous transférons votre appel vers un conseiller.
- **All our lines are busy at the moment. One of our agents will get to you as soon as possible.**
Toutes nos lignes sont occupées. Un de nos conseillers va vous répondre dès que possible.
- **All our lines are busy but we're trying to connect you (with an agent).**
Toutes nos lignes sont occupées. Nous recherchons votre correspondant.

Lexique

Verbes et expressions

be on the phone
être au téléphone
call sb (up) *ou* **ring sb (up)** *ou* **phone sb**
téléphoner à qqn
get in touch with sb
contacter qqn
→ p. 162 (Le téléphone)

hang up *ou* **put the phone down**
raccrocher
look sb up in the phonebook
chercher qqn dans l'annuaire

ring back, ring sb back
rappeler, rappeler qqn
To get the police, dial 999 (nine-nine-nine).
Pour avoir la police, faites le 999.

Traduction du texte p. 253
Un homme appelle le Grand Hôtel... / La réceptionniste répond. / **Réception** Le Grand Hôtel. Que puis-je faire pour votre service ? / **L'homme** Pouvez-vous me passer la chambre 1066 ? Je crois que c'est le poste 563. / **Réception** Ne quittez pas. Je vous la passe... Désolée, il n'y a personne. Voulez-vous laisser un message ? / **L'homme** Non, je veux juste parler à Mme Vanderbilt. / **Réception** La chambre 1066 ne répond pas, Monsieur. / **L'homme** Elle m'a pourtant demandé de l'appeler à 17 heures précises. / **Réception** Excusez-moi, Monsieur, mais d'où appelez-vous ? / **L'homme** De Singapour. / **Réception** En fait, il est 4 heures de l'après-midi à New York. Vous avez mal calculé le décalage horaire. / **L'homme** Oh, je suis désolé. Pouvez-vous lui dire que son mari la rappellera à 17 heures sans faute ? / **Réception** Pas de problème.

15 Faire une réclamation, des reproches

A conversation between a receptionist and customers in a hotel...

Reception Good morning, did you sleep well?

Mr Dale Did we sleep well? I'm really sorry but I have to admit that we didn't.

Reception Oh, really? What was wrong?

Mr Dale To begin with, the sheets were dirty. We want to see the manager to complain to him.

Reception I'm the manager. Anything else you would like to complain about?

Mrs Dale Yes, I want to complain about the noise.

Reception Of course, your room looks onto the main street. There's nothing I can do about it.

Mr Dale Your reaction is totally unacceptable. It won't do.

Reception I know, I know. Customers are always complaining. They pick the cheapest hotel in town and they expect to get four-star service.

Mrs Dale The cheek of it!

@ www.bescherelle.com

['mænədʒə]	[kəm'pleɪn]	[ʌnək'septəbəl]	['kʌstəməz]
manager	complain	unacceptable	customers

Dans un contexte général

I'd like to talk to the person in charge.
J'aimerais parler au responsable.
I want this to be sorted out right now.
Je veux que ce soit réglé tout de suite.
What are you going to do about my problem?
Que comptez-vous faire pour résoudre ce problème ?
There's definitely something wrong with the service.
Ce qui est sûr, c'est qu'il y a quelque chose qui ne va pas dans le service.
Let me tell you this: I've never been treated so badly.
Je vais vous dire : on ne m'a jamais traité(e) aussi mal.

Dans un magasin, au restaurant, à l'hôtel

I am sorry to have to say that the wine doesn't taste right.
Je suis désolé(e) de devoir dire que le vin est mauvais.
I'm afraid you don't know a thing about food/drinks.
Désolé(e) mais vous ne connaissez pas grand-chose à la nourriture/aux boissons.
I am sorry to bring this up but the bathroom wasn't clean.
Je suis désolé(e) d'en parler mais la salle de bains n'était pas propre.

Reprocher quelque chose à quelqu'un

You needn't have slammed the door.
Ce n'était pas la peine de claquer la porte.
How could you do such a thing to me?
Comment as-tu pu me faire une chose pareille ?
I reproach my father for *ou* **with not being with us more often.**
Je reproche à mon père de ne pas être plus souvent avec nous.
And what's more, you didn't even apologize to my mother.
Et en plus, tu ne t'es même pas excusé auprès de ma mère.
You should have apologized.
Tu aurais dû t'excuser.
Why didn't you tell me you were married?
Pourquoi ne m'as-tu pas dit que tu étais marié(e) ?

Donner tort à quelqu'un

You're (the one) to blame for it. *ou* **You've only got yourself to blame.**
C'est ta *faute.* *ou* Tu ne peux t'en prendre qu'à toi-même.
The judge blamed the accident on me. *(fam.)*
Le juge m'a mis l'accident sur le dos.
You're wrong not to listen to my advice.
Tu as tort de ne pas écouter mes conseils.
You made the mistake of not listening to my advice.
Tu as eu le tort de ne pas écouter mes conseils.

Lexique

Verbes et expressions

complain that...
se plaindre que...
grumble at/about sth *ou* **moan about sth** *(fam.)*
grogner, rouspéter contre qqch.
lodge a complaint with sb *(sout.)*
se plaindre auprès de qqn
object to sth, to doing sth
protester contre qqch., ne pas vouloir *faire* qqch.
protest about sth *ou* **make a protest about sth**
protester contre qqch.
have no objection to sth *ou* **to sb's doing sth**
ne rien avoir contre qqch. *ou* contre le fait que qqn *fasse* qqch.
make a fuss about sth
faire des histoires pour qqch.
accuse sb of sth *ou* **of doing sth**
accuser qqn de qqch. *ou* de *faire* qqch.
blame sb for sth *ou* **for doing sth**
rejeter la responsabilité de qqch. sur qqn
condemn sb for sth *ou* **for doing sth**
condamner qqn pour qqch. *ou* pour avoir *fait* qqch.
reproach sb for/with sth
reprocher qqch. à qqn

Traduction du texte p. 256
Conversation dans un hôtel entre une réceptionniste et des clients. / **Réception** Bonjour, vous avez bien dormi ? / **M. Dale** Si nous avons bien dormi ? Je suis désolé, mais je dois vous dire que non. / **Réception** Oh vraiment ? Qu'est-ce qui n'allait pas ? / **M. Dale** Pour commencer, les draps n'étaient pas propres. Nous voulons voir le directeur et nous plaindre auprès de lui. / **Réception** Le directeur, c'est moi. Y a-t-il autre chose qui ne convenait pas ? / **Mme Dale** Oui, j'ai à me plaindre du bruit. / **Réception** Naturellement, votre chambre donne sur la grand-rue. Ça, je n'y peux rien. / **M. Dale** Votre réaction est absolument inacceptable. Ça ne va pas du tout. / **Réception** Je sais, je sais. Les clients n'arrêtent pas de se plaindre. Ils choisissent l'hôtel le moins cher de la ville et ils voudraient le service d'un quatre-étoiles. / **Mme Dale** Ah, ça c'est un peu fort !

16 Situer dans l'espace

Roy I live in a nice flat above a beautiful laundrette, opposite the station, between a Chinese take-away and the best disco in town, with many brothers, sisters and cousins. There are nice shops all over the place, so I never have to walk far. Down the road, across a little square there is even a police station. I've already been inside. It's a nice place, especially when it's cold outside.
You walk through a large door into a yard, then along by a brick wall and when you get inside they always say hello.
I really like my house. I wouldn't want to live anywhere else.
There's no place like home, or maybe I'd like to travel into space, in a spaceship, going up and up, straight on, flying up to the moon or around the earth or past the stars. But below, my house would seem so far away. Oh, no. I couldn't go away.

@ www.bescherelle.com

['ɒpəsɪt]	[tʃaɪ'ni:z]	['kʌzɪnz]	[pə'li:s]	[ɪs'peʃli]
opposite	Chinese	cousins	police	especially

Dire où est quelqu'un

Sue is (probably) in. *ou* **She must/may be in.**
Sue est (sans doute) chez elle. ou Elle doit être/est peut-être chez elle.
She's at her sister's. *Elle est chez sa sœur.*
She's at work/at the gym. *Elle est au travail/à la salle de gym.*
She's (staying) with friends. *Elle est chez des amis.*
I don't know where she is. *Je ne sais pas où elle est.*

Dire où est parti quelqu'un

She's out shopping. *Elle est allée faire des courses.*
She's eating out. *Elle dîne en ville.*
She's gone to Sheryl's. *Elle est allée chez Sheryl.*
She's (gone) out./gone for a walk.
Elle est sortie./partie se promener.

Demander son chemin

Excuse me, please, can/could you tell me how to get to the station/tell me the way to the city centre, center (US)**?**

Pouvez-vous m'indiquer le chemin pour me rendre à la gare/au centre-ville ?

Is it far from here?

Est-ce loin d'ici ?

How far is it from here?

C'est à quelle distance d'ici ?

Can I walk there or should I take a bus/the underground?

Je peux y aller à pied ou je dois prendre un bus/le métro ?

You'll have to give me directions on how to get to her place.

Il faudra que tu me dises comment on va chez elle.

Donner un itinéraire

It's straight ahead/straight on.

C'est tout droit.

It's in the second street on your left.

C'est dans la deuxième rue sur votre gauche.

You turn right here then right again.

Vous tournez ici à droite puis à nouveau à droite.

It's just round the corner.

C'est à deux pas d'ici.

Go straight ahead and then turn left.

Allez tout droit, puis tournez à gauche.

First you turn left. Then you come up to traffic lights. Try to park there and then you walk across the square and the church is right there.

D'abord vous tournez à gauche. Vous arrivez ensuite à des feux. Essayez de vous garer là puis vous traverserez la place et l'église est juste là.

& Notez bien

- *À travers* se traduit par **across** (pour un lieu à deux dimensions : longueur, largeur) ou **through** (pour un lieu à trois dimensions : longueur, largeur, hauteur).

  Walk across the square. *Traversez le square.*

  We drove through the town. Nous avons conduit à travers la ville.

Lexique

At, in, into, on, out of, from, to, towards

I was waiting for you at the bus stop at five.
Je t'ai attendu à l'arrêt de bus à 5 heures.
I looked for it in the car, in my bedroom and in the garden.
Je l'ai cherché dans la voiture, dans ma chambre et dans le jardin.
I walked into the classroom in a chilly silence.
Je suis entré(e) dans la classe dans un silence glacial.
Your keys are on the table!
Vos clés sont sur la table !
When I came out of the building it was already dark.
Quand je suis sorti(e) du bâtiment, il faisait déjà noir.
Where are you from?
– I'm from Italy, from Rome to be more precise.
D'où venez-vous ?
– Je viens d'Italie, de Rome pour être précis.
She drove to Miami.
Elle est allée à Miami en voiture.
We're heading towards the border.
Nous nous dirigeons vers la frontière.

Autres prépositions

I live above/over a big department store.
J'habite au-dessus d'un grand magasin.
I was walking along the Thames.
Je marchais le long de la Tamise.
We were among foreigners.
Nous étions parmi des étrangers.
There were tourists all around/opposite/in front of the Cathedral.
Il y avait des touristes tout autour de/en face de/devant la cathédrale.
It's under the bed/below the surface of the water.
C'est sous le lit/sous la surface de l'eau.
I was standing beside/near/close to/next to the Queen.
Je me tenais à côté de la reine.
I was sitting between/behind two of my teachers.
J'étais assis(e) entre, derrière deux de mes profs.
We were inside/outside the station when it happened.
Nous étions à l'intérieur, à l'extérieur de la gare quand c'est arrivé.

→ p. 89 (Se repérer)

Traduction du texte p. 259

Roy *J'habite un appartement très bien, au-dessus d'un joli Lavomatic, en face de la gare, entre un Chinois qui vend des plats à emporter et la meilleure discothèque de la ville, au milieu d'une foule de frères, de sœurs et de cousins. Il y a plein de magasins sympas dans le quartier, aussi je n'ai jamais besoin d'aller bien loin. Un peu plus bas dans la rue, de l'autre côté d'une petite place, il y a même un commissariat de police. J'y suis déjà allé. C'est un endroit sympa, surtout quand il fait froid dehors. Vous entrez dans une cour par une grande porte, puis vous longez un mur de briques et quand vous entrez, on vous dit toujours bonjour. / J'aime beaucoup ma maison. Je ne voudrais pas vivre ailleurs. Rien ne vaut un bon chez-soi, ou alors peut-être, j'aimerais bien aller dans l'espace, dans un vaisseau spatial, monter, monter très haut dans le ciel, jusqu'à la lune ou faire le tour de la terre, ou aller plus loin que les étoiles. Mais ma maison aurait l'air si loin là-bas tout en bas. Non, non, je ne pourrais pas partir.*

17 Situer dans le temps

Steve When did you two meet?
Brad It was in 1996 during our Easter vacation.
Zohra No, we met in 1997, but you're right, it was at Easter.
Brad Not at all. It was when I was doing my law degree.
Zohra No, you had already passed your degree and I was still working as a teacher. So we've known each other for three years.
Brad No, we've known each other since 1997.
Zohra But that was three years ago! On a Saturday to be precise, on April 10th. Anyway, we've been together for quite a while.
Brad And we're planning to stay together for a long time, aren't we?
Zohra Till the end of time!!

@ www.bescherelle.com

['hɒlɪdeɪz]	[lɔː]	[dɪ'griː]	['sætədeɪ]	['eɪprɪl]
holidays	law	degree	Saturday	April

Dater un événement

I met him at the end of 2004 (two thousand and four), at Christmas in fact, married him in January 2005 (two thousand and five) and got a divorce three months later.

Je l'ai rencontré fin 2004, en fait à Noël, je l'ai épousé en janvier 2005 et j'ai divorcé trois mois plus tard.

We met on a Wednesday, on May 27 (twenty-seventh).

Nous nous sommes rencontrés un mercredi, le 27 mai.

Queen Victoria was born in 1819 (eighteen nineteen) and died in 1901 (nineteen oh one), that is, she lived in the nineteenth and twentieth centuries.

La reine Victoria est née en 1819 et est morte en 1901, c'est-à-dire qu'elle a vécu aux XIXe et XXe siècles.

This country has been independent since 1961 (nineteen sixty-one), that is, for some fifty years.

Ce pays est indépendant depuis 1961, c'est-à-dire depuis quelque cinquante ans.

Situer un événement dans la journée

I'll see you at eight, that is, in three hours.

On se voit à 8 heures, c'est-à-dire dans trois heures.

The concert starts in twenty minutes. We'll never be on time.

Le concert débute dans vingt minutes. On n'arrivera jamais à l'heure.

It took me five hours to write this essay.

Il m'a fallu cinq heures pour écrire cette dissertation.

& Notez bien

- Attention à l'emploi des temps avec **since** et **for** : on utilise très souvent le **present perfect** (de préférence avec **be** + V-**ing**), que l'on traduit par un présent en français.

  I have been teaching since January/for ten months.

  J'enseigne depuis janvier/depuis 10 mois.
- Ne plus se traduit à l'aide de **no longer** ou de **not any more**.

  I don't eat meat any more. *ou* **I no longer eat meat.**

  Je ne mange plus de viande.

Lexique

On **+ jour de la semaine/ date**

on a Wednesday/on May 27/on weekends

mais

at weekends (GB)

le week-end

At **+ heure/+ nom de fête**

at nine/at Christmas/at Easter

à 9 heures/à Noël/à Pâques

By **+ heure/date : « pas plus tard que »**

You should be at the airport by seven.

Il faudrait que tu sois à l'aéroport avant 7 heures.

In **+ mois/saisons, années/siècles + moment de la journée + période de temps**

in June/spring/1999 (nineteen nighty-nine)/in the nineteenth century

en juin/au printemps/en 1999/au XIXe siècle

in the morning/ afternoon/evening

le matin/l'après-midi/ le soir

mais

at night

le soir ou la nuit

in two days/in four months/in four months' time

dans deux jours/dans quatre mois

From... to... **: « de... à... »**

I work from nine to *ou* **till five.**

Je travaille de neuf heures à dix-sept heures.

Since **+ date/moment précis dans le temps**

I have lived (I have been living) here since 2006/ since my divorce.

I have lived (I have been living) here since I got divorced.

J'habite ici depuis 2006/ depuis mon divorce ou depuis que j'ai divorcé.

Lexique

For + durée déterminée (souvent chiffrée)
I have lived here for two years.
J'habite ici depuis deux ans.

Bake it for forty minutes.
Faire cuire pendant quarante minutes.

During + période de temps à l'intérieur de laquelle on se situe
during the war/my holidays/my childhood
pendant la guerre/mes vacances/mon enfance

Traduction du texte p. 262

Steve *Quand vous êtes-vous rencontrés tous les deux ?* / **Brad** *C'était en 1996, pendant les vacances de Pâques.* / **Zohra** *Non, on s'est rencontrés en 1997, mais c'était bien à Pâques.* / **Brad** *Pas du tout. C'était l'année où je préparais ma licence de droit.* / **Zohra** *Mais non, tu avais déjà ta licence, et moi j'enseignais encore. Donc ça fait trois ans qu'on se connaît.* / **Brad** *Non, on se connaît depuis 1997 !* / **Zohra** *Eh bien ! Ça fait exactement trois ans. C'était un samedi, pour être précis, le 10 avril. De toute façon, on est ensemble depuis un bon moment.* / **Brad** *Et on a l'intention de rester ensemble longtemps, n'est-ce pas ?* / **Zohra** *Jusqu'à la fin du monde !!*

18 Parler du temps qui passe

Mr Graft Listen my son, there's one thing you should know about life: time is money and there's plenty of it. There are ten centuries in a millennium, a hundred years in a century, ten years in a decade, fifty two weeks in a year, twelve months in a year, thirty or thirty one days in a month, two weeks in a fortnight, seven days in a week, twenty four hours in a day, sixty minutes in an hour, sixty seconds in a minute, and every single second counts. That's why I'm opening a bank account for you.

@ www.bescherelle.com

['mʌni]	['sentʃəriz]	['fɔːtnaɪt]	['aʊəz]	['sekəndz]
money	centuries	fortnight	hours	seconds

Dire qu'on est à l'heure ou en retard

I'm the kind of person who likes to be on time for things.
Je suis le genre de personne qui aime être à l'heure.
I'm never late. *Je ne suis jamais en retard.*
I arrived an hour later.
Je suis arrivé(e) avec une heure de retard.

Exprimer le temps qui passe

As time goes by life becomes more and more enjoyable.
Avec le temps, la vie devient de plus en plus agréable.
For me time flies so fast that I keep postponing things I have to do.
Pour moi, le temps passe si vite que je remets constamment à plus tard ce que je dois faire.
It's depressing to have so little time on one's hands.
C'est déprimant d'avoir si peu de temps devant soi.

Lexique

Verbes et expressions

be delayed
être retardé(e)
delay sb, sth
retarder qqn, qqch.
without delay
sans délai
How time flies!
Comme le temps passe vite !

Noms

a calendar
un calendrier

Jours de la semaine

Monday, Tuesday, Wednesday, Thursday, Friday, Saturday, Sunday

Mois

January, February, March, April, May, June, July, August, September, October, November, December

Adjectifs

current
actuel
occasional
occasionnel
permanent
permanent
previous
précédent
temporary
temporaire
timeless
éternel

→ p. 202 (Le temps, la mesure du temps)

Traduction du texte p. 264

M. Graft Écoute, mon fils, il y a une chose que tu devrais savoir sur la vie : le temps, c'est de l'argent et il y en a à la pelle. Il y a 10 siècles dans un millénaire, 100 ans dans un siècle, 10 ans dans une décennie, 52 semaines dans un an, 12 mois dans un an, 30 ou 31 jours dans un mois, 2 semaines dans une quinzaine, 7 jours dans une semaine, 24 heures dans un jour, 60 minutes dans une heure, 60 secondes dans une minute, et chaque seconde compte. C'est pourquoi je vais t'ouvrir un compte en banque.

19 Parler de l'âge

Camilla Grandma, how old are you?
Grandma Don't you know you're not supposed to ask a lady her age?
Camilla You must be at least seventy.
Grandma No, my child. I'm still in my sixties. I'm sixty-eight years young if you want to know.
Camilla You call that young?
Grandma It's just a phrase adults use as a joke. But you clearly didn't get it. You're too young to understand these things. Anyway, what would you like to do when you're my age?
Camilla Probably go on a diet or have a face-lift.

@ www.bescherelle.com

['grænmɑː]	[sə'pəʊzd]	['sevənti]	['ædʌlts]	['prɒbəbli]
Grandma	supposed	seventy	adults	probably

Dire son âge

I'm 25 (twenty-five) *ou* **I'm 25 years old. I'll be 26 (twenty-six) next week.**
J'ai 25 ans. J'aurai 26 ans la semaine prochaine.
I was born in 1999 (nineteen nighty-nine)/on May 27 (twenty-seventh) 1999.
Je suis né(e) en 1999, le 27 mai 1999.
I may be old but I feel young.
Je suis peut-être âgé(e) mais je me sens jeune.
When I'm your age I'll be a pilot. *Je serai pilote quand j'aurai ton âge.*
You don't look your age (at all). *Tu ne fais pas (du tout) ton âge.*

Exprimer une classe d'âge

Over 18s (eighteens) only. *Les moins de 18 ans ne sont pas admis.*
Under-fifteens are not admitted.
Les moins de 15 ans ne sont pas admis.
Seventy-year-olds have so much to teach us.
Les personnes de 70 ans ont tellement à nous apprendre.

Exprimer un âge approximatif

He is in his twenties/thirties/forties/fifties...
Il a la vingtaine/trentaine/quarantaine/cinquantaine...
He's about 42 (forty-two) *ou* **in his early forties.**
Il a environ 42 ans/un peu plus de 40 ans.
He's in his mid/late forties.
Il a environ 45 ans/pas loin de 50 ans.
Al is in his teens. *ou* **Al is an adolescent/a teenager.**
Al est un adolescent.

& Notez bien

- Le nom **year** ne prend pas de **s** quand il est employé comme adjectif.
  a ten-year-old girl *une fille de dix ans*
  Thirty-eight-year-old Garry Lachson has won the tournament.
  Garry Lachson, 38 ans, a remporté le tournoi.

Lexique

Verbes et expressions
be tall for one's age
être grand(e) pour son âge
be the same age
avoir le même âge
be *ou* **become of age**
être, devenir majeur
at the age of ninety-two
à l'âge de 92 ans
by the age of five
dès l'âge de 5 ans

Adjectifs
mature
mûr
middle-aged
d'âge mûr
old-fashioned
vieux-jeu
youthful
juvénile *ou* *jeune d'apparence*

Traduction du texte p. 266
Camilla Quel âge as-tu grand-mère? / **Grand-mère** Tu devrais savoir qu'on n'est pas censé demander son âge à une dame. / **Camilla** Tu dois avoir au moins soixante-dix ans. / **Grand-mère** Non, mon petit. J'ai encore la soixantaine. Je suis jeune de soixante-huit printemps, si tu veux savoir. / **Camilla** Tu appelles ça jeune? / **Grand-mère** C'est juste une expression que les adultes emploient pour plaisanter. De toute évidence, tu ne l'as pas comprise. Tu es trop jeune pour saisir ce genre de choses. Mais, dis-moi, qu'est-ce que tu aimerais faire quand tu auras mon âge? / **Camilla** Sans doute me mettre au régime, ou me faire faire un lifting.

20 Dire l'heure

Mike Roy Hello, everybody! This is L.A. Radio. I'm Mike Roy. It's six thirty. Time to get up and get ready for a new day. At seven o'clock we'll listen to the world news with Kate Bushhouse. Then at seven forty-five we'll go to our studio in San Francisco for an interview with the new mayor. Then we'll listen to great music from eight to one p.m. with a break every twenty minutes to tell you what's going on in L.A. and the world. There'll be no program from one to five due to technical problems, but we'll be on the air again shortly after five this afternoon with Jimmy Wintertown for an update on the latest news. More music this evening from six fifteen. And now a forty-five second commercial break. Stay tuned to the best radio ever!

@ www.bescherelle.com

['evrɪbɒdi]	[el'eɪ]	[wɜːld]	['stjuːdiəʊ]	['ɪntəvjuː]
everybody	L.A.	world	studio	interview

Demander ou donner l'heure

What time is it? *ou* **What's the time?** *ou* **What time do you make it?** *ou* **Have you got the time?**
Vous avez l'heure ?

Après l'heure

07:05 It's five past seven. *Il est sept heures cinq.*
07:25 It's twenty-five past seven. *Il est sept heures vingt-cinq.*
07:30 It's half past seven. *ou* **It's seven thirty.** *Il est sept heures et demie.*
19:05 It's five past seven (p.m.).
Il est sept heures cinq./dix-neuf heures cinq.

Avant l'heure

07:40 It's twenty to eight. *Il est huit heures moins vingt.*
07:51 It's nine minutes to eight. *Il est huit heures moins neuf.*
19:40 It's twenty to eight (p.m.). *Il est dix-neuf heures quarante.*

☞ Une nouvelle façon de dire l'heure

- Sous l'influence des montres digitales, les anglophones disent de plus en plus :
  seven oh five (7:05) seven twenty (7:20)
  seven fifteen (19:15) seven thirty (19:30)

Dire l'heure sans les minutes

En général

It's ten/ten o'clock (sharp). *Il est dix heures (exactement).*
It's twelve (a.m.). *ou* **It's midday/noon.** *Il est midi.*
It's twelve (p.m.). *ou* **It's midnight.** *Il est minuit.*

De manière plus précise

I met her at ten in the morning/three in the afternoon
Je l'ai rencontrée à 10 heures du matin/3 heures de l'après-midi/15 heures.
I met her at eight in the evening.
Je l'ai rencontrée à 8 heures du soir/à 20 heures.

& Notez bien

- *À quelle heure (est le train) ?* se dit **What time (does the train leave)? At what time does the train leave?** est moins fréquent.
- **a.m. (ante meridiem)** et **p.m. (post meridiem)**

Pour donner les horaires dans l'administration ou la presse (programmes), on emploie **a.m.** *(avant midi)* et **p.m.** *(après midi)*.

Don't miss our new serial at 7:15 p.m (seven fifteen p.m.).
Ne manquez pas notre nouveau feuilleton à 19 h 15.

Les Américains utilisent **a.m.** et **p.m.** dans les aéroports et les gares. Les Britanniques emploient officiellement le système de 24 heures, mais, au quotidien, le monde anglophone utilise le système de 12 heures.

There's a flight to Glasgow at 10:05 (ten oh five); another one at 14:35 (fourteen thirty-five) and the last one takes off at 21:10 (twenty-one ten).
Il y a un avion pour Glasgow à 10 h 05, un autre à 14 h 35 et un dernier à 21 h 10.

L'heure utilisée comme adjectif

Don't miss the nine o'clock news.
Ne ratez pas les informations de 21 heures.
I missed the three-twenty bus.
J'ai raté le bus de 15 h 20.

Lexique

Verbes et expressions

ask sb the time *ou* **ask sb what time it is**
demander l'heure à qqn

It's ten o'clock local time.
Il est 10 heures, heure locale.

It's ten o'clock New York time.
Il est dix heures, heure de New York.

Traduction du texte p. 268

Mike Roy Bonjour tout le monde ! Vous êtes sur Radio L.A. Je suis Mike Roy. Il est 6 h 30. C'est l'heure de se lever et de se préparer pour une nouvelle journée. À 7 h, nous entendrons les nouvelles du monde avec Kate Bushhouse. Puis, à 7 h 45 nous rejoindrons notre studio de San Francisco pour entendre une interview du nouveau maire. Puis, nous écouterons de la super musique de 8 h à 13 h, avec une pause toutes les 20 minutes pour vous tenir au courant de ce qui se passe à Los Angeles et dans le monde. Il y aura une interruption de programme de 13 h à 17 h, en raison de problèmes techniques, mais nous serons à nouveau à l'antenne dans la soirée, peu après 17 h. Jimmy Wintertown sera là pour faire le point sur les dernières nouvelles. Il y aura encore de la musique ce soir à partir de 18 h 15. Et maintenant 45 secondes de pause publicitaire. Restez avec nous sur la meilleure radio de tous les temps !

21 Parler d'un événement passé

Andy I woke up early this morning and thought I would put on my yellow trousers and my red shirt. I looked great, even though Mother didn't like it at all. Father didn't say a word as usual. He told me to be a good boy, whatever that means! I then took the bus to school and arrived late but it wasn't my fault. It's just that the engine broke down after the driver slowed down to avoid a cat. It probably knew all drivers would do that.

@ www.bescherelle.com

[wəʊk]	['jeləʊ]	['traʊzəz]	[wɒt'evə]	['endʒɪn]
woke	yellow	trousers	whatever	engine

Renvoyer à un événement daté

I saw them on Monday. *Je les ai vus lundi.*
He died in 1995 (nineteen ninety-five).
Il est mort en 1995.

What did you do yesterday? – Oh, I didn't have a minute to myself. I went to work at nine, had a one-hour lunch break, went shopping from five to seven. Then we decided to go to the cinema. We had dinner at eleven and got home at one!

Qu'avez-vous fait hier ? – Je n'ai pas eu une minute à moi. Je suis allé(e) travailler à 9 heures, j'ai eu une heure pour déjeuner, je suis allé(e) faire des courses de 5 à 7. Après nous avons décidé d'aller au cinéma. Nous avons dîné à 11 heures et sommes rentrés à 1 heure du matin !

& Notez bien

- Le prétérit s'emploie pour renvoyer à un événement complètement terminé, sans rapport avec le présent. Les indications temporelles **(yesterday**, **in 1998 [nineteen ninety-eight]**, **a long time ago…)** exigent l'emploi du prétérit. C'est la forme par excellence du récit, même à l'oral.
- Attention à ne pas confondre :

  I *worked* for four hours.
  J'ai travaillé pendant quatre heures.
  I'*ve worked* *(ou* ***have been working****)* **for four hours.**
  Je travaille depuis quatre heures.

Décrire un événement qui se déroule dans le passé

I was already cooking when the postman arrived.
J'étais déjà en train de faire la cuisine quand le facteur est arrivé.
What were you doing this time yesterday? – I was reading a history book.
Que faisiez-vous hier à cette heure ? – Je lisais un livre d'histoire.

Insister sur le caractère révolu d'un événement

I used to enjoy going to parties but I no longer do.
Avant j'aimais bien aller à des fêtes, mais plus maintenant.
I don't speak German any more *ou* **I no longer speak German** *ou* **I don't speak German any longer.**
Je ne parle plus allemand.
I stopped reading poetry when I left school. And yet I really loved it.
J'ai arrêté de lire de la poésie quand j'ai quitté l'école. Et pourtant, j'aimais beaucoup ça.

Créer un lien entre deux moments du passé

Shirley died in 1998 (nineteen ninety-eight). She had led a very rich life.

Shirley est morte en 1998. Elle avait mené une vie très riche.

I had been playing tennis for ten minutes when they decided to close the court.

Je jouais au tennis depuis dix minutes quand ils ont décidé de fermer le court.

& Notez bien

■ **For** ou **since** précédés de **had been** + V-**ing** équivalent à depuis avec l'imparfait.

Lexique

Adverbes

for a long time
pendant longtemps
formerly *ou* **in the old days**
autrefois
in the past
dans le temps
in those days
en ce temps-là
long ago *ou* **a long time ago**
il y a longtemps
previously
avant ou antérieurement
lately *ou* **recently**
dernièrement ou récemment
yesterday
hier

Traduction du texte p. 270

Andy *Je me suis réveillé tôt ce matin et j'ai décidé de mettre mon pantalon jaune et une chemise rouge. Ça m'allait vraiment bien, même si ma mère n'était pas du tout d'accord. Mon père n'a rien dit comme d'habitude. Il m'a dit d'être sage, comme si ça voulait dire quelque chose. Puis j'ai pris le bus pour l'école et je suis arrivé en retard, mais ce n'était pas (de) ma faute. Le bus est tout simplement tombé en panne quand le chauffeur a voulu ralentir pour éviter un chat, qui savait sans doute que tout chauffeur qui se respecte en ferait autant.*

22 Rattacher un événement passé au présent

A TV commercial with Brenda, eighteen, and Doctor Gillian, from Bristol...
Brenda I have really tried hard. I have done a lot of sport. I have been careful with my food. I have listened to my doctor's advice. I have avoided cakes. I have been positive. I have made an effort. But look at me now: I'm tired, depressed and I've only lost one pound!
Dr Gillian Yes, but have you tried our SUPERSLIM tablets? It's a new formula. It works wonders.
Brenda No, I haven't but I will! I'm feeling better already! Thank you, Doctor!

@ www.bescherelle.com

['pɒzɪtɪv]	['efət]	[dɪ'prest]	['fɔːmjʊlə]	['wʌndəz]
positive	effort	depressed	formula	wonders

Exprimer un résultat présent

You've dyed your hair! You look good!
Tu t'es teint les cheveux ! Ça te va bien !
I've finished my homework. Can I go out now?
J'ai fini mes devoirs. Je peux sortir maintenant ?
I've prepared dinner. We can eat now.
J'ai préparé le dîner. Nous pouvons passer à table.

Montrer les traces d'une action passée

Look! It's been raining!
Tiens, il a plu !
Somebody's been smoking in here!
Quelqu'un a fumé ici !
You've been drinking! I can smell it.
Toi, tu as bu. Je le sens.

Montrer qu'un événement se prolonge maintenant

I've lived (I have been living) here since 2007 (two thousand and seven)/for two years.
J'habite ici depuis 2007/depuis deux ans.
He's been playing cards for two hours now!
Ça fait deux heures qu'il joue aux cartes!
It's been pouring for three days/since Monday!
Il pleut à verse depuis trois jours/depuis lundi!

& Notez bien

- Pour décrire un résultat présent, on emploie le **present perfect** simple (**have** + participe passé.)
- Pour montrer qu'un événement passé a laissé des traces dans le présent, on utilise le **present perfect** en **be** + V-**ing** (**have been** + V-**ing**).
- Pour signaler qu'un événement se prolonge au moment présent, on emploie le **present perfect** en **be** + V-**ing** avec **for** ou **since** (depuis). Remarquez que dans ce cas le verbe se traduit par un présent en français.

Traduction du texte p. 273
Une pub à la télévision avec Brenda, 18 ans, et le docteur Gillian de Bristol... / **Brenda** *J'ai fait ce que j'ai pu. J'ai fait beaucoup de sport. J'ai fait attention à ce que je mangeais. J'ai écouté les conseils de mon médecin. J'ai évité les gâteaux. J'ai été positive. J'ai fait des efforts. Et pourtant, regardez-moi : je suis fatiguée, au bord de la déprime, et je n'ai perdu que 500 grammes!* / **Dr G.** Oui, mais avez-vous essayé nos comprimés SUPERSLIM? C'est une nouvelle formule. Les résultats sont fabuleux. / **Brenda** Non, mais je vais les essayer! Je me sens déjà mieux! Merci.

23 Situer un événement dans le présent

Mother You know what young people are like these days. They want everything there is. They refuse to work. They just want to enjoy life without paying the price for it. Nowadays it's all play and no work.
Daughter Mother, what did you do when you were young?
Mother I was the best cheerleader in my college, why?

@ www.bescherelle.com

['evrɪθɪŋ]	[rɪ'fju:z]	[ɪn'dʒɔɪ]	['naʊədeɪz]	['kɒlɪdʒ]
everything	refuse	enjoy	nowadays	college

Parler d'un événement présent

I'm French but I'm living in New York at the moment.
Je suis français mais j'habite New York en ce moment.
I'm coming in from London, not from Berlin.
J'arrive de Londres, pas de Berlin.
Clov remains silent a moment, then goes out. He comes back immediately and goes to the window. [indications scéniques]
Clov garde le silence pendant un instant, puis sort. Il revient immédiatement et va vers la fenêtre.

Énoncer une généralité ou une habitude

I live in New York.
J'habite New York.
I come from London.
Je viens de Londres. ou *Je suis londonien.*
Invariably, Easter falls in March or April!
Pâques tombe immanquablement en mars ou *en avril !*
I go to York every weekend.
Je vais à York tous les week-ends.

& Notez bien

■ On emploie le présent simple :

– Pour énoncer des vérités générales ou des habitudes. Comparez :

The Thames *runs* through London.
La Tamise coule à Londres.

The Thames *is running* through London!
Tiens ! La Tamise coule à Londres ! (**is running** supposerait que la Tamise ne coule pas habituellement à Londres.)

– Pour décrire sans commentaire quelque chose que l'on a sous les yeux (une image, un tableau, une scène).

Gaucho passes the ball to Fernandez who scores!
Gaucho passe la balle à Fernandez, qui marque !

– Pour décrire un sentiment présent.

I feel lonely.
Je me sens seul(e).

– Pour décrire un état présent.

He looks like his father.
Il ressemble à son père.

■ On emploie le présent en **be** + V-**ing** lorsque l'événement est perçu à un moment de son déroulement.

Look, she's climbing the rope!
Regarde, elle grimpe à la corde !

Certains verbes sont peu compatibles avec cette perception en déroulement **(agree, belong, cost, depend, exist, hear, know, own, remember, seem...)**.

Lexique

Adverbes

as usual, usually
comme d'habitude

at once, immediately, straightaway
tout de suite, immédiatement

at the moment, at the present time
en ce moment

currently, for the time being
actuellement, pour l'instant

from now on
dorénavant, à partir de maintenant

nowadays, these days
de nos jours

up to now, until now, so far
jusqu'à présent

today
aujourd'hui

tonight
ce soir

Traduction du texte p. 275

La mère Tu sais comment sont les jeunes aujourd'hui. Ils veulent tout avoir. Ils refusent de travailler. Tout ce qu'ils veulent, c'est profiter de la vie sans avoir à en payer le prix. De nos jours, c'est : « On s'amuse et on ne fait rien. » / *La fille* Maman, qu'est-ce que tu faisais quand tu étais jeune ? / *La mère* J'étais la meilleure pom-pom girl de mon université. Pourquoi ?

24 Situer un événement dans l'avenir

Mr Dexter What will you do when you're grown up?
Teddy When I'm old I'll be the richest man in the world. I'll help people in need and I'll protect all the poor animals dying of hunger. And I'll be strong enough to destroy the whole world if I wanted to.
Mr Dexter (Aside...) We all started this way and look where we are now.

@ www.bescherelle.com

[wɜːld]	[ˈpiːpəl]	[ˈænɪməlz]	[ɪˈnʌf]	[ˈstɑːtɪd]
world	people	animals	enough	started

Situer dans un avenir proche

How pale she is! She's going to faint!
Comme elle est pâle ! Elle va s'évanouir !
We're leaving this afternoon.
Nous partons cet après-midi.
The train leaves at 5:30 (five thirty).
Le train part à 5 h 30.
The hurricane is about to hit the island.
L'ouragan va bientôt frapper l'île.
We are to meet at six.
Nous devons nous rencontrer à six heures.
Tomorrow will see a lot of sun.
Il y aura beaucoup de soleil demain.

Situer dans un avenir plus lointain

I'm getting married next month. *Je me marie le mois prochain.*
I'll be a father when I next see you. *Je serai papa quand je te reverrai.*
He's going to be a dentist when he grows up.
Il sera dentiste quand il sera grand.

& Notez bien

- Pour renvoyer à l'avenir, on peut employer **will ('ll)** à toutes les personnes. **Will** permet une projection dans l'avenir.
- On peut aussi utiliser :

– le présent en **be** + V-**ing** pour un projet personnel ;
– le présent simple (information brute, comme dans un horaire ou un programme) ;
– **be going to** (prédiction s'appuyant sur des indices présents ou intention) ;
– **be about to** (imminence de l'action) ;
– **be to** (engagement pris, fait convenu).

- Attention ! Après **when**, on n'utilise pas **will**.

When I'm old I'll be a famous painter!
Quand je serai grand, je serai un peintre célèbre !

Lexique

Adverbes

by the end of the month
d'ici la fin du mois
in a (little) while *ou* **in a moment**
dans un moment
in the short/long term *à court/long terme*
in the near/remote future
dans un avenir proche/lointain
later *ou* **afterwards**
après
soon, sooner or later
bientôt, tôt ou tard
later (on) *plus tard*
next time
la prochaine fois
tomorrow, the day after tomorrow
demain, après-demain
within three years
d'ici trois ans

→ p. 202 (Le temps, la mesure du temps)

Traduction du texte p. 277

M. Dexter Qu'est-ce que tu feras quand tu seras grand ? / Teddy Quand je serai grand, je serai l'homme le plus riche du monde. J'aiderai les gens dans le besoin et je protégerai tous les pauvres animaux qui meurent de faim. Et je serai assez fort pour détruire le monde si j'en ai envie. / M. Dexter (En aparté.) On a tous commencé comme ça et voilà où on en est.

25 Se souvenir

Mrs Truro You remember, Melvin, that Mr Embers we met at the Oliviers'? He used to publish poetry for a famous magazine. I forgot which one, but it was a big one. They even published poetry by, er... I forget the name, Yest, or Yeat or some such name*. I wish I could remember the poem I memorized as a child. I think I still know it. Hush. Let me see. Oh, yes, I have it. It's about the passing of time. It goes:
'An aged man is but a paltry thing,
A tattered coat upon a stick.'

@ www.bescherelle.com

** Il s'agit de W.B. Yeats, poète irlandais (1865-1939), auteur des deux vers ci-dessus.*

[rɪˈmembə]	[ˈpəʊətri]	[ˈmægəziːn]	[ˈmeməraɪzd]	[hʌʃ]	[ˈeɪdʒɪd]
remember	poetry	magazine	memorized	hush	aged

Dire qu'on se souvient

It reminds me of Louise. *ou* **It makes me think of Louise.**
Cela me rappelle Louise.
It rings a bell.
Ça me rappelle quelque chose.
It brings to mind the time when...
Cela me rappelle l'époque où...
It's coming back to me now.
Ça me revient maintenant.
As far as I can remember...
Pour autant que je m'en souvienne...

Dire qu'on a oublié

I can't remember his name. *Je ne me souviens pas de son nom.*
I keep forgetting her birthday. *J'oublie toujours son anniversaire.*
My mind has gone blank. *J'ai un trou de mémoire.*
It slipped my mind. *Ça m'était complètement sorti de la tête.*

& Notez bien

- Attention à ne pas confondre **remember + to** + verbe (*ne pas oublier de faire qqch.*) et **remember** + **V-ing** (*se souvenir d'avoir fait qqch.*).

  I must remember to empty the dustbin before I leave.
  Je ne dois pas oublier de vider la poubelle avant de partir.
  I remember handing you the keys.
  Je me souviens de t'avoir passé les clés.

- Attention à ne pas confondre **remember sth** (*se souvenir de qqch.*) et **remind sb of sth** (*rappeler qqch. à qqn*).

  I'll remind Tracey/her of it.
  Je le rappellerai à Tracey./Je le lui rappellerai.
  It reminds me of my school days.
  Ça me rappelle quand j'étais à l'école.

Lexique

Verbes et expressions

have a memory like a sieve
avoir la tête comme une passoire

→ p. 32 (Se souvenir)

memorize sth
mémoriser qqch.

think back to the past
se rappeler le passé

Proverbe

Out of sight, out of mind.
Loin des yeux, loin du cœur.

Traduction du texte p. 279

Mme Truro *Tu te souviens, Melvin, de ce M. Embers que nous avons rencontré chez les Olivier ? À l'époque, il publiait des poèmes dans une revue connue. J'ai oublié laquelle mais c'était une revue importante. Elle publiait même des poèmes de... heu... j'ai oublié son nom. Yest ou Yeat, ou quelque chose comme ça. J'aimerais me souvenir du poème que je savais par cœur quand j'étais enfant. Je crois que je le sais toujours. Chut, laisse-moi le retrouver. Ça y est, je l'ai. C'est à propos du temps qui passe. Ça dit : / « Un vieillard n'est que piètre chose. Quelques haillons sur un bâton. »*

26 Exprimer la durée

Mrs Bland How often do I have to tell you not to serve wine in the green glasses?
Mr Bland More often than necessary. I've heard it thousands of times. You keep telling me off whenever we have guests. That's been going on for twenty years, ever since I agreed to marry you.
Mrs Bland So from time to time you remember we got married twenty years ago?
Mr Bland I remember it every single day of my life!
Mrs Bland Yes, twenty years ago to the day.
Mr Bland (Confused...) I'm ever so sorry, darling.
I'm always forgetting our wedding anniversary.

@ www.bescherelle.com

['nesəsəri]	[rɪ'membə]	[ə'gəʊ]	[fə'getɪŋ]	[ænɪ'vɜːsəri]
necessary	remember	ago	forgetting	anniversary

Dire combien de temps dure quelque chose

How long will you stay here?
Combien de temps resterez-vous ici ?
How long are you here for? – We are here for two months.
Vous êtes ici pour combien de temps ? – Nous sommes ici pour deux mois.
How long are you going to talk?
Combien de temps allez-vous parler ?
I'm going to talk for ten minutes.
Je vais parler dix minutes.

Dire depuis combien de temps dure quelque chose

How long have we been together?
On est ensemble depuis combien de temps ?
We've been together for twenty years.
Nous sommes ensemble depuis vingt ans.

How long have you been learning Spanish?
Depuis combien de temps apprenez-vous l'espagnol?
(I've been learning Spanish) for five years.
Cela fait cinq ans (que j'apprends l'espagnol).
How long is it since you last saw Steven?
Quand avez-vous vu Steven pour la dernière fois?
I last saw him four months ago.
Je l'ai vu il y a quatre mois pour la dernière fois.
How long ago did you come to this country?
Il y a combien de temps que vous êtes arrivé ici?
We came here ten years ago. Nous sommes arrivés il y a dix ans.

& Notez bien

- **How long** + présent + **for** se traduit par Pour combien de temps?

How long ago + prétérit se traduit par Il y a combien de temps?

- **For** + durée

  I have lived in London for two months/for two years/for ages.
  J'habite Londres depuis deux mois/depuis deux ans/depuis des années.

- **Since** + point de départ

  I have lived here since September 2nd/since 2006/since last year/since the war/since my parents arrived in Britain.
  Je vis ici depuis le 2 septembre/depuis 2006/depuis l'année dernière/depuis la guerre/depuis que mes parents sont arrivés en Grande-Bretagne.

Traduction du texte p. 281
Mme Terne Combien de fois faudra-t-il que je te dise de ne pas servir le vin dans les verres verts? / **M. Terne** Trop souvent. J'ai entendu ça des milliers de fois. Tu n'arrêtes pas de me faire des remarques quand on a des invités. Ça fait vingt ans que ça dure, depuis le jour où j'ai accepté de t'épouser. / **Mme Terne** Alors comme ça, de temps en temps, tu te souviens qu'il y a vingt ans qu'on s'est mariés? / **M. Terne** Je m'en souviens tous les jours de ma vie! / **Mme Terne** Eh oui, vingt ans jour pour jour. / **M. Terne** Ma chérie, je suis désolé. J'oublie toujours notre anniversaire de mariage.

27 Chiffrer

Mr Miser The temperature went down to minus 15 last night. It's now close to zero degrees. So we saved $3.45 by not turning the heater on.
Mrs Miser That's great. If we do that the whole month, it'll be 3.45 times 30 equals $103.5.
Mr Miser You're really quick at reckoning!
Mrs Miser I just love figures and high numbers.
Mr Miser Now, if we invest the $103.5 and get a 6% return, that means we'll get – I need my calculator for that – $6.21 after a year.
Mrs Miser Yes, but a fraction of it will be paid in tax. Let's say one eighth. Let me work it out: one eigth of $6.21 is $0.77. In other words, we'd get $6.21 minus $0.77 equals $5.44 per month, multiplied by 12, that's $65.28 for a whole year!
Mr Miser That's where your calculation is wrong: we can only save on heating in the winter months. But don't worry, I know lots of ways of saving money.
Mrs Miser What a relief!

@ www.bescherelle.com

['temprətʃə]	[həʊl]	['iːkwəlz]	['fɪgəz]	['mʌltɪplaɪd]	[rɪ'liːf]
temperature	whole	equals	figures	multiplied	relief

Les chiffres

100: a/one hundred
1,000: a/one thousand
1,000,000: a/one million
300: three hundred
450: four hundred and fifty
1,005: a/one thousand and five
80,258: eighty thousand two hundred and fifty-eight

→ p. 89 (Les nombres)

& Notez bien

■ **Dozen**, **hundred**, **thousand** et **million** sont invariables lorsqu'ils sont précédés d'un nombre ou de **a few, several**.

two dozen eggs
deux douzaines d'œufs
a few hundred men
quelques centaines d'hommes

Mais :

hundreds of birds, thousands of people, millions of dollars
des centaines d'oiseaux, des milliers de gens, des millions de dollars.

Les années

1492: fourteen hundred and ninety-two *ou* **fourteen ninety-two**
1800: eighteen hundred
Mais :
2010: two thousand and ten *ou* **twenty ten**

Les décimales

1.754: one point seven five four
1,754 : un virgule sept cent cinquante quatre

& Notez bien

■ En anglais, dans les nombres, on utilise un point là où le français emploie une virgule.

Les fractions

three quarters (3/4)
two thirds (2/3)
one and a half (1 1/2)
two and three quarters (2 3/4)
20 per cent/20% 20 pour cent

& Notez bien

■ 4 sur 20 se dit **4 out of 20**.

Dire zéro

nought [nɔːt] *ou* zero [ˈzɪərəʊ] dans un chiffre

0.02: nought point nought two *ou* **zero point zero two**
0,02 : zéro virgule zéro deux

zéro dans les mesures

3 degrees above zero *trois degrés au-dessus de zéro*

zéro : 'oh' *ou* zero ?

zéro se dit **oh** dans les numéros de téléphone, les dates ou les numéros de chambre en anglais britannique mais **zero** en anglais américain.
Call me on 01474585 : oh one four seven four five eight five
1901: nineteen oh one
room 506: five oh six

Les opérations

an addition

2 + 5 = 7 : two and *ou* **plus five is** *ou* **equals seven**

a subtraction

7 − 3 = 4 : seven minus three is *ou* **equals four**

a division

9 ÷ 3 = 3 : nine divided by three is *ou* **equals three**

a multiplication

4 × 8 = 32 : four times eight *ou* **four multiplied by eight is** *ou* **equals thirty two**

☞ Dire les dates et les noms propres

■ Dans **July 4** (*le 4 juillet*), **4 July**, **July 4th**, **4th July**, le chiffre **4** ou **4th** se lit **the fourth**.

■ **Elizabeth I** (*Élisabeth Ire*) se lit **Elizabeth the first**. **Elizabeth II** se lit **Elizabeth the second**. **World War II** (*la Seconde Guerre mondiale*) se lit **World War Two** ou **the Second World War**.

GUIDE DE COMMUNICATION

Lexique

Verbes et expressions
add x and *ou* **to y**
ajouter x à y
add up (figures)
additionner (des chiffres)
divide x by y
diviser x par y
multiply x by y
multiplier x par y
subtract x from y
soustraire *ou* ôter x de y

How much + nom singulier +?
How many + nom pluriel +?
Combien de?
How much is it?
Combien ça coûte?
eighty dollars' worth of gas
pour 80 dollars d'essence

Noms
a total
un total
a small/tiny amount/sum/number
une petite somme/un petit nombre
a large/huge amount/sum/number
une grande somme *ou* un grand nombre

→ p. 88 (Les dimensions et les quantités)

Traduction du texte p. 283

M. Avare La température est descendue jusqu'à moins 15 la nuit dernière. En ce moment elle est proche de zéro. Nous avons donc économisé 3,45 dollars en n'allumant pas le chauffage. / **Mme Avare** C'est super. Si nous faisons ça pendant tout le mois, cela fera trente fois 3,45 soit 103,5 dollars. / **M. Avare** Qu'est-ce que tu es bonne en calcul mental! / **Mme Avare** J'aime les chiffres et les nombres élevés. / **M. Avare** Maintenant, si nous plaçons ces 103,5 dollars à 6% d'intérêt, ça veut dire qu'au bout d'un an nous aurons gagné... – là, il me faut une calculette – 6,21 dollars. / **Mme Avare** Oui, mais on en paiera une partie en impôts. Disons un huitième. Attends que je calcule : un huitième de 6,21 dollars, ça fait 0,77 dollars. Je reprends : nous aurions donc 6,21 dollars moins 0,77, égale 5,44 dollars par mois, multipliés par 12, ce qui fait 65,28 dollars pour l'année! / **M. Avare** Là tes calculs sont faux : on ne peut économiser sur le chauffage que pendant les mois d'hiver. Mais ne t'en fais pas. Je connais des tas d'autres moyens d'économiser de l'argent. / **Mme Avare** Ouf, me voilà soulagée!

28 Être capable, réussir quelque chose

Two shop assistants...
Cindy I can't stand all those customers complaining all the time.
Lindsey Of course you can. You should just be slightly more polite.
Cindy I can't help it. I just can't say 'Thank you!' and 'My pleasure!' to women who can spend up to five hundred dollars on a dress. I'll never be able to afford that and they can.
Lindsey But you used to be able to be polite.
Cindy That was when I was on probation.
Lindsey In that case you could or should get another job.
Cindy No way. I just can't face having to go through interviews. I feel incapable of pretending I enjoy serving people.
Lindsey So, there's no way out.

@ www.bescherelle.com

['kʌstəməz]	['efət]	['pleʒə]	['ju:stə]	[ɪn'keɪpəbəl]
customers	effort	pleasure	used to	incapable

Être capable de

I can/can't do it as well as you can.
Je peux/Je ne peux pas le faire aussi bien que toi.
I am perfectly (in)capable of defending myself. *(sout.)*
Je suis tout à fait (in)capable de me défendre seul(e).
It's (im)possible for me to do it.
Il m'est (im)possible de le faire.
I'd like to be able to speak Chinese.
J'aimerais savoir parler chinois.
When I was a child I could swim very fast.
Quand j'étais enfant, je nageais très vite.

Réussir à

So far I haven't been able to understand him.
Jusqu'à présent, je n'ai pas réussi à le comprendre.
I ran fast, so I was able to catch the last bus.
J'ai couru vite si bien que j'ai réussi à attraper le dernier bus.
I managed to write three letters in ten minutes.
J'ai réussi à écrire trois lettres en dix minutes.
I succeeded in running that distance in under fifty seconds.
J'ai réussi à courir cette distance en moins de 50 secondes.
I'll never make it for six o'clock.
Je ne pourrai jamais y être pour 6 heures.

& Notez bien

- **Could** exprime plutôt une capacité générale dans le passé et **was/were able to** une capacité occasionnelle.
- Pour renvoyer à l'avenir, on utilise **will be able to**.
  I'll be able to come sometime next week.
  Je pourrai venir à un moment ou à un autre la semaine prochaine.

Lexique

Verbes et expressions
be (un)able to
être (in)capable de
I can cope.
Je m'en sors.
I can't cope any more.
Je n'en peux plus.
I'll manage.
Je m'en sortirai.
have the power to do sth
avoir le pouvoir de faire qqch.

Noms
competence
la compétence
know-how
le savoir-faire

Traduction du texte p. 287
Deux vendeuses dans un magasin... / **Cindy** Je ne peux pas supporter tous ces clients qui n'arrêtent pas de se plaindre. / **Lindsey** Bien sûr que si. Tu devrais simplement être plus polie. / **Cindy** Je ne peux pas. Je n'arrive pas à dire « Merci ! » et « Je vous en prie ! » à des femmes qui peuvent dépenser jusqu'à 500 dollars pour une robe. Moi, je n'en aurai jamais les moyens et elles, elles le peuvent. / **Lindsey** Mais tu savais être polie avant. / **Cindy** C'était quand j'étais à l'essai. / **Lindsey** Dans ce cas, tu pourrais ou tu devrais te trouver un autre travail. / **Cindy** Pas question. Je ne supporte pas l'idée d'avoir à passer des entretiens. Je me sens incapable de prétendre que j'aime bien servir les gens. / **Lindsey** Alors, il n'y a pas de solution !

29 Être obligé, avoir besoin de quelque chose

Dave Mother, do I have to go to school this morning?
Mother Of course you have to. That's how life works. Some have to go to school, some to work.
Dave But I don't need to go. I know enough already.
Mother Look, there's no need to argue. I want you to get up right now. You must be out of the house by eight.
Dave Mother, I was supposed to write an essay on obedience for today but I didn't.
Mother You needn't have told me about it. I bumped into your teacher yesterday. Now you'll have something to talk about: Why I felt I didn't have to obey my teacher.

@ www.bescherelle.com

['ɑːgjuː]	[sə'pəʊzd]	[ə'biːdiəns]	['jestədeɪ]	[ə'beɪ]
argue	supposed	obedience	yesterday	obey

Être obligé de faire quelque chose

I'm sorry but I have to go now. *Désolé(e), mais je dois partir maintenant.*
I need to call my dentist right now.
Je dois appeler mon dentiste tout de suite.
I'm supposed to see my boss this morning.
Je suis censé(e) voir mon patron ce matin.

Avoir besoin de faire quelque chose

I didn't have *ou* **need to write that letter.**
Je n'ai pas eu à ou pas eu besoin d'écrire cette lettre.
I needed to work to support my family.
J'avais besoin de travailler pour faire vivre ma famille.
I didn't need to report to the police.
Je n'ai pas eu à me présenter à la police.

& Notez bien

- L'obligation s'exprime à l'aide de :
  – **must** (obligation émanant de celui qui parle);
  – **have to** (obligation qui ne dépend pas de celui qui parle);
  – **must not** (interdiction);
  – **be to** (obligation moins forte, s'emploie souvent pour des enfants).
- L'absence d'obligation s'exprime à l'aide de **needn't**, **don't have to...**, **don't need to...**, **haven't got to...**

  You needn't call her.
  Ce n'est pas la peine que tu lui téléphones.
- Pour renvoyer au passé, on dit :

  You needn't have called her. *ou* **You didn't have to call her.**
  Ce n'était pas la peine de l'appeler.

Lexique

Verbes et expressions

be forced *ou* **compelled** *ou* **obliged to do sth**
être forcé ou obligé de faire qqch.
It's necessary (for her) to...
Il est nécessaire de, qu'elle...
It's necessary that they (should) go.
Il est nécessaire qu'ils partent.
It's imperative (for her) to... *ou* **that she should...**
Il est impératif qu'elle...
There's no need to do it.
Il n'est pas utile de le faire.
This computer needs repairing.
Cet ordinateur a besoin d'être réparé.
Duty calls.
Le devoir m'appelle.

Adjectifs

compulsory *ou* **obligatory**
obligatoire

Traduction du texte p. 289

Dave Maman, est-ce qu'il faut que j'aille à l'école ce matin? / Maman Bien sûr qu'il le faut. C'est la vie. Il y en a qui doivent aller en classe, d'autres au travail. / Dave Mais je n'ai pas besoin d'y aller. J'en sais déjà assez. / Maman Écoute, inutile de discuter. Je veux que tu te lèves tout de suite. Il faut que tu aies quitté la maison avant 8 heures. / Dave Maman, j'étais censé écrire une rédaction sur l'obéissance pour aujourd'hui et je ne l'ai pas faite. / Maman Tu n'avais même pas besoin de m'en parler. Hier, je suis tombée sur ton professeur. Maintenant tu auras quelque chose à dire sur le sujet : « Pourquoi j'ai pensé que je n'étais pas obligé d'obéir à mon professeur. »

30 Exprimer la conséquence ou le résultat

Bessie Honey, you're just too good to be true.
Fred And so?
Bessie Well, then you're too good for me.
Fred What's that supposed to mean?
Bessie It means that you're so good that I feel we are not made for each other. And consequently we'd better stop here.

@ www.bescherelle.com

['hʌni]	[sə'pəʊzd]	[iːtʃ'ʌðə]	['kɒnsəkwəntli]
honey	supposed	each other	consequently

Exprimer la conséquence

He's such a liar that I refuse to speak to him.
C'est un tel menteur que je refuse de lui parler.
I thought about it and then I decided to drop the idea.
J'y ai pensé et alors j'ai décidé d'y renoncer.
What will be the outcome of the strike?
Quel sera l'impact de la grève ?

Exprimer le résultat

I've spoken to her on the phone. So I'm rather happy.
Je viens de lui parler au téléphone. Je suis donc plutôt heureux.
They're so polite that it can be embarrassing.
Ils sont si polis que ça peut en être gênant.
The flight was delayed and this led to *ou* **this resulted in my being late.**
Le vol a été retardé et cela a fait que j'ai été en retard.
I have painted my bedroom blue.
J'ai repeint ma chambre en bleu.

Lexique

Verbes et expressions	Adverbes	Noms
bring sth about	**consequently**	**the aftermath of sth**
entraîner qqch.	*par conséquent*	*les conséquences de qqch.*
have as a consequence	**hence**	**an effect, a side effect**
avoir pour conséquence	*d'où*	*un effet, un effet secondaire*
lead to sth	**that being so**	**an outcome** *ou* **a result**
mener à qqch.	*puisqu'il en est ainsi*	*un résultat*
produce sth	**therefore** *ou* **that's why**	**a consequence**
produire qqch.	*c'est pourquoi*	*une conséquence*
result in sth	**thus**	
entraîner qqch.	*ainsi*	

Traduction du texte p. 291

Bessie *Chéri, tu es trop bien pour être vrai. /* **Fred** *Et alors ? /* **Bessie** *Voilà, tu es trop bien pour moi. /* **Fred** *Et qu'est-ce que ça peut bien vouloir dire ? /* **Bessie** *Ça veut dire que tu es si bien que je me rends compte que nous ne sommes pas faits l'un pour l'autre et que, par conséquent, on ferait mieux de s'arrêter là.*

31 Faire faire quelque chose

Mrs Prim My daughter, Ellen, is sharing a flat with another female student, Chris. I'm worried about her effect on Ellen. She seems to be falling more and more under Chris's influence. I think she's far too impressed with her. She can make Ellen do anything she wants. My daughter is now forced to attend all those political lectures. She's even pressurized her into joining a union! I tried to talk her out of it, but she's so easily influenced. Her friend is simply imposing her opinions on our poor Ellen. She is now made to visit poor districts to convince people to vote for that Norman Smith! What a shame! She used to be so much like us: straight and conservative.

@ www.bescherelle.com

[ɪ'fekt]	['lektʃəz]	['preʃəraɪzd]	['ɪnfluənst]	[kən'sɜːvətɪv]
effect	lectures	pressurized	influenced	conservative

Faire faire quelque chose

She makes him type her letters. *Elle lui fait taper ses lettres.*
Our boss made us work hard. *Notre patron nous a fait travailler dur.*

Forcer quelqu'un à

Joan gets *ou* **forces him to wash her dresses.**
Joan lui fait laver ses robes.
They're trying to compel me to do all their work.
Ils essaient de me forcer à faire tout leur travail.
I won't let them pressure/pressurize me into buying anything.
Ils ont beau faire pression sur moi, je n'achèterai rien.

Faire en sorte que

I tricked my neighbour into mowing my lawn!
J'ai trouvé la combine pour que mon voisin tonde mon gazon !
She stops me from watching TV.
Elle m'empêche de regarder la télévision.

& Notez bien

- Au passif, on emploie **to** après **made**.
  He is made to work overtime.
  On lui fait faire des heures supplémentaires.
- Ne confondez pas les structures **make sb** + verbe, **get sb** + **to** + verbe, **have sth** + participe passé.
  They made him work overtime.
  Ils lui ont fait faire des heures supplémentaires.
  I got him to write the letter for me. *Je lui ai fait écrire la lettre pour moi.*
  I've had my car repaired. *J'ai fait réparer ma voiture.*

Traduction du texte p. 292
Mme Guindé Ma fille Ellen partage un appartement avec une autre étudiante, Chris. Je m'inquiète de son influence sur Ellen. Ellen semble tomber de plus en plus sous la coupe de cette Chris. Je trouve qu'elle a beaucoup trop d'admiration pour cette fille. Elle peut faire faire ce qu'elle veut à Ellen. Maintenant elle oblige ma fille à assister à tous ces débats politiques. Elle a même fait pression sur elle jusqu'à ce qu'elle adhère à un syndicat ! J'ai essayé de l'en dissuader, mais elle se laisse si facilement influencer. Son amie est tout simplement en train d'imposer ses opinions à notre pauvre Ellen. En ce moment elle l'oblige à faire des tournées dans des quartiers pauvres pour convaincre les gens de voter pour ce Norman Smith ! C'est une honte ! Et dire qu'autrefois elle était tellement comme nous : si comme-il-faut et conservatrice.

32 Insister

Mrs Orton You must write to the Watsons to invite them round.
Mr Orton Do we have to?
Mrs Orton Yes, do write to them. Make sure you do it tonight.
Mr Orton Tonight? No way. We're having dinner with the McGregors.
Mrs Orton You will do it tomorrow then, won't you? It can't wait. I'm determined to have the Watsons to dinner as soon as possible. So I insist on your writing to them tomorrow.
Mr Orton Look, as we also have an invitation from the Smiths, why don't I send the Watsons the Smiths' invitation? That way we'll save two evenings.
Mrs Orton No, you won't. I'm adamant about it. Just do as I tell you. Please!

@ www.bescherelle.com

['wɒtsənz]	[dɪ'tɜːmɪnd]	[ɪn'sɪst]	[ɪnvɪ'teɪʃən]	['ædəmənt]
Watsons	determined	insist	invitation	adamant

Dire quelque chose en insistant

You must come and see us. *Il faut absolument que vous veniez nous voir.*
You *will* come again, won't you? *Tu reviendras nous voir, d'accord?*
By all means, do tell us what happened.
Je vous en prie, racontez-nous ce qui s'est passé.
I *did* try but it didn't work! *Mais si, j'ai essayé, mais ça n'a pas marché!*
I said 'no' and that's it! Period! (US) **Full stop!** (GB)
J'ai dit « non », un point, c'est tout!

Dire qu'on est bien décidé

I'm determined to visit New York this year.
Je suis bien décidé(e) à voir New York cette année.
I really *ou* **absolutely want to go to that show.**
Je veux absolument voir ce spectacle.
That's definite! *Je ne reviendrai pas là-dessus!*

Dire qu'on insiste

I insist that you say *ou* on your saying goodbye to Grandma.

J'insiste pour que tu dises au revoir à Mamie.

If you insist. – I do insist.

Si vous insistez. – Oui, oui, j'insiste.

& Notez bien

- On insiste souvent en accentuant dans la phrase l'auxiliaire ou le modal.

  I *do* believe you're right!

  Je pense vraiment que tu as raison.

  You *must* go and see your father.

  Il faut absolument que tu ailles voir ton père.

- On peut aussi mettre en relief un élément de la phrase en l'accentuant (mot en italique).

  ***Leila* tapped John on the face. [Leila, not Brenda]**

  Leila *tapped* John on the face. [tapped, not slapped]

  Leila tapped *John* on the face. [John, not Paul]

  Leila tapped John on the *face*. [on the face, not on the shoulder]

  Leila a donné une tape sur la joue de John.

- On peut également mettre en valeur un segment à l'aide de **It is... that, who...**, comme en français avec *C'est... qui, que...*

  It was Leila who tapped John on the face.

  C'est Leila qui a donné une tape sur la joue de John.

Lexique

Verbes et expressions

demand
exiger

emphasize *ou* highlight sth
insister sur ou souligner

stress *ou* underline sth
mettre l'accent sur qqch.

lay emphasis *ou* stress on sth
insister sur qqch.

swear that...
jurer que...

Traduction du texte p. 294

Mme Orton *Il faut absolument que tu écrives aux Watson pour les inviter.* / **M. Orton** *On est vraiment obligés de le faire?* / **Mme Orton** *Oui, tu dois leur écrire. Et n'oublie pas de le faire dès ce soir.* / **M. Orton** *Ce soir? Pas question. Nous dînons avec les McGregor.* / **Mme Orton** *Eh bien, tu le feras demain, d'accord? Ça ne peut pas attendre. Je tiens absolument à ce que nous ayons les Watson à dîner dès que possible. Donc j'insiste pour que tu leur écrives demain.* / **M. Orton** *Écoute, comme nous sommes aussi invités chez les Smith, pourquoi ne pas envoyer l'invitation des Smith aux Watson? Comme ça, nous économiserons deux soirées.* / **Mme Orton** *Non, ne fais pas ça. J'y tiens. Fais ce que je te dis. S'il te plaît.*

33 Persuader ou dissuader

Mr and Mrs Ranger are watching a political speech on television...
A voice And so, my dear fellow Americans, I'm sure you're now convinced there's only one way out: vote for me!
Mrs Ranger Very good show. I'm totally convinced.
Mr Ranger What? He managed to persuade you to vote for him?
Mrs Ranger Well, he was very persuasive: he wants to abolish taxes.
Mr Ranger You should read his manifesto.
Mrs Ranger You know what? We could attend one of his meetings. They serve nice buffets.
Mr Ranger Paid for with taxpayers' money.
Mrs Ranger That way we would get some of our taxes back.
Mr Ranger You should be a politician. You've actually talked me into attending one of his meetings.

@ www.bescherelle.com

[kən'vɪnst]	[pə'sweɪd]	[pə'sweɪsɪv]	[mænɪ'festəʊ]	[pɒlə'tɪʃən]
convinced	persuade	persuasive	manifesto	politician

Persuader quelqu'un

It was you who convinced *ou* **persuaded me to study law.**
C'est vous qui m'avez convaincu d'étudier le droit.
I finally got her to give up smoking. *(fam.)*
J'ai finalement réussi à la convaincre d'arrêter de fumer.

Dissuader quelqu'un

I talked her into not *ou* **out of marrying that good-for-nothing.**
J'ai réussi à la convaincre de ne pas épouser ce bon-à-rien.
My parents discouraged me from joining that sect. *(sout.)*
Mes parents m'ont découragé(e) d'entrer dans cette secte.

Lexique

Verbes et expressions

act as a deterrent
avoir un effet dissuasif

dissuade sb from doing sth *(sout.)*
dissuader qqn de faire qqch.

influence sb
influencer qqn

talk sb into sth *ou* **into doing sth**
convaincre qqn de qqch. *ou* de faire qqch.

talk sb out of sth *ou* **out of doing sth**
dissuader qqn de qqch. *ou* de faire qqch.

Noms

a deterrent
un élément *ou* une arme de dissuasion

influence
l'influence

persuasion
la persuasion

Traduction du texte p. 296

M. et Mme Ranger regardent un discours politique à la télévision… / **Une voix** « Ainsi donc, mes chers concitoyens, je suis sûr que vous êtes maintenant convaincus qu'il n'y a qu'une façon de s'en sortir : voter pour moi ! » / **Mme Ranger** Il a très bien parlé. Je suis totalement convaincue. / **M. Ranger** Quoi ? Il a réussi à te persuader de voter pour lui ? / **Mme Ranger** Eh bien, il a été très convaincant : il veut supprimer les impôts. / **M. Ranger** Tu ferais bien de lire sa profession de foi. / **Mme Ranger** Tu sais quoi ? On pourrait aller à l'une de ses réunions électorales. Ils offrent de très bons buffets. / **M. Ranger** Payés par l'argent du contribuable. / **Mme Ranger** Ce serait une façon de récupérer un peu de nos impôts. / **M. Ranger** Toi, tu devrais faire de la politique. Tu as réussi à me convaincre d'aller à l'un de ses meetings.

34 Ordonner, interdire

Two young lovers...
She Don't talk to me, please.
He You just have to listen to me.
She I don't want to. Please, keep quiet.
He I won't. I've got so much to tell you.
She I won't have it. I'm not allowed to listen to you. My parents won't let me.
He They can't forbid me to speak to you.
She They may be here any minute now.
He Let them come. There's no way I'll let them order me around.
She All right, then. Tell me what you have to say. But be quick about it.
He But what I have to tell you will take a whole life. Can't you understand?

@ www.bescherelle.com

[kwaɪət]	[ə'laʊd]	['peərənts]	[həʊl]	[ʌndə'stænd]
quiet	allowed	parents	whole	understand

Donner un ordre à quelqu'un

Shut up. I want you to shut up. *Tais-toi. Je veux que tu te taises.*
You must *ou* **have to** *ou* **are to leave at once!** *Tu dois partir tout de suite !*
Will you stop arguing? I wish you wouldn't talk so much!
Vous voulez bien arrêter de vous disputer ? J'aimerais que vous parliez moins.
Couldn't you be quiet for a moment?
Vous ne pourriez pas vous taire deux secondes ?

& Notez bien

- L'ordre dépend souvent de l'intonation employée. **I wish you wouldn't talk so much...** peut s'interpréter soit comme une demande, soit comme un ordre selon l'intonation.
- Verbes + **to** + verbe exprimant l'ordre :
ask sb to do sth, command sb to do sth, expect sb to do sth, forbid sb to do sth, order sb to do sth, request sb to do sth, want sb to do sth

Interdire quelque chose à quelqu'un

You mustn't do that.
Vous ne devez pas faire ça.
You're never to see them again!
Tu ne dois jamais les revoir!
You may *not* use *ou* **You are not allowed to use that phone.**
Vous n'avez pas le droit d'utiliser ce téléphone.
You can't park here. *ou* **It is forbidden to park here.**
Vous n'avez pas le droit de vous garer ici. ou *Il est interdit de se garer ici.*
No dogs/bikes allowed.
Interdit aux chiens/aux vélos.

& Notez bien

- L'impératif permet d'exprimer l'ordre dans ses différentes nuances.
  Sit down, please. [poli]
  Asseyez-vous, je vous en prie.
  You sit down. [autoritaire]
  Vous, asseyez-vous.
- L'impératif négatif permet d'exprimer une interdiction.
  Don't do that!
  Ne fais pas ça!

Lexique

Verbes et expressions
not allow sb to do sth
interdire à qqn de faire qqch.
forbid sb to do sth *(sout.)*
interdire à qqn de faire qqch.
order sb around *ou* **about**
commander qqn
tell sb not to do sth
interdire à qqn de faire qqch.
It should be banned.
Cela devrait être interdit.

Adjectifs
bossy
autoritaire
prohibited *(sout.)*
interdit

Traduction du texte p. 298
Un couple de jeunes amoureux… / **Elle** S'il te plaît, ne me parle pas. / **Lui** Je veux simplement que tu m'écoutes. / **Elle** Je n'en ai pas envie. S'il te plaît, tais-toi. / **Lui** Je ne me tairai pas. J'ai tellement de choses à te dire. / **Elle** C'est non et non. Je n'ai pas la permission de t'écouter. Mes parents me l'interdisent. / **Lui** Ils ne peuvent pas m'interdire de te parler. / **Elle** Ils peuvent arriver d'une minute à l'autre. / **Lui** Eh bien, qu'ils arrivent. Je ne vais surtout pas les laisser me donner des ordres. / **Elle** Bon, d'accord. Dis-moi ce que tu as à me dire. Mais fais vite. / **Lui** Mais ce que j'ai à te dire prendra toute une vie. Tu ne comprends pas?

35 Exprimer ses goûts

Liz There's an article on Di Cappuccino in Girls' Magazine this week.
Bess Di Cappuccino? He's my favorite actor. I like him so much, I adore him, in fact I worship him.
Liz I thought you were keen on Brute Willy.
Bess No, that was last month. I've gone off him. He doesn't compare with Di Cappuccino. He's the cutest guy I've ever seen. He's the best ever. He's... out of this world.
Liz He's all right, I suppose, but you just dote on any actor that's reasonably good-looking and who makes millions of dollars through good marketing.

@ www.bescherelle.com

['ɑːtɪkəl]	[mægə'ziːn]	['feɪvrɪt]	['wɜːʃɪp]	[kəm'peə]
article	magazine	favourite	worship	compare

Dire qu'on aime, qu'on apprécie

I'm mad about you. You amaze me.
Je suis fou de toi. Tu m'épates.
There's nothing I like more than *ou* **I like nothing better than a nice cup of tea.**
Rien de tel qu'une bonne tasse de thé.
I have a passion for German food.
J'éprouve une passion pour la nourriture allemande.
I'm (really) into classical music. *(fam.)*
La musique classique, c'est mon truc.
It was such fun walking along the beach.
C'était tellement agréable de se promener le long de la plage.
I enjoy singing.
J'apprécie le chant.
Poetry really appeals to me. I like it.
J'apprécie la poésie. Ça me plaît.
It's worthwhile. This show is (definitely) worth seeing.
Ça en vaut la peine. Ce spectacle vaut (vraiment) la peine d'être vu.

Dire qu'on n'aime pas

I can't stand *ou* **can't bear cricket.** *Je ne supporte pas le cricket.*
It's not my cup of tea. *(fam.) Ce n'est pas mon truc.*
I'm not fond of *ou* **not too keen on** *ou* **not crazy about rap.**
Je n'apprécie pas trop ou Je ne suis pas un passionné de rap.
I used to love clubbing, but I've gone off it.
Avant, j'adorais sortir en boîte, mais je m'en suis lassé(e).
I hate/detest/loathe cricket.
Je déteste le cricket ou J'ai horreur du cricket.
I'd hate to live in a big city. *Je détesterais vivre dans une grande ville.*
I've gone off studying. *Je n'aime plus faire des études.*
He's put me off rock climbing for good.
Il m'a dégoûté de l'escalade pour de bon.
It's a nightmare! *C'est un cauchemar !*

Exprimer le dégoût, l'horreur

How shocking! How disgusting! *Quelle horreur !*
It's horrible! *ou* **It's terrible!** *C'est affreux !*
It was a real shock to see him naked!
Ça a été un véritable choc de le voir nu !
I realized to my horror that my car had gone.
Je me suis rendu compte avec horreur que ma voiture avait disparu.

& Notez bien

- Attention aux différentes constructions : **like** + **to** + verbe, **like** + V-**ing** (**I like to watch TV.** *ou* **I like watching TV.**) et **would like** + **to** + verbe, **enjoy** + V-**ing**.
- Il faut éviter de dire trop souvent **It's nice!** – bien que les anglophones ne s'en privent pas – et essayer d'utiliser un verbe plus précis que **be**.

It tastes nice. It looks nice. It smells good.

Lexique

Verbes et expressions
like, love, adore
aimer, aimer beaucoup, adorer
be fond of sb, sth
aimer qqn, qqch.
be interested in sth
s'intéresser à qqch.
find sth (really) gripping *ou* **impressive**
trouver qqch. palpitant ou impressionnant

Adjectifs
super/superb/fantastic/great
super/fantastique/génial
marvellous
merveilleux/extraordinaire

Traduction du texte p. 300

Liz *Il y a un article sur Di Capuccino dans le Girls' Magazine de cette semaine.* / **Bess** *Di Capuccino ? C'est mon acteur préféré. Je l'aime tellement. Je l'adore ; en fait, j'en suis folle.* / **Liz** *Je croyais que c'était Brute Willy que tu aimais bien.* / **Bess** *Non, ça c'était il y a un mois. Je m'en suis lassée. Il n'arrive pas à la cheville de Di Capuccino qui est le type le plus mignon que j'aie jamais vu. C'est le meilleur de tous les temps. Il est... extraordinaire !* / **Liz** *Il n'est pas mal, sans doute, mais toi tu t'entiches du premier acteur venu du moment qu'il n'est pas trop mal physiquement et qu'il gagne des millions de dollars à coup de publicité.*

36 Exprimer ses préférences

Nora I'm really looking forward to that exhibition on Van Gogh.

Maggie So am I. I'm dying to see it. I just love German painting. I much prefer it to French painting. There's nothing like it.

Nora Um. I think Van Gogh was Dutch, actually.

Maggie Yes, of course. Still, he's much better than all the others.

Nora And I can't wait to go to *The Marriage of Figaro*.

Maggie Oh, I didn't know he was getting married. Nobody told me.

@ www.bescherelle.com

['fɔːwəd]	[eksɪ'bɪʃən]	['dʒɜːmən]	[prɪ'fɜː]	[dʌtʃ]
forward	exhibition	German	prefer	Dutch

Exprimer ses envies

I feel like listening to something more lively.

J'ai envie d'écouter quelque chose de plus joyeux.

I'm dying to go on holiday/for a beer.

J'ai très envie de partir en vacances/d'une bière.

I'd give anything *ou* **my right arm to see them.**

Je ferais tout pour les voir.

I'm longing to see my daughter/for a week in the mountains.

J'ai très envie de voir ma fille/d'une semaine à la montagne.

Exprimer ses préférences

I prefer fiction to poetry. *ou* **I like fiction better than poetry.**
Je préfère les romans à la poésie.
I prefer walking to taking the underground (GB)**/subway** (US)**.**
Je préfère marcher plutôt que prendre le métro.
I'd (much) rather stay at home than go out.
J'aimerais (bien) mieux rester à la maison que sortir.
What I like best is staying at home with a good book. *(fam.)*
Ce que je préfère, c'est rester chez moi avec un bon livre.
That's by far my favourite hobby! *C'est de loin mon passe-temps préféré !*

& Notez bien

- On trouve soit **I prefer to do it**, soit **I prefer doing it** mais, après **I would prefer** (ou **I'd prefer**), on emploie **to** + verbe.
  I'd prefer not to remember what you said.
  Je préférerais ne pas me souvenir de ce que tu as dit.
- Après **would rather** (ou **'d rather**), on emploie l'infinitif ou le prétérit.
  I'd rather go now. [un seul sujet, **I**]
  Je préférerais partir.
  I'd rather you stopped complaining. [deux sujets, **I** et **you**]
  Je préférerais que tu arrêtes de te plaindre.

Lexique

Verbes et expressions

have a desire to do sth *ou* **for sth**
avoir envie de faire qqch. *ou* *de qqch.*
have no desire to do sth
n'avoir aucune envie de faire qqch.
It leaves much to be desired.
Ça laisse à désirer.
give sb, sth preference over...
donner la préférence à qqn, à qqch. plutôt qu'à...
That's wishful thinking.
C'est prendre ses désirs pour des réalités.

Traduction du texte p. 302
Nora Il me tarde vraiment de voir cette exposition Van Gogh. / Maggie Moi aussi. Je meurs d'envie de la voir. J'adore la peinture allemande. Je la préfère de beaucoup à la peinture française. Il n'y a rien de mieux. / Nora Euh... Je crois que Van Gogh était hollandais, en fait. / Maggie Oui, bien sûr. Ça n'empêche qu'il est bien meilleur que tous les autres. / Nora Et je suis impatiente d'aller au « Mariage de Figaro ». / Maggie Oh, je ne savais pas qu'il se mariait. Personne ne m'a rien dit.

37 Exprimer des souhaits

Mother and daughter...
Mother How I wish you'd confide in me.
Daughter Mother, I wish you'd leave me alone.
Mother I just want to help you. I'd so much like to be your friend.
Daughter And I feel like having a mother. I can have as many friends as I want but only one mother. If only you could just act like one.
Mother My dearest wish is to behave like a mother, but I don't know how to.
Daughter It can't be that difficult. I can't wait to have my own children.
Mother May you succeed where I failed.
Daughter Come on! You didn't fail. I just have high expectations, I suppose.

@ www.bescherelle.com

[kən'faɪd]	[bɪ'heɪv]	['dɪfɪkəlt]	[sək'siːd]	[ekspek'teɪʃənz]
confide	behave	difficult	succeed	expectations

Dans un contexte familier

If only they came round once in a while!
Si seulement ils venaient de temps en temps!
Wouldn't it be great to be lying on a beach?
Ça serait pas super d'être sur une plage?
I can't wait to go on holiday.
Il me tarde de partir en vacances.
Wouldn't it be great to be lying on a beach?
Ça serait pas super d'être sur une plage ?

Dans un contexte plus formel

My dearest wish is for you to be happy.
Ce que je souhaite le plus au monde, c'est que tu sois heureuse.
May you succeed where we failed!
Puissiez-vous réussir là où nous avons échoué!
I wish I were rich. *J'aimerais être riche.*

& Notez bien

- Remarquez les différentes structures après **I wish** et **If only**.

  I wish I had more time!
  J'aimerais avoir plus de temps !
  I wish I had had more time!
  J'aurais aimé avoir plus de temps !
  I wish I could have more time!
  Si seulement je pouvais avoir plus de temps !
  I wish I could have had more time!
  Si seulement j'avais pu avoir plus de temps !
  If only I had more time!
  Si seulement j'avais plus de temps !
  If only I had had more time!
  Si seulement j'avais eu plus de temps !

Traduction du texte p. 304

Mère et fille… / **La mère** *Comme je voudrais que tu te confies à moi. /* **La fille** *Maman, j'aimerais que tu me laisses tranquille. /* **La mère** *Je veux simplement t'aider. J'aimerais tant être ton amie. /* **La fille** *Mais moi, j'ai envie d'avoir une mère. Je peux avoir toutes les amies que je veux, mais je ne peux avoir qu'une seule mère. Si seulement tu pouvais te comporter comme telle. /* **La mère** *Mon vœu le plus cher est de me comporter comme une mère, seulement je ne sais pas m'y prendre. /* **La fille** *Ça ne doit pas être si difficile que ça. Il me tarde d'avoir mes propres enfants. /* **La mère** *Je te souhaite de réussir là où j'ai échoué. /* **La fille** *Allons ! Tu n'as pas échoué. C'est simplement moi qui suis trop exigeante, sans doute.*

38 Exprimer son espoir ou son désespoir

Mildred So what are your plans for the future?
Safia I'm hoping to become a top model but it's extremely competitive.
Mildred Don't give up hope. You're very good-looking, you know.
Safia Thanks, but there's very little prospect of succeeding in that line, unfortunately. My only hope is to get help from a friend of mine who's an agent.
Mildred That sounds hopeful, promising even.
Safia Well, I'm not too optimistic. I sometimes have the feeling that I'm hoping against hope.
Mildred Come on! All is not lost. Don't despair, just look at yourself: life has already given you so much. You should be grateful.

@ www.bescherelle.com

['fjuːtʃə]	[kəm'petətɪv]	[ʌn'fɔːtʃənətli]	['eɪdʒənt]	['prɒmɪsɪŋ]
future	competitive	unfortunately	agent	promising

Exprimer son espoir

I (sincerely) hope to get a letter from her soon
ou **that she'll write soon.**
J'espère (vraiment) recevoir une lettre d'elle bientôt.
I'm hopeful that he'll get over it soon.
J'ai bon espoir qu'il s'en remettra bientôt.
Hopefully it shouldn't rain too much today.
Il ne pleuvra pas trop aujourd'hui, j'espère.
We have high hopes of winning. *On a bon espoir de gagner.*

& Notez bien

■ On traduit *j'espère* par **I hope so** et *j'espère que non* par **I hope not**. **I'm hoping** est plus hésitant que **I hope**.

Exprimer son désespoir

There's little hope that he'll survive the accident *ou* **little hope of his surviving the accident.**

Il y a peu d'espoir qu'il survive à l'accident.

I'm desperate. The bride hasn't arrived yet.

Je suis désespéré. La mariée n'est toujours pas là.

There's little prospect of our succeeding.

Nous avons peu de chances de réussir.

The prospects are not very good.

Les choses se présentent assez mal.

There's no hope left.

Il n'y a plus d'espoir.

Lexique

Verbes et expressions

I'm keeping my fingers crossed.
Je croise les doigts.

be desperate to do sth
vouloir à tout prix faire qqch.

be optimistic/pessimistic about sth
être optimiste/pessimiste quant à qqch.

Don't give up hope! Don't despair!
Ne perdez pas espoir!

Adjectifs

encouraging
encourageant

Noms

despair
le désespoir

in despair
en désespoir de cause

Traduction du texte p. 306

Mildred *Alors, quels sont tes projets d'avenir? /* Safia *J'espère devenir top-model, mais la compétition est terrible. /* Mildred *Ne désespère pas. Tu es très jolie, tu sais. /* Safia *Merci, mais malheureusement, il n'y a pas beaucoup de chances de réussite dans ce métier. Mon seul espoir, c'est d'être aidée par un de mes amis qui a une agence. /* Mildred *C'est encourageant, prometteur même! /* Safia *En fait, je ne suis pas très optimiste. Parfois j'ai l'impression de me faire des illusions. /* Mildred *Allons, allons! Tout n'est pas perdu. Ne perds pas espoir, regarde-toi tout simplement : la vie t'a déjà tellement donné. Tu devrais en être reconnaissante!*

39 Dire qu'on est satisfait ou mécontent

A TV commercial...

TV ad Try our new Jutsi Car. You're sure to be satisfied! With this new car I'm glad to say that your satisfaction will be guaranteed. You'll be delighted with the design, pleased with the driving, happy with the consumption. We at Jutsi know that you'll get great satisfaction. Our new car is sure to live up to your expectations.

He That's the stupidest commercial I've ever seen. Very unsatisfactory. I've been more and more dissatisfied with commercials recently.

She Why don't you try a commercial-free channel? You'll get more satisfaction from it.

He You sound just like a commercial.

She Really? It's time to do something about it.

@ www.bescherelle.com

[sætɪsˈfækʃən]	[gærənˈtiːd]	[kənˈsʌmpʃən]	[ekspekˈteɪʃənʒ]	[kəˈmɜːʃəlz]
satisfaction	guaranteed	consumption	expectations	commercials

Dire qu'on est satisfait

I'm very pleased/happy with my new home.

Je suis très satisfait(e) de ma nouvelle maison/de mon nouvel appartement.

I'm glad we brought an umbrella.

Je suis content(e) qu'on ait pris un parapluie.

I'm delighted at the news of our team's victory.

Je suis enchanté(e) d'avoir appris que notre équipe avait gagné.

We get (great) satisfaction from our grandchildren.

Nos petits-enfants nous apportent une grande satisfaction.

It's not quite what I expected but it'll do. *(fam.)*

Ce n'est pas tout à fait ce à quoi je m'attendais, mais ça ira.

Dire qu'on est mécontent

I'm unhappy *ou* **I'm not happy with the way you handled the situation.**
Je suis mécontent(e) ou Je ne suis pas content(e) de la façon dont vous avez géré la situation.
I'm not satisfied with *ou* **I'm dissatisfied with your work.** *(sout.)*
Je ne suis pas satisfait(e) de votre travail.
I've had enough of him/of your smoking/of working all the time.
J'en ai assez de lui/que tu fumes/de travailler tout le temps.

Lexique

Verbes et expressions

appreciate sth
apprécier qqch.
be fed up with sb, sth
en avoir marre de qqn, qqch.
give sb satisfaction
donner satisfaction à qqn
make sb satisfied *ou* **happy**
rendre qqn heureux
I note with satisfaction that...
Je suis heureuse de noter que...
be content with sth *ou* **to do sth**
être content de qqch. ou de faire qqch.

Traduction du texte p. 308
Une pub à la télévision... / **Publicité** *« Essayez notre nouvelle Jutsi. Vous serez certainement satisfait ! Avec cette nouvelle voiture, je suis heureux de vous dire que votre satisfaction sera garantie. Sa ligne va vous enchanter, sa conduite sera un plaisir et vous apprécierez sa consommation de carburant. Chez Jutsi, nous savons que vous serez pleinement satisfait. Notre nouveau modèle ne manquera pas de combler toutes vos attentes. » /* **Lui** *Cette pub est la plus stupide que j'aie jamais vue. Totalement nulle. Depuis quelque temps, je trouve la publicité de moins en moins satisfaisante. /* **Elle** *Pourquoi ne pas essayer une chaîne sans publicité ? Tu y trouveras davantage de satisfaction. /* **Lui** *Tu parles exactement comme une pub. /* **Elle** *Vraiment ? Il est temps de réagir.*

40 Exprimer son indifférence

Ronnie Would you rather see *The Man-eating Rat* or *Chainsaw Massacre*?
Becky Either one is fine with me. It's up to you.
Ronnie No. It's your turn to decide.
Becky I really don't care. I'm not particularly interested in those films.
Ronnie Would you rather we didn't go?
Becky Certainly not. I love the atmosphere in cinemas and the ads.
Ronnie I don't give a damn about the atmosphere. I just want to see a film.
Becky All right, let's toss up for it: tails it's Rat, heads it's Massacre.
Ronnie Rat's tails and Massacre's heads, eh?

@ www.bescherelle.com

['tʃeɪnsɔː]	['mæsəkə]	[pə'tɪkjʊləli]	['ɪntrəstɪd]	['dæm]	['ætməsfɪə]
chainsaw	massacre	particularly	interested	damn	atmosphere

Dire qu'on aime autant

I don't mind either way. *ou* **Either way is fine with me.**
Les deux me vont.
It doesn't matter.
Peu importe.
It's all the same to me. *ou* **It makes no difference to me.**
Pour moi, c'est pareil.
Shall we speak French or English ? – Whatever.
Veux-tu qu'on parle français ou anglais ? – Peu importe.

Exprimer son indifférence

I couldn't care less. *ou* **I don't give a damn.** *(fam.)*
Ça m'est complètement égal.
It's none of my business.
Ça ne me regarde pas.
He didn't look concerned by his son's failure.
Il n'avait pas l'air de se soucier de l'échec de son fils.

& Notez bien

- Ne confondez pas **I don't care!** (*je m'en fiche!*) et **I don't mind!** (*Ça m'est égal!*).

Lexique

Verbes et expressions

be indifferent to sth
être indifférent à qqch.

be unconcerned about sth
ne pas se sentir concerné par qqch.

It's nothing to write home about.
Ça ne casse pas des briques.

Traduction du texte p. 310

Ronnie Qu'est-ce que tu préférerais voir, «Le Rat mangeur d'hommes» ou «Massacre à la tronçonneuse?» / Becky Les deux me conviennent. C'est toi qui décides. / Ronnie Non, c'est ton tour de décider. / Becky Ça m'est égal, vraiment. Ces films ne m'intéressent pas spécialement. / Ronnie Tu préfères qu'on n'y aille pas? / Becky Surtout pas. J'aime l'atmosphère d'une salle de cinéma et la publicité. / Ronnie Moi, je me fiche complètement de l'atmosphère. Ce que je veux, c'est voir un film. / Becky D'accord, on joue à pile ou face : pile c'est le Rat, face, c'est le Massacre. / Ronnie Pile de rats ou face à massacre, hein?

41 Exprimer sa surprise

A conversation between two young women...

Sue And who should I meet at my boyfriend's house? My former maths teacher of all people!
Romy The cute one? Surprise, surprise. So what did you do?
Sue He helped me solve four equations.
Romy My, my, my! You'll always surprise me. Anything else?
Sue Can you imagine, we did the four equations in five minutes!
Romy No kidding? (Sighing...) Great!
Sue We just had a great time.
Romy No wonder!

www.bescherelle.com

[ˈbɔɪfrendz]	[səˈpraɪz]	[ɪˈkweɪʃənz]	[ɪˈmædʒɪn]	[ˈwʌndə]
boyfriend's	surprise	equations	imagine	wonder

Manifester de la surprise

Oh, what a (lovely) surprise!
Quelle surprise (agréable) !
It's really surprising/amazing!
C'est vraiment surprenant/incroyable !
I left my job – Did you? Well I never!
J'ai démissionné. – Vraiment ? Ben, ça alors !
Really? I can't believe it! I can't believe my eyes!
Vraiment ? Je n'y crois pas ! Je rêve !
Oh, no! Look who's here (again)!
Oh, non ! Regarde qui est (encore) là !

Dire qu'on est surpris

I'm surprised at you!
Là, tu me surprends !
I don't know what to say. I'm speechless.
Je ne sais pas quoi dire. Je suis sans voix.
I was taken aback by her manners.
J'ai été décontenancé(e) par ses manières.

Lexique

Verbes et expressions
much to my surprise
à ma grande surprise
It came as a surprise to me/as no surprise to me.
Cela m'a surpris(e), ne m'a pas surpris(e).
They took me by surprise.
Ils m'ont pris au dépourvu.
That was unexpected.
C'était inattendu.

Adjectif
startled
étonné

Traduction du texte p. 311
Conversation entre deux filles... / **Sue** Et sur qui il a fallu que je tombe chez mon copain ? Mon ancien prof de maths, tu te rends compte ! / **Romy** Celui qui est si mignon ? Tiens, tiens. Et alors, qu'est-ce que vous avez fait ? / **Sue** Il m'a aidée à résoudre quatre équations. / **Romy** Ça alors ! Tu m'épateras toujours. Et après ? / **Sue** Tu te rends compte, on a fait les quatre équations en cinq minutes ! / **Romy** Sans blague ! (Avec un soupir...) Génial ! / **Sue** On a vraiment passé un bon moment. / **Romy** Tu m'étonnes !

42 Exprimer sa déception

He Oh no! He's missed it! He's missed his penalty! One minute before the end of the game.
She What a pity! I don't believe it! One minute before the end.
He We could've won. I'm so disappointed.
She I'm disgusted. We could've won the World Cup.
He What a let down! I expected them to play better than they did.
She How infuriating! I didn't think much of their game. They didn't deserve to win.
He Still, it is a disappointment.
She So, we won't open our bottle of Champagne.
He Too bad.

@ www.bescherelle.com

['penəlti]	[dɪsə'pɔɪntɪd]	[ɪn'fjʊərieɪtɪŋ]	[dɪ'zɜːv]	[ʃæm'peɪn]
penalty	disappointed	infuriating	deserve	Champagne

Dire qu'on est déçu

I'm so disappointed with her. *Je suis si déçu(e) par elle.*
I was disappointed that we couldn't see my cousins.
J'étais déçu(e) que nous n'ayons pas pu voir mes cousins.
His failure was a real/great disappointment to me.
Son échec m'a beaucoup déçu(e).
What a let down! *ou* **I feel let down.** *Quelle déception ! ou Je suis déçu(e).*
I've become disillusioned with our politicians.
J'ai perdu mes illusions concernant les politiques.
Too bad! *Dommage ! Tant pis !*
I expected the show to be better, more entertaining.
Je m'attendais à ce que le spectacle soit meilleur, plus divertissant.

Dire qu'on est contrarié

Damn! He's just missed his penalty.
Mince alors ! Il vient de rater son penalty.

You look annoyed. What's the matter?
Tu as l'air contrarié(e). Qu'est-ce qui se passe?

& Notez bien

- Attention à ne pas confondre :
  deceive *tromper*, **disappoint** *décevoir*, **deception** *tromperie*, **disappointment** *déception*

Traduction du texte p. 313
Lui Oh non! Il l'a raté! Il a raté son penalty! À une minute de la fin du match. / Elle Quel dommage! C'est pas possible! À une minute de la fin. / Lui On aurait pu gagner. Je suis vraiment déçu. / Elle Je suis dégoûtée. On aurait pu gagner la Coupe du Monde. / Lui Quelle déception! Je m'attendais à ce qu'ils jouent mieux que ça. / Elle Comme c'est rageant! Moi, je n'ai pas trouvé leur jeu extraordinaire. Ils ne méritaient pas de gagner. / Lui Quand même, c'est vraiment décevant. / Elle Et ça veut dire que nous n'allons pas déboucher notre bouteille de champagne. / Lui C'est bien dommage.

43 Exprimer ses craintes

Peggy I'm so scared of AIDS. I dread to meet people with AIDS. I start panicking when I have to shake hands with people. I always fear the worst: what if they have AIDS? It's really scary when you think of it.
Vic Look, you can shake hands with anyone, there's absolutely nothing to be afraid of. What I fear most in people is not their diseases but their stupidity, their bigotry and their ignorance. It's really frightening to meet ill-informed people, don't you think?

@ www.bescherelle.com

[eɪdz]	[dred]	['æbsəluːtli]	[dɪ'ziːzɪz]	[stju'pɪdɪti]	['bɪgətri]
AIDS	dread	absolutely	diseases	stupidity	bigotry

Exprimer sa peur

I'm afraid/scared/terrified of the dark. *J'ai peur du noir.*
I was too frightened (to talk). *J'avais trop peur (pour parler).*
It scares/frightens me. *Ça me fait peur.*

I didn't dare to speak to her.
Je n'ai pas osé lui parler.
I didn't have the courage to look at it.
Je n'ai pas eu le courage de le regarder.

Exprimer ses craintes

She was afraid that her children were taking drugs.
Elle avait peur que ses enfants se droguent.
I'm afraid that they might end up living in poverty.
J'ai peur qu'ils ne finissent par vivre dans la pauvreté.
I was afraid of/scared of bumping into him.
J'avais peur de tomber sur lui.
He lives in dread of his father. *(sout.)*
Il vit dans la crainte de son père.
I fear the worst.
Je crains le pire.
I have no fear of the future.
Je n'ai aucune crainte de l'avenir.

I'm afraid

■ La tournure **I'm afraid** ne signifie pas toujours J'ai peur. Elle est fréquemment employée dans le sens de Désolé(e).

I'm afraid she's not home.
Désolé(e), mais elle n'est pas à la maison.

Lexique

Verbes et expressions
panic (panicking, panicked), panic sb
s'affoler, faire paniquer qqn

Don't panic!
Ne t'affole pas !

Noms
fear, scare, fright
la peur

Traduction du texte p. 314
Peggy J'ai tellement peur du sida. Je suis terrorisée à l'idée de rencontrer des personnes qui ont le sida. Je me mets à paniquer quand je dois serrer la main à quelqu'un. Je redoute toujours le pire : et s'ils avaient le sida ? C'est vraiment terrifiant quand on y pense. / **Vic** Écoute, tu peux serrer la main de qui tu veux, il n'y a absolument rien à craindre. Moi, ce que je redoute le plus chez les gens, ce n'est pas leurs maladies, c'est leur stupidité, leur sectarisme et leur ignorance. C'est vraiment effrayant de rencontrer des gens mal informés, tu ne trouves pas ?

44 Exprimer sa colère

She I don't know why I blew up like that. I was so furious with you about the way you talked to me.
He And I was so annoyed because you wouldn't listen to me.
She But there was no need to sulk. And you used swearwords.
He I just said 'Hell!' I wasn't effing and blinding.
She 'Hell' isn't exactly a nice word. That drove me mad. I know I shouldn't have lost my temper, but I was in such a bad mood. I won't do it again, I swear it. I won't tell you off again.
He That's all right. Your anger was partly justified. Let's call it quits.

@ www.bescherelle.com

[bluː]	[ˈfjʊəriəs]	[sweə]	[ɪgˈzæktli]	[ˈdʒʌstɪfaɪd]
blew	furious	swear	exactly	justified

Dire qu'on est en colère

I'm so angry with him for treating me like this in front of everybody.
Je suis tellement en colère contre lui de m'avoir traitée comme ça devant tout le monde.
I'm angry/furious that my own employees did not consult me.
Je suis furieux que mes propres employés ne m'aient pas consulté.
You want to know why I'm so cross with you? It's because...
Tu veux savoir pourquoi je suis tellement en colère contre toi ? C'est parce que...
You're always picking on me. I can't stand it any more.
Pick on someone your own size!
Tu t'en prends toujours à moi. Je ne supporte plus ça.
Ne t'en prends pas à un plus petit que toi !

Jurer

Damn! *ou* **Hell!/To hell with it!** *Mince! ou La barbe!*
Damn you! *Va te faire voir!*
To hell with him! *Qu'il aille se faire voir!*
It's bloody cold! *Il fait fichtrement froid!*

Jurer ou non

■ On a tendance à moins jurer en Grande-Bretagne qu'aux États-Unis. Le juron le plus courant est **Fuck!** (qui est encore plus fort que *Merde!*). **Fucking** est l'adjectif correspondant (**bloody** est bien plus acceptable). Ce sont des mots tabous mais très courants.

Lexique

Verbes et expressions

be bad-tempered *ou* **in a bad mood**
être de mauvaise humeur
be fed up with *ou* **be sick of sth, sb**
en avoir assez de qqch., qqn
get on sb's nerves
taper sur les nerfs de qqn
lose one's temper
se mettre en colère
make sb angry
mettre qqn en colère
tell sb off for sth
gronder qqn pour qqch.

Noms

a swearword
un juron, un gros mot
an insult
une insulte

Adjectifs

irritating, annoying, infuriating
agaçant
irritable, fretful
irritable
touchy
susceptible
sulky
boudeur

Traduction du texte p. 316
Elle *Je ne sais pas pourquoi j'ai explosé comme ça. J'étais aussi en colère contre toi, à cause de la façon dont tu m'as parlé. /* **Lui** *Et moi, j'étais tellement contrarié, parce que tu ne voulais pas m'écouter. /* **Elle** *Mais ce n'était pas la peine de bouder. Et tu as dit des gros mots. /* **Lui** *J'ai simplement dit «Mince alors!» Ce n'est pas la même chose que de jurer comme un charretier. /* **Elle** *On ne peut pas dire que «Mince alors!» soit un mot gentil. Ça m'a rendue furieuse. Je sais que je n'aurais pas dû perdre mon sang-froid mais j'étais de si mauvaise humeur. Je ne recommencerai pas, je le jure. Je ne te réprimanderai plus. /* **Lui** *Ça va, ça va. Ta colère était en partie justifiée. Disons que nous sommes quittes.*

45 Exprimer ses regrets

Husband and wife...

Husband Think of all the things I could have done! If only I had listened to my father! Unfortunately, I wanted to have it my way. I'm sorry it's too late now. What a pity I didn't go to art school as Dad advised me. I'd like to have been a painter, penniless, living in a basement.

Wife How I wish you had been an artist, too. It's so tiring to be rich. All those millions of dollars bore me to tears.

Husband Regrettably, there's no turning back.

Wife True, but we can't go on regretting this and that.

Husband You're right. We have to think positive. After all, who knows, we might even get ruined some day.

@ www.bescherelle.com

[ʌnˈfɔːtʃənətli]	[ˈtaɪrɪŋ]	[rɪˈgretəbli]	[ˈpɒzətɪv]	[ˈruːɪnd]
unfortunately	tiring	regrettably	positive	ruined

Exprimer des regrets

I wish you were here. *Je regrette que tu ne sois pas là.*

I wish I had more time. *Je regrette de ne pas avoir plus de temps.*

If only they came round once in a while!
Si seulement ils venaient de temps en temps !

I regret *ou* **I am sorry that I can't meet our new colleague.**
Je regrette de ne pas pouvoir accueillir notre nouveau collègue.

It's a pity I can't come tonight.
C'est dommage que je ne puisse pas venir ce soir.

I would have liked to be an opera singer.
J'aurais aimé être chanteur d'opéra.

I regret mentioning it. *Je regrette d'en avoir parlé.*

& Notez bien

- *Ne pas regretter qqch.* se traduit souvent par **be glad about sth**.
  I'm glad I told her. *Je ne regrette pas de le lui avoir dit.*

Exprimer des remords

I'm sorry for what I said. I take back everything I said.
Je regrette ce que j'ai dit. Je retire tout ce que j'ai dit.
If I had known I would have spoken to them.
Si j'avais su, je leur aurais parlé.
If only I had worked harder things would now be different.
Si seulement j'avais travaillé davantage, les choses seraient différentes maintenant.
It's too late now, I can't go back.
C'est trop tard maintenant, je ne peux pas revenir en arrière.
I ought to *ou* **should have told her the truth.**
J'aurais dû lui dire la vérité.
I shouldn't have told her the truth.
Je n'aurais pas dû lui dire la vérité.

Exprimer de la nostalgie

Those were the good old days! *ou* **Those were the days!**
C'était le bon temps !
Those days are long gone. *Ce temps est maintenant bien révolu.*
In those days/Back then/In the past, people used to enjoy themselves much more.
À cette époque-là/Autrefois, les gens savaient davantage s'amuser.
There was a time when *ou* **Time was when people knew how to behave.**
Il fut un temps où les gens savaient se tenir.
I'm feeling a bit nostalgic. *Je me sens un peu nostalgique.*
It brings back happy memories. *Ça me rappelle de bons souvenirs.*

Lexique

Verbes et expressions
feel remorse at having done sth
éprouver des remords d'avoir fait qqch.
feel no remorse
n'avoir aucun remords

We regret any inconvenience to our customers.
Veuillez nous excuser pour les désagréments occasionnés.

Adverbes
unfortunately, sadly, regrettably
malheureusement

Traduction du texte p. 318

Le mari et la femme... / **Le mari** *Quand on pense à tout ce que j'aurais pu faire! Si seulement j'avais écouté mon père! Malheureusement, je n'ai voulu en faire qu'à ma tête. Je le regrette, mais maintenant c'est trop tard. Quel dommage que je n'aie pas fait les Beaux-Arts comme papa me l'avait conseillé. J'aurais voulu être peintre, sans le sou, vivre dans un sous-sol. /* **La femme** *Et moi, comme j'aurais aimé aussi que tu sois un artiste. C'est si fatigant d'être riche. Tous ces millions de dollars m'ennuient à mourir. /* **Le mari** *Hélas, on ne peut pas revenir en arrière. /* **La femme** *C'est vrai, mais on ne peut pas continuer à regretter ceci ou cela. /* **Le mari** *Tu as raison. Il faut que nous ayons une attitude positive. Après tout, qui sait, nous pourrions même nous retrouver ruinés un jour.*

46 Exprimer son opinion

A journalist interviewing two politicians, Mr Rayman and Mrs Archway.

Journalist What do you think of the death penalty?

Mr Rayman Well, that's a good question, but I'm afraid it's difficult to answer.

Journalist And you Mrs Archway? Are you for or against it?

Mrs Archway Personally, I'm one hundred per cent against it. To my mind, no one should have the right to kill.

Journalist But seventy-five percent of your electorate are in favour of it.

Mrs Archway To me, that's irrelevant. I don't see why I should change my mind. I'll stick to my conviction.

Mr Rayman Well, all things considered, I agree with the electorate. If they're in favour of the death penalty, so am I.

Mrs Archway Come on! I know you're personally against the death penalty. So, just speak your mind.

@ www.bescherelle.com

['dɪfɪkəlt]	['pɜːsənəli]	[ɪ'lektərət]	[ɪ'reləvənt]	[kən'vɪkʃən]
difficult	personally	electorate	irrelevant	conviction

Demander à quelqu'un son opinion

What do you think about renting a car for the weekend?

Et si on louait une voiture pour le week-end?

What's your opinion *ou* **What are your views on that idea?**

Que pensez-vous de cette idée?

Perhaps, but don't you think that...?

Peut-être, mais ne pensez-vous pas que...?

Hasn't it ever occurred to you that...?

Ça ne vous est jamais venu à l'esprit que...?

Feel free to express yourself *ou* **to speak your mind.**

N'hésitez pas à donner votre opinion.

Exprimer son opinion

As for me, I'd be tempted to say...

Quant à moi, je serais tenté(e) de dire que...

As far as I'm concerned, everything's going fine.

En ce qui me concerne, tout se passe bien.

I have the feeling that *ou* **I feel that** *ou* **I believe that...**

J'ai le sentiment que... ou Je pense que...

It just doesn't seem right to me to support that bill.

Il ne me semble tout simplement pas bon de soutenir ce projet de loi.

It seems all wrong to me to...

Je pense que ce n'est pas bien de...

I don't think much of the idea of boycotting imported goods.

L'idée de boycotter les produits importés ne me dit pas grand-chose.

I consider her to be the greatest writer of her generation. *(sout.)*

Je considère que c'est la plus grande femme écrivain de sa génération.

& Notez bien

- Les verbes qui expriment une opinion s'emploient généralement à la forme simple (pas avec **be** + V-**ing**).
- Selon moi ne se dit pas **according to me**, mais **to me** ou **to my mind** ou **in my opinion**. En revanche, on peut dire **according to him/her/them** (selon lui/elle/eux).

Éviter de donner son opinion

That's a good question, but I don't have any ready-made answers.
C'est une bonne question, mais je n'ai pas de réponse toute prête.
It depends. It's hard to tell.
Ça dépend. C'est difficile à dire.
It's difficult to answer that question.
C'est difficile de répondre à cette question.
I don't have a firm opinion on the matter.
Je n'ai pas d'opinion arrêtée sur ce sujet.

Lexique

Verbes et expressions

give one's opinion about, on sth
donner son opinion sur qqch.
have a good/bad opinion of sth
avoir une bonne/mauvaise opinion de qqch.
take sth for granted
considérer que quelque chose va de soi
As far as I know...
Autant que je sache...
My guess is that he will succeed.
D'après moi, il va réussir.
My opinion, belief is that...
Mon opinion est que...
What's your position on...?
Quelle est ton opinion sur... ?

Adjectif

opinionated *(péj.)*
têtu

Traduction du texte p. 320
Un journaliste interviewe deux élus : M. Rayman et Mme Archway... / **Le journaliste** Que pensez-vous de la peine de mort ? / **M. Rayman** Eh bien, c'est une bonne question. Mais j'ai bien peur qu'il soit difficile d'y répondre. **Le journaliste** Et vous Madame Archway, êtes-vous pour ou contre ? / **Mme Archway** Personnellement, je suis contre à cent pour cent. Selon moi, nul n'a le droit de tuer. **Le journaliste** Mais 75% de vos électeurs sont en faveur de la peine de mort. / **Mme Archway** À mon avis, cela n'a rien à voir. Je ne vois pas pourquoi je devrais changer d'opinion. Je reste fidèle à ma conviction. / **M. Rayman** En fait, tout bien considéré, je suis d'accord avec les électeurs. S'ils sont en faveur de la peine de mort, moi aussi. / **Mme Archway** Allons ! Je sais que personnellement vous êtes contre la peine de mort. Alors dites ce que vous pensez réellement.

47 Exprimer son accord ou son désaccord

Question time after a lecture...
Professor And so we should ban animal testing.
Student With respect, Sir, you're forgetting its importance to the cosmetics industry.
Professor You have a point there. But I'm still convinced that it's useless, even for that industry.
Student I wouldn't agree on that. Cosmetic products have to be tested before being sold.
Professor That's debatable. I personally won't buy that idea.
Student It's all very well for you to say that, but you're a man.
Professor That's beside the point. Look, I think we'd better agree to differ.
Student No, I never agree with anyone on principle.

@ www.bescherelle.com

[ɪmˈpɔːtəns]	[kɒzˈmetɪks]	[ˈɪndəstri]	[dɪˈbeɪtəbəl]	[ˈprɪnsəpəl]
importance	cosmetics	industry	debatable	principle

Dire qu'on est d'accord, approuver

I quite/totally agree with them *ou* **with their opinion.**
Je suis tout à fait d'accord avec eux. ou Je partage leur opinion.
I'm of the same opinion as him. *ou* **I share his opinion/point of view.**
Je suis du même avis que lui. ou Je partage son point de vue.
I couldn't have put it better myself. *Je n'aurais pas su mieux dire.*
I feel the same as you. *J'ai la même impression que vous.*
I'm all for that new law. *J'approuve tout à fait cette nouvelle loi.*
I approve of him *ou* **of his doing it.**
Je l'approuve. ou J'approuve qu'il le fasse.
I believe in democracy, in letting people vote as they choose.
Je crois en la démocratie, et qu'il faut laisser les gens voter comme ils l'entendent.
I strongly support your project. *Je soutiens entièrement votre projet.*

Dire qu'on n'est pas d'accord, désapprouver

I (strongly/totally) disagree with you (on this point).
Je ne suis pas (du tout) d'accord avec toi (sur ce point).
I beg to differ. *(sout.)*
Permettez-moi de ne pas être de votre avis.
I can't go along with you on that.
Je ne peux pas être d'accord avec vous sur ce point.
I personally take a different view. *Moi, j'ai un point de vue différent.*
No deal! *(fam.) Je ne marche pas !*
I'm (totally) against nuclear testing.
Je m'oppose (complètement) aux essais nucléaires.
I'm opposed to your marrying that woman.
Je ne veux pas que tu épouses cette femme.
I don't approve of cheating. *Je n'approuve pas qu'on triche.*
I don't believe in beating children, not even giving them a slap.
Je suis contre le fait de frapper les enfants, même de leur donner une tape.

Lexique

Verbes et expressions
agree with sb on sth
être d'accord avec qqn sur qqch.

Absolutely! Quite! Definitely!
Absolument ! Tout à fait !
Exactly!
Très juste !

(It's a) deal!
Marché conclu ! ou *Tope là !*
I'm all for it.
Je suis tout à fait pour.

Traduction du texte p. 323
Le moment des questions après une conférence... / **Professeur** Et donc nous devrions interdire les expériences sur les animaux. / **Étudiante** Si vous permettez, Monsieur, vous oubliez leur importance dans l'industrie des cosmétiques. / **Professeur** Il y a du vrai dans ce que vous dites. Mais je demeure convaincu qu'elles sont inutiles, même dans ce type d'industrie. / **Étudiante** Je ne suis pas d'accord là-dessus. Les produits cosmétiques ont besoin d'être testés avant d'être mis sur le marché. / **Professeur** Ça se discute. Personnellement je ne suis pas d'accord avec cette idée. / **Étudiante** Ça vous est facile de dire ça, vous êtes un homme. / **Professeur** Cela n'a rien à voir. Écoutez, je pense que nous ferions mieux de reconnaître notre désaccord. / **Étudiante** Non, par principe, je ne suis jamais d'accord avec personne.

48 Donner raison, concéder

He Darling, I can't blame you for wanting to get a divorce. You have your reasons I suppose.
She But darling, I don't want to get a divorce, you're a perfect husband. I said I wanted to go on a new course.
He You're right to do that. It should be interesting.
She Should I do history or art?
He Anything you choose will be fine.
She By the way, I've bought a new car.
He I suppose you had good reasons to do that.
She I could no longer stand the colour of the other car.
He You don't need to justify yourself. I'm sure it was the right thing to do.
She (Aside...) Maybe, after all, I should get a divorce. He's very sweet, but isn't he dull!

@ www.bescherelle.com

[dɪ'vɔːs]	['ɪntrəstɪŋ]	['hɪstri]	[bɔːt]	['kʌlə]	['dʒʌstɪfaɪ]
divorce	interesting	history	bought	colour	justify

Dire que quelqu'un a raison

Take my word for it: I'm always right.
Crois-moi sur parole : j'ai toujours raison.
I think I was right to complain.
Je crois que j'ai eu raison de me plaindre.
You had good reasons to react *ou* **for reacting the way you did.**
Vous avez eu de bonnes raisons de réagir comme vous l'avez fait.
I've left my job. – I don't blame you for that!
J'ai quitté mon emploi. – Je te comprends !

Admettre que quelqu'un a raison

I grant you *ou* **I must admit that he's a good actor.**
Je te concède que ou Je dois admettre que c'est un bon acteur.

You have a point there!

Il y a du vrai dans ce que tu dis!

I must concede that your argument is consistent. *(sout.)*

Je dois reconnaître que ton argument est cohérent.

You could be right, I suppose.

Je suppose que tu pourrais avoir raison.

OK, I give up. You win.

D'accord, j'abandonne. Tu as gagné.

& Notez bien

- On parle de concession quand il y a une idée d'opposition, de restriction, notamment avec **even if**, **even though**, **although** (*même si, bien que*).

  I've decided to become a teacher even if it's not well paid.

  J'ai décidé d'enseigner même si ce n'est pas bien payé.
- Le modal **may** est parfois employé pour exprimer la concession.

  My son may be careless, but he's very sweet.

  Mon fils est peut-être un peu insouciant mais il est très gentil.

Lexique

Verbes et expressions

admit, confess to doing sth
avouer avoir fait qqch.
admit *ou* **confess that...**
reconnaître que...
It was like an admission of her guilt.
C'était comme un aveu de sa culpabilité.
Admittedly, you can't...
Il faut reconnaître qu'on ne peut pas...

Adjectifs, adverbes

reasonable
raisonnable
rightly
avec raison
rightly so *ou* **justifiably**
à juste titre

Traduction du texte p. 325

Lui *Chérie, je ne peux pas t'en vouloir de demander le divorce. Tu as sans doute tes raisons.* / **Elle** *Mais chéri, je ne veux pas divorcer. Tu es un mari idéal. J'ai dit que je voulais suivre un nouveau cours.* / **Lui** *Tu as bien raison de le faire. Ça devrait être intéressant.* / **Elle** *Je devrais choisir l'histoire ou les beaux-arts?* / **Lui** *Tout ce que tu choisiras sera parfait.* / **Elle** *Au fait, j'ai acheté une nouvelle voiture.* / **Lui** *Je suppose que tu avais de bonnes raisons de le faire.* / **Elle** *Je ne supportais plus la couleur de l'ancienne.* / **Lui** *Tu n'as pas besoin de te justifier. Je suis sûr que c'était la bonne chose à faire.* / **Elle** *(En aparté.) Peut-être qu'après tout je devrais demander le divorce. Il est très gentil, mais ce qu'il est ennuyeux!*

49 Juger des idées, évaluer, comparer

Judge J. As a judge I'm always asked to consider the two sides of a case. I have to assess and compare, weigh up all the arguments put forward, and see if the two sides are not irreconcilable. It's a real drag. As a child we used to toss up a coin. It was quicker, cheaper and more fun...

@ www.bescherelle.com

[dʒʌdʒ]	[əˈses]	[kəmˈpeə]	[weɪ]	[ˈɑːgjumənts]	[ɪrekənˈsaɪləbəl]
judge	assess	compare	weigh	arguments	irreconcilable

Peser le pour et le contre

On balance, I prefer the new system.
À tout prendre, je préfère le nouveau système.
All things considered you managed very well.
Tout bien considéré, tu t'en es très bien sorti(e).
You have to weigh up the pros and cons.
Il faut peser le pour et le contre.
The benefits of this solution (far) outweigh the disadvantages.
Les avantages de cette solution l'emportent (de loin) sur les inconvénients.
In retrospect/With (the benefit of) hindsight...
Avec le recul...
You have to stand back (to assess the situation).
Tu dois prendre du recul (pour évaluer la situation).

Chercher un compromis

I think it would be easy to reach a compromise.
Je pense qu'il serait facile de trouver un compromis.
The two viewpoints are not irreconcilable.
Les deux points de vue ne sont pas inconciliables.

You could take a middle course.

Vous pourriez choisir un moyen terme.

We can (easily) reconcile the two points of view.

On peut (facilement) concilier les deux points de vue.

Comparer

It reminds me of what Churchill once said...

Cela me rappelle les propos de Churchill...

It's a bit like having a cold shower in the desert.

C'est un peu comme prendre une douche froide dans le désert.

It's very similar to being drunk.

C'est très proche de l'état d'ébriété.

In comparison to *ou* **with my family, his is rather dull.**

Par rapport à ma famille, la sienne est plutôt ennuyeuse.

It's not at all like what you said.

Ce n'est pas du tout comme ce que tu avais dit.

Unlike my sister I've never been ashamed of my family name.

Contrairement à ma sœur, je n'ai jamais eu honte de mon nom.

My book doesn't compare with yours.

Il n'y a aucune comparaison entre mon livre et le tien.

& Notez bien

Traductions de comme

- *comme = tout comme* → **like** + nom ou pronom
  (Just) like Tristan, I'd rather not say anything.
  (Tout) comme Tristan, je préfère ne rien dire.
- *comme = de la même façon que* → **like** + nom
  He cried like a baby.
  Il a pleuré comme un bébé.
- *comme = en tant que* → **as** + nom
  I worked as an accountant for ten years.
  J'ai travaillé comme comptable pendant dix ans.
- *comme = alors que, puisque* → **as** + proposition
  As it was raining we preferred not to go out.
  Comme il pleuvait, on a préféré ne pas sortir.
- *comme = que* + exclamation → **how** + structure exclamative
  How sweet he is! (Isn't he sweet!)
  Comme il est mignon !

Lexique

Verbes et expressions

interpret
interpréter
Judging from what you said...
Si j'en juge par ce que tu as dit...
make a comparison between sth and sth
faire une comparaison entre qqch. et qqch.
There's no comparison.
Ça ne se compare pas.
pass judgment on sb, sth
porter un jugement sur qqn, qqch.
weigh up the situation
peser la situation

Noms

an assessment
une évaluation, une estimation
an interpretation
une interprétation
a judg(e)ment
un jugement

Adverbes

in the same way *ou* **likewise** *ou* **similarly**
de même ou de la même façon
in *ou* **by comparison with sb, sth**
par comparaison avec qqn, qqch.

Adjectif

relative to
relatif à, qui se rapporte à

→ p. 30 (Juger)

Traduction du texte p. 327

M. le Juge J. En tant que juge, on me demande toujours de considérer les deux aspects d'une affaire. Il me faut évaluer et comparer, examiner tous les arguments avancés et voir si les deux points de vue ne sont pas inconciliables. C'est vraiment pénible.
Quand j'étais petit, on jouait à pile ou face. C'était plus rapide, moins cher et plus amusant.

50 Opposer des faits ou des idées

Diana There's such a contrast between you and your father. He's so... good-looking.
Karl Are you suggesting that I'm unattractive?
Diana No. But you're so unlike him. You know what they say, 'Like father, like son.' But you're so different, even though you do have the same hair.
Karl His is grey, though. Whereas mine is still so dark.
Diana And yet he looks almost as young as you, despite a few wrinkles... However, he didn't strike me as particularly friendly.
Karl He's unbearable and so selfish.
Diana Quite unlike you. By comparison, you seem even nicer to me now. Still, you could lose a few pounds but I wouldn't swap you for all the world.

@ www.bescherelle.com

['kɒntrɑːst]	[ʌnə'træktɪv]	[pə'tɪkjʊləli]	[ʌn'beərəbəl]	[kəm'pærɪsən]
contrast	unattractive	particularly	unbearable	comparison

Opposer une chose à une autre

My parents speak fluent Spanish whereas I only speak English.
Mes parents parlent couramment espagnol alors que moi, je ne parle qu'anglais.
He wore a pink suit while she was dressed in green.
Il portait un costume rose alors qu'elle était habillée de vert.
How can you talk about my sister when you've never met her?
Comment peux-tu parler de ma sœur alors que tu ne l'as jamais rencontrée ?
However hard I tried, I could never succeed. *(sout.)*
Malgré tous mes efforts, je n'ai jamais pu réussir.
I know he's nice but I'm not in love with him.
Je sais qu'il est sympa mais je ne suis pas amoureuse de lui.

On the one hand it's nice to get a job, on the other that means you'll have to move.

D'un côté, c'est bien d'avoir un emploi, de l'autre, ça veut dire qu'il faut que tu déménages.

They were tired, even so they never stopped working.

Ils étaient fatigués, mais ils n'ont quand même jamais cessé de travailler.

Exprimer un contraste

We are in need of friendship as opposed to money.

Nous avons besoin d'amitié plutôt que d'argent.

Instead of talking, you'd better listen.

Tu ferais mieux d'écouter plutôt que de parler.

In spite of his accent, he has an American passport.

Malgré son accent, il possède un passeport américain.

For all his wealth he doesn't impress me much.

Malgré toute sa richesse, il ne m'impressionne pas beaucoup.

OK, we didn't win. Still, it's been worth it.

D'accord, nous n'avons pas gagné, mais ça en a quand même valu la peine.

Don't worry, you're still my friend!

Ne t'en fais pas, tu es quand même mon ami !

It wasn't their fault. Nevertheless, they still feel guilty.

Ce n'était pas leur faute. Néanmoins ou Cependant, ils se sentent toujours coupables.

According to legend, Galileo mumbled to himself, "And yet it moves."

Selon la légende, Galilée aurait marmonné : « Et pourtant, elle tourne. »

& Notez bien

- **Though** peut être conjonction (*bien que*), et donc suivi d'une proposition, ou adverbe (*pourtant*). Dans ce cas, il se place toujours en fin de phrase.

  Though I'm over seventy I feel young.

  Bien que j'aie plus de 70 ans, je me sens jeune.

  I've never liked it, though.

  Pourtant, je n'ai jamais aimé ça.

- *Par rapport à* se traduit par **in comparison with**, **compared with**, **in relation to**, **with respect to**, **with regard to**.

  Elle est très sympa par rapport à son père.

  She's very nice compared with her father.

GUIDE DE COMMUNICATION

Lexique

Adverbes
actually
en fait
all the same
quand même
anyway
de toutes façons
by *ou* **in contrast (to sb, sth)**
par contraste (avec qqn, qqch.)
conversely
inversement
however *ou* **nevertheless**
cependant ou toutefois ou néanmoins
on the contrary
au contraire
still *ou* **but still**
et pourtant
that being said
cela dit
yet *ou* **and yet**
(et) pourtant

Verbes et expressions
Try as I would... *(sout.)*
J'avais beau essayer...
Try as I may... *(sout.)*
J'ai beau essayer...

Prépositions
contrary to
contrairement à
unlike
à la différence de
in spite of
malgré ou en dépit de
despite (this, what he said)
malgré (cela, ce qu'il a dit)

Conjonctions
in spite of the fact that
en dépit du fait que
though *ou* **even though** *ou* **although**
bien que, même si

Traduction du texte p. 330

Diana Il y a un tel contraste entre ton père et toi. Il est... si bien physiquement. / Karl Serais-tu en train de suggérer que je ne suis pas séduisant ? / Diana Non, mais tu es tellement différent de lui. Tu connais le dicton : « Tel père, tel fils. » Pourtant vous êtes si différents, même si vous avez les mêmes cheveux. / Karl Les siens sont gris pourtant, alors que les miens sont encore bien bruns. / Diana Et malgré ça, il a l'air presque aussi jeune que toi, même s'il a quelques rides... Par contre, il ne m'a pas fait l'effet de quelqu'un de particulièrement sympa. / Karl Il est insupportable et tellement égoïste. / Diana Tout le contraire de toi. Par comparaison, tu me sembles encore mieux maintenant. / Tu pourrais perdre quelques kilos, mais je ne t'échangerais pour rien au monde !

51 Déduire

Boss and employee...
Employee Am I to understand that you're dissatisfied with my work?
Boss Yes.
Employee So I can infer from what you're saying that you'd like me to understand that I should improve my work.
Boss Well... er...
Employee Is your tone suggesting that I could easily reach the conclusion that maybe I should get another job?
Boss Let's stop beating about the bush: you're fired. Period.

@ www.bescherelle.com

[dɪs'sætɪsfaɪd]	[ɪn'fɜː]	[sə'dʒestɪŋ]	[kən'kluːʒən]	['pɪəriəd]
dissatisfied	infer	suggesting	conclusion	period

Arriver à une conclusion

From what I've heard, I can infer *ou* **deduce** *ou* **conclude that...**
D'après ce que j'ai entendu, je peux en déduire ou conclure que...
I gather from what he said that he doesn't like me.
Je déduis de ce qu'il a dit qu'il ne m'aime pas.
Oh, so that's why he never called back!
Ah, c'est donc pour ça qu'il n'a jamais rappelé !

Commencer à comprendre

If I understood you correctly you're about to resign.
Si je vous ai bien compris, vous êtes sur le point de démissionner.
Are you suggesting that you're dissatisfied with my work?
Êtes-vous en train de dire que vous n'êtes pas content de mon travail ?
If I'm correct you've just told her that you want to marry me.
Si je ne me trompe, tu viens de lui dire que tu veux m'épouser.
Am I to understand that...?
Dois-je comprendre que... ?
Now I understand! *J'y suis maintenant !*

& Notez bien

- Attention à ne pas confondre :
  deduce *déduire logiquement*
  deduct *déduire d'une somme*

Traduction du texte p. 333
Patron et employé... / **Employé** Dois-je comprendre que vous n'êtes pas satisfait de mon travail? / **Patron** En effet. / **Employé** Je peux donc déduire de ce que vous dites que vous aimeriez me faire comprendre que je devrais améliorer mon travail. / **Patron** En fait... euh... / **Employé** Votre ton laisserait-il entendre que je pourrais aisément conclure que je devrais peut-être trouver un autre emploi? / **Patron** Arrêtons de tourner autour du pot : vous êtes renvoyé. Un point, c'est tout.

52 Énoncer une condition

Kim If he calls again and if they complain again and if they don't apologize and if he refuses to listen and if it's still the same, and even if they admitted they were wrong, tell them to get lost.
Des Only if you tell us who and what you're talking about. Calm down!

@ www.bescherelle.com

[ə'gen]	[kəm'pleɪn]	[ə'pɒlədʒaɪz]	[rɪ'fjuːzɪz]	[əd'mɪtɪd]
again	complain	apologize	refuses	admitted

Émettre une hypothèse

If I were you I wouldn't do it. *Si j'étais toi, je ne le ferais pas.*
Had I known *ou* **If I had known, I wouldn't have bought it.**
Si j'avais su, je ne l'aurais pas acheté.
Should you have a complaint, ring the reception. *(sout.)*
Si jamais vous aviez à vous plaindre, appelez la réception.
Assuming nobody arrives late, we should get there before nightfall.
En admettant que personne n'arrive en retard, nous devrions y être avant la nuit.
What if *ou* **Suppose we get invited? What should we do?**
Et si on était invités? Qu'est-ce qu'on ferait?

Mettre une condition à quelque chose

If you want to come, (then) you'll have to give me a ring.
Si tu veux venir, (alors) il faudra que tu me passes un coup de fil.
I'll invite him only if he promises he won't drink.
Je l'inviterai seulement s'il promet de ne pas boire.
I'll only go if it's free *ou* **as long as no one minds.**
Je n'irai que si c'est gratuit/si personne n'y voit d'inconvénient.
We can leave now unless you'd rather stay a bit longer.
On peut partir maintenant, sauf si tu préfères rester un peu.

& Notez bien

Remarquez l'emploi des temps et des modaux après **if**.

- **if** + présent → principale en **will**
  If it starts raining, we'll cancel the trip.
  S'il se met à pleuvoir, on annulera le voyage.
- **if** + prétérit → principale en **would**
  If he arrived now, we would still have time.
  S'il arrivait maintenant, nous aurions encore le temps.
- **if** + **past perfect** → principale en **would have** + participe passé
  If he had won the lottery, we would have married.
  S'il avait gagné à la loterie, nous nous serions mariés.

Lexique

Verbes et expressions

hypothesize
supposer, faire l'hypothèse que
suppose that...
supposer que...
Weather permitting...
Si le temps le permet...
If you'll let me explain...
Si vous voulez bien me laisser m'expliquer...

Noms

a condition
une condition
a hypothesis
(pl. **hypotheses***)*
une hypothèse

Adverbes

or else *ou* **otherwise**
sinon ou autrement

Conjonctions

provided that
ou **as long as**
ou **on condition that**
à condition que
if + sujet + **should**
si par hasard, si jamais
in case
si jamais ou au cas où

Traduction du texte p. 334
Kim *S'il rappelle, et s'ils se plaignent de nouveau, et s'ils ne s'excusent pas, et si lui refuse d'écouter, et que ce soit toujours la même chose, et même s'ils admettaient leur erreur, dis-leur d'aller au diable.* / **Des** *Seulement si tu nous dis de qui et de quoi tu es en train de parler. Calme-toi !*

53 Émettre un doute

A conversation between a teacher and a pupil...

Teacher So when was Shakespeare born?

Pupil I don't really know... I'm not positive about it. I have a vague idea but I might be wrong.

Teacher It seems to me you have no idea at all.

Pupil I have the feeling that you think I'm ignorant.

Teacher There's no doubt about it. I'd be surprised if you could tell me where he was born.

Pupil In a hospital, for all I know.

Teacher Or maybe in an ambulance?

Pupil Well, yes. I suppose so. You never know.

Teacher You never know, indeed.

@ www.bescherelle.com

['ʃeɪkspɪə]	['pɒzətɪv]	[daʊt]	['hɒspɪtəl]	['æmbjələns]
Shakespeare	positive	doubt	hospital	ambulance

Mettre en doute quelque chose

I (very much) doubt it. *J'en doute (beaucoup).*

I doubt (very much) if *ou* **whether there are trains running today.**

Je ne pense (vraiment) pas qu'il y ait des trains aujourd'hui.

It's doubtful that *ou* **uncertain whether the boat will leave on time.**

Je doute que le bateau parte à l'heure.

Her innocence is in doubt. *On met en doute son innocence.*

Dire qu'on n'est pas sûr

It seems to me *ou* **I think that you're wrong.**

Il me semble que ou Je crois que tu as tort.

I'm not sure/certain/positive about it.

Je n'en suis pas sûr(e).

I don't really know. *ou* **I don't know for sure.**

Je ne sais pas vraiment. ou Je n'en suis pas absolument certain(e).

You never know. *ou* **One never knows.** *ou* **You never can tell.**
On ne sait jamais.
It's not clear who fired. On ne sait pas très bien qui a tiré.
I believe *ou* **I suppose that you're right.**
Je crois *ou* Je suppose que tu as raison.

Exprimer son incrédulité

I can't believe it! *ou* **I find that hard to believe.**
Je ne peux pas le croire ! *ou* J'ai du mal à le croire.
You're kidding! *ou* **No kidding?** *ou* **You don't say!** Sans blague !
You're joking! *ou* **You must be joking!** Tu plaisantes, non ?
How incredible! *ou* **It's unbelievable!** *ou* **That's amazing!**
Mais, c'est incroyable ! Je n'en reviens pas !
You of all people! Toi, vraiment ?

& Notez bien

- Certains modaux peuvent être employés pour exprimer le doute.
  You may be right (but then again you may not).
  Peut-être as-tu raison (mais peut-être que non).
  You might be right. *ou* **You could be right.**
  Il se pourrait que tu aies raison.

Lexique

Verbes et expressions
question sth
mettre en doute qqch.
have reservations about sth
émettre des réserves sur qqch.
if *ou* **when in doubt**
en cas de doute
give sb the benefit of the doubt
laisser à qqn le bénéfice du doute
I had no suspicion that...
Je ne me doutais pas que...

Adverbes
apparently
apparemment
in disbelief
d'un air incrédule
maybe *ou* **perhaps**
peut-être

Traduction du texte p. 336
Conversation entre un professeur et un élève... / **Professeur** Alors, quand Shakespeare est-il né ? / **Élève** Je ne sais pas très bien... Je n'en suis pas très sûr. J'en ai une vague idée, mais je me trompe peut-être. / **Professeur** Il me semble que vous n'en avez aucune idée. / **Élève** J'ai l'impression que vous pensez que je suis ignorant. / **Professeur** Sans aucun doute. Je serais étonné si vous pouviez me dire où il est né. / **Élève** Dans un hôpital, autant que je sache. / **Professeur** Ou peut-être dans une ambulance ? / **Élève** Ma foi, oui. Je suppose que oui. On ne sait jamais. / **Professeur** C'est vous qui ne savez jamais, ça, c'est sûr.

54 Exprimer une certitude, une probabilité

Tina Are you sure it's him?
Carrie I'm positive. It's obvious. Look at his hair.
Tina I'm still not convinced.
Carrie It's him, definitely! Look at his eyes. There's absolutely no doubt about it.
Tina Well, if you're so certain, why don't you ask him for his autograph?
Carrie Of course, I will. It goes without saying. It's so thrilling.
Tina Do you think he'll sign it?
Carrie Oh, he's bound to accept. I'm so excited.
Tina Excuse us. Are you the man doing the Clean-All Cream commercial?

@ www.bescherelle.com

['ɒbviəs]	['defənətli]	['ɔːtəgrɑːf]	[ɪk'saɪtɪd]	[kə'mɜːʃəl]
obvious	definitely	autograph	excited	commercial

Dire qu'on est sûr

I'm certain *ou* **sure** *ou* **positive about that.**
J'en suis certain(e) ou sûr(e).
I'm (quite) certain *ou* **sure that there's no school today.**
Je suis (tout à fait) certain(e) ou sûr(e) qu'il n'y a pas d'école aujourd'hui.
I know for a fact that he voted against me.
Je sais parfaitement bien qu'il a voté contre moi.
It's bound to happen. *Ça va arriver, c'est sûr.*
She's sure to fail.
It is sure that she'll fail. *ou* **I'm sure that she'll fail.**
Elle va échouer, c'est sûr.

Dire qu'une chose est certaine

She is sure to win that tournament.
Il est certain qu'elle gagnera ce tournoi.

It's obvious that *ou* **There's no doubt that she is the best.**
Il est évident ou Ça ne fait aucun doute qu'elle est la meilleure.
It stands to reason that he's just taking advantage of her.
C'est l'évidence même qu'il profite d'elle.
They're bound to complain to the International Court of Justice.
Ils vont sûrement se plaindre auprès de la Cour internationale de justice.

Dire que quelque chose est probable

It's (highly) probable that he's the actor's son.
Il est (très) probable qu'il soit le fils de l'acteur.
I'm likely/unlikely to meet her at the party. *ou* **It is (very) likely/unlikely that I'll meet her at the party.**
Il est (très) probable/peu probable que je la croise à la soirée.
He must have arrived now.
Il a dû arriver maintenant.
It looks as if I'll have to walk back home.
Je crois bien que je vais devoir rentrer à pied.
I wouldn't be surprised if he fired me. *(fam.)*
Ça ne me surprendrait pas qu'il me vire.

& Notez bien

Degrés de certitude dans les modaux (du plus certain au plus incertain)

- **will** : prédiction concernant l'avenir
  We will arrive at half past five if the train is not late.
  Nous arriverons à 5 h 30 si le train n'a pas de retard.
- **must** : quasi certain, probable
  She must be tired. She must have been tired.
  Elle doit être fatiguée. Elle a dû être fatiguée.
- **cannot** : quasi-certitude négative
  She can't have said that.
  Il n'est pas possible qu'elle ait dit ça.
- **should** : quasi certain
  This road should take us to the village.
  Cette route devrait nous amener au village. (en principe)
- **may** : possible
  She may (not) be in her room.
  Il se peut qu'elle (ne) soit (pas) dans sa chambre.
- **might, could** : incertain
  She might be in her room.
  Il se pourrait qu'elle soit dans sa chambre.

Lexique

Verbes et expressions

Make sure you don't forget...
Assurez-vous de ne pas oublier...
It goes without saying that...
Il va sans dire que...

Adverbes

obviously, clearly, undoubtedly, undeniably, certainly, definitely
de toute évidence *ou* sans aucun doute
of course
bien sûr
probably
probablement
in all likelihood
selon toute probabilité

Adjectifs

blatant
évident *ou* flagrant
convinced
convaincu

Noms

certainty
la certitude
uncertainty
l'incertitude

Traduction du texte p. 338

Tina Tu es sûre que c'est lui ? / **Carrie** Absolument. C'est évident. Regarde ses cheveux. / **Tina** Je ne suis toujours pas convaincue. / **Carrie** C'est lui, j'en suis certaine ! Regarde ses yeux. Ça ne fait pas l'ombre d'un doute. / **Tina** Eh bien, puisque tu en es si sûre, pourquoi tu ne lui demandes pas de signer un autographe ? / **Carrie** Bien sûr que je vais le faire. Ça va sans dire. C'est vraiment palpitant ! / **Tina** Tu crois qu'il va te le signer ? / **Carrie** Évidemment qu'il va accepter. Je suis tellement excitée ! / **Tina** Excusez-nous. C'est vous le garçon qui fait la pub pour le nettoyant Nettoie-Tout ?

55 Dire qu'on sait ou qu'on ne sait pas

In a museum. A dialogue between an art historian and a friend...
Friend Could you remind me who painted The Sunflowers?
Historian I have no idea.
Friend Oh, you must know... Oh, yes, it's Van Gogh!
Historian I'm not familiar with – what's the name? – Van Gogh?
Friend Look, I'm no expert on art but I can tell you that the whole world has heard about him.
Historian I haven't. Anyway, how am I to know about him?
Friend But you're an art historian!
Historian True, I'm an expert in that field but I specialize in 15th century Finnish painting only. I know everything there is to know about it. You can ask me any question you want about it.

@ www.bescherelle.com

[fəˈmɪliə]	[ˈekspɜːt]	[hɪˈstɔːriən]	[ˈspeʃəlaɪz]	[ˈsentʃəri]
familiar	expert	historian	specialize	century

Dire qu'on sait

I know so many things *ou* **so much about you.**
Je sais tellement de choses vous concernant.
It is well known *ou* **a well-known fact that the minister disagrees with the government.**
On sait bien que le ministre n'est pas d'accord avec le gouvernement.
I realize now how much he meant to me.
Je me rends compte maintenant de ce qu'il représentait pour moi.
I am already familiar with the French way of life.
Je connais déjà bien le mode de vie des Français.
Lauren knows a lot about *ou* **is well-informed about their life.**
Lauren est très au courant de leur vie.
I could tell that you weren't feeling well.
Je voyais bien que tu ne te sentais pas bien.

Dire qu'on ne sait pas

I'm afraid I (really) don't know.
Désolé(e), mais je ne sais (vraiment) pas.
How (on earth) could *ou* **should I know?**
Mais comment (diable) pourrais-je ou devrais-je le savoir ?
I don't know how *ou* **if it happened.**
J'ignore comment ou si c'est arrivé.
I have no idea. *ou* **I haven't got a clue.** [*littér.* **a clue :** un indice]
Je n'en ai aucune ou pas la moindre idée.
I'm ignorant of their little ways.
Je ne connais pas leurs petites habitudes.

& Notez bien

■ *Savoir* se traduit très souvent par **can**, **be able to** quand il signifie *être capable de*.

I can read and write. (plus courant que **I know how to read and write**.)
Je sais lire et écrire.
I'll be quite able to look after myself.
Je saurai bien me défendre.

■ Attention à ne pas confondre :
– **ignore sb** *faire semblant de ne pas voir qqn*, **ignore sth** *ne pas tenir compte de qqch.*, **not know** *ignorer* ;
– *la connaissance* **knowledge** et *une connaissance* (une personne que l'on connaît) **an acquaintance**.

An acquaintance of mine.
Une de mes connaissances.

Lexique

Verbes et expressions

be aware/unaware that...
avoir conscience/ne pas avoir conscience que...
recognize sb, sth, that...
reconnaître qqn, qqch., admettre que...
I haven't (got) the slightest/faintest/foggiest *(fam.)* **idea.**
Je n'en ai pas la moindre idée.

Noms

an expert on sth
un expert en qqch.
know-how
le savoir-faire
a specialist in computer sciences *ou* **a computer specialist**
un spécialiste en informatique

Adjectifs

ignorant
ignorant(e)
knowledgeable
cultivé(e) ou qui s'y connaît

Traduction du texte p. 341
Dans un musée, dialogue entre un historien de l'art et un de ses amis… / **L'ami** Tu peux me rappeler qui a peint Les Tournesols ? / **L'historien** Je n'en ai aucune idée. / **L'ami** Oh si, tu le sais sûrement… Ah oui, c'est Van Gogh ! / **L'historien** Je ne connais pas vraiment ce… quel nom déjà ? Van Gogh ? / **L'ami** Dis-donc, je ne suis pas expert en art, mais je peux te dire que le monde entier a entendu parler de lui. / **L'historien** Pas moi. De toute façon, quelle raison aurais-je de le connaître ? / **L'ami** Mais tu es historien de l'art ! / **L'historien** C'est exact, je suis expert en la matière, mais je suis spécialiste de la peinture finnoise du XVe siècle exclusivement. Je sais tout ce qu'il y a à savoir dans ce domaine. Tu peux me poser toutes les questions que tu veux là-dessus.

56 Demander ou donner des explications

Voice 1 'Why did you kill her?'
Voice 2 'Because I loved her so much. As she didn't want me it was the only thing to do.'
Voice 1 'Because of you we'll all be so unhappy now.'
Joyce Gosh, that's a silly film! Turn over.
There's a karaoke competition on Channel 15.

@ www.bescherelle.com

[bɪ'kɒz]	[ʌn'hæpi]	[kæri'əʊki]	[kɒmpə'tɪʃən]	['tʃænəl]
because	unhappy	karaoke	competition	channel

Demander une explication

What exactly do you mean by 'weird'?
Que veux-tu dire exactement par « bizarre » ?
Could you be more explicit on that point?
Pourriez-vous être plus explicite sur ce point ?
I didn't get your point. Can you start again?
Je n'ai pas compris ton argument. Tu peux recommencer ?
How can you account for it?
Comment peux-tu en rendre compte ? ou *expliquer la chose ?*

Donner une explication

What I mean is that... *ou* **What that means is that...**

Ce que je veux dire, c'est que... ou Ce que ça veut dire, c'est que...

Let me explain (to you) what that means.

Je vais (vous) expliquer ce que ça signifie.

Maybe I should dwell on that point.

Je devrais peut-être m'attarder sur ce point.

Let me illustrate this point with a quotation.

Je voudrais illustrer cet aspect à l'aide d'une citation.

To make things simpler, we could say...

Pour simplifier, on pourrait dire que...

Demander les raisons de quelque chose

Could you explain to me why you behaved like that?

Pourrais-tu m'expliquer pourquoi tu t'es comporté(e) ainsi ?

Why do you keep buying lottery tickets given that you never win?

Pourquoi continues-tu à acheter des tickets de loterie étant donné que tu ne gagnes jamais ?

What exactly do you mean (by that)?

Que veux-tu dire exactement (par là) ?

Donner les raisons de quelque chose

As it was too dangerous the army retreated.

Comme c'était trop dangereux, l'armée a battu en retraite.

They gave up, seeing that they were losing.

Ils ont laissé tomber, vu qu'ils perdaient.

Thinking I was late I immediately jumped into a taxi.

Comme je pensais être en retard, j'ai immédiatement sauté dans un taxi.

Bad health caused me to resign.

C'est à cause de ma mauvaise santé que j'ai démissionné.

You are the reason why I didn't support the Republicans.

C'est à cause de toi que je n'ai pas voté pour les Républicains.

You can't know Berlin since you've never been abroad.

Tu ne peux pas connaître Berlin, puisque tu n'es jamais allé à l'étranger.

I stopped playing because it was too easy.

J'ai arrêté de jouer parce que c'était trop facile.

Lexique

Verbes et expressions

demonstrate sth, that...
démontrer qqch., que...
explain sth to sb (in full)
expliquer qqch. à qqn (en détail)
give sb an explanation for sth
donner à qqn une explication de qqch.
Let me explain!
Je m'explique!
That explains it!
Tout s'explique!
The thing is that... *(fam.)*
Le problème, c'est que...
It's my reason for living.
C'est ma raison de vivre.
be the cause of sth
être à l'origine de qqch.

Prépositions

because of sb, sth
à cause de qqn, qqch.
due to *ou* **on account of sth** *(sout.)*
à cause de qqch.
out of spite/from sheer avarice/through cowardice
par dépit/par pure avarice/par lâcheté
thanks to sth
grâce à qqch.

Adverbes

thus
ainsi
in that case
dans ce cas

Traduction du texte p. 343
Voix 1 Pourquoi l'as-tu tuée? / **Voix 2** Parce que je l'aimais tellement. Comme elle ne voulait pas de moi, c'était la seule chose à faire. / **Voix 1** À cause de toi, maintenant, nous serons tous très malheureux. / **Joyce** Oh! là! là! Ce film est idiot! Change de chaîne. Il y a un concours de karaoké sur Canal 15.

57 Résumer, reformuler

Interviewing a film critic...
Reporter So, did you enjoy the film?
Film critic Well, actually, it was sort of – how shall I put it? – interesting. Or rather, it had on the whole some elements that were not uninteresting.
Reporter Could you be more explicit?
Film critic As a matter of fact, the best part was, to a certain extent, when the hoover broke down.
Reporter Oh?! Could you give us a summary of the film?
Film critic To cut a long story short, it's about a man hoovering his bedroom. At least, that's how I interpreted it.
Reporter In a word, would you recommend it?
Film critic When all is said and done, yes. Even though there's still too much action in it. I've never liked action-packed movies.

@ www.bescherelle.com

[ʌnˈɪntrəstɪŋ]	[ɪkˈsplɪsɪt]	[ˈhuːvərɪŋ]	[ɪnˈtɜːprɪtɪd]	[rekəˈmend]
uninteresting	explicit	hoovering	interpreted	recommend

Résumer ses idées

All in all *ou* **Altogether, it wasn't such a bad idea.**
Somme toute ou Tout compte fait ou L'un dans l'autre, ce n'était pas une si mauvaise idée.
All things considered, it's not worth the money.
Tout bien considéré, ce n'est pas rentable.
In short *ou* **To sum up, the book is about how to get rich.**
En résumé, le livre explique comment s'enrichir.
To make things simpler, I would say that it's a sound investment.
Pour simplifier, je dirais que c'est un bon investissement.

Nuancer ses idées

In a way it's just as well we didn't go.
En un sens, c'est pas plus mal qu'on n'y soit pas allé.

I think it's true to a certain extent.
Je pense que c'est vrai dans une certaine mesure.
In general *ou* **In general terms** *ou* **Generally speaking, avoid them.**
D'une manière générale *ou* En règle générale, évite-les.
Roughly *ou* **Broadly speaking, he didn't lie to us.**
En gros, il ne nous a pas menti.
Maybe I should qualify that remark.
Peut-être que je devrais nuancer cette remarque.
As a matter of fact *ou* **In (actual) fact** *ou* **Actually, it's not that easy.**
En fait *ou* À vrai dire, ce n'est pas si facile que ça.

Reformuler quelque chose

It's gold or rather gold plated.
C'est de l'or ou plutôt du plaqué or.
He sent me a letter, well in actual fact an email.
Il m'a envoyé une lettre, enfin, en fait un courrier électronique.
She gave me a dollar, that is to say *ou* **that is** *ou* **i.e.** [écrit] **peanuts.** *(fam.)*
Elle m'a donné un dollar, c'est-à-dire des clopinettes.

& Notez bien

- Attention à ne pas confondre :
  resume recommencer
  sum up *ou* **summarize** résumer

Lexique

Verbes et expressions
rephrase sth *ou* **reword sth**
reformuler qqch.
say sth again *ou* **repeat sth**
répéter qqch.
to put it in a nutshell
en un mot comme en cent

in other words
en d'autres termes
that is/that is to say/ namely/i.e. [= id est]
c'est-à-dire
to put it differently
dit autrement

Noms
an abstract
un résumé, un abrégé
a digest
un sommaire, un résumé
a summary
un résumé

Traduction du texte p. 346
Interview d'un critique de cinéma... / **Journaliste** Alors, vous avez aimé le film ? / **Critique** Eh bien, en fait, il était plutôt – comment dirai-je ? – intéressant. Ou plutôt, je dirais qu'en gros certains côtés n'étaient pas inintéressants. / **Journaliste** Pourriez-vous être plus explicite ? / **Critique** À vrai

dire, le meilleur moment, en quelque sorte, c'est quand l'aspirateur est tombé en panne. / **Journaliste** Ah, bon?! Vous pourriez nous résumer le film? / **Critique** Pour être bref, c'est l'histoire d'un homme qui passe l'aspirateur dans sa chambre. Du moins, c'est comme ça que je l'ai interprété. / **Journaliste** En un mot, est-ce que vous recommanderiez le film? / **Critique** Tout compte fait, oui. Même s'il y a encore trop d'action. Je n'ai jamais aimé les films pleins d'action.

58 Rapporter des paroles ou des pensées

Interviewing Keith Anwar, reporter on the radio...

Keith Anwar Over ten thousand people were reported either missing or dead after the hurricane hit the country. People in the street say it's at least twice that number. It is rumoured that the government has asked foreign countries to come to their help. Personally, I've been told that the government is about to resign over the crisis. But it's only hearsay. I have no confirmation of this. An official said that was just rumour.

Journalist Keith, can you confirm that the president is to appear on television tonight?

Keith Anwar So they say. But there's nothing more I can say about that. I'm hoping to hear about it soon. I'll get back to you as soon as I have any news.

@ www.bescherelle.com

['hʌrɪkən]	['kʌntri]	['ruːməd]	['fɒrən]	[ə'fɪʃəl]
hurricane	country	rumoured	foreign	official

Rapporter de façon journalistique

It is reported that the government has been toppled.
Le gouvernement aurait été renversé.
ou On dit que le gouvernement...

There's a report that the flood killed over one hundred people.
Le bruit court que l'inondation aurait tué plus de 100 personnes.
ou On dit que l'inondation...

According to unconfirmed sources, the investment fund is negotiating with the government.

Selon des sources non officielles, le fond d'investissement négocie avec le gouvernement.

The prisoners are said to have escaped.

Les prisonniers se seraient échappés.

It is said that *ou* **People say (that) all banks will remain closed for several days.**

On dit que toutes les banques resteront fermées pendant plusieurs jours.

Rumour has it that these restaurants are owned by the mafia.

La rumeur dit que ou Le bruit court que ces restaurants appartiennent à la mafia.

Rapporter de façon plus personnelle

Someone told me that Alex was in town.

On m'a dit qu'Alex était en ville.

I've heard *ou* **I've been told that all lectures have been cancelled.**

On m'a dit que tous les cours avaient été annulés.

They *ou* **People say it's going to be a severe winter.**

Les gens disent que l'hiver va être rude. ou On dit que...

I heard it on the grapevine. *(fam.) Je l'ai appris par la bande.*

It's only hearsay. *Ce ne sont que des on-dit ou des rumeurs.*

& Notez bien

- Habituellement, on n'emploie pas les mêmes guillemets en anglais et en français.

  Amin said: 'Dinner is ready.'

  Amin a dit : « Le repas est prêt. »

  Au discours indirect, les guillemets disparaissent et on change souvent le temps employé.

  Amin said that dinner was ready.

  Amin a dit que le dîner était prêt.

- **Tell** est toujours suivi d'un complément personnel.

  I told John that his father was ill.

  J'ai dit à John que son père était malade.

  Say peut être suivi ou non d'un complément personnel, toujours introduit par **to**.

  I said (to my boss) that I would quit.

  J'ai dit (à mon patron) que je démissionnerais.

Traduction du texte p. 348
Keith Anwar, reporter à la radio... / **K. Anwar** On déplorerait 10 000 morts ou disparus après le passage de l'ouragan sur le pays. La population locale affirme qu'il y en a au moins le double. Le bruit court que le gouvernement aurait sollicité l'aide de pays étrangers. On m'a dit personnellement que le gouvernement serait sur le point de démissionner à cause de cette crise. Mais ce ne sont que des on-dit et je n'en ai aucune confirmation. Un représentant des autorités a déclaré qu'il ne s'agissait que d'une rumeur. / **Le journaliste** Keith, pouvez-vous nous confirmer que le président fera une intervention télévisée ce soir ? / **K. Anwar** C'est le bruit qui court. Mais je ne suis pas en mesure de vous en dire plus. J'espère avoir bientôt d'autres informations. Je reprendrai contact avec vous dès que j'aurai des nouvelles.

59 Écrire un courrier

Deux façons d'exprimer la même chose mais dans un style différent...
Hi Johnny!
Got your letter yesterday. It was real fun reading it. Great to hear you're all doing well. Same here. Hope to see you soon. Give me a call some time when you can spare the time. Give my love to everyone. Take care!
Sylvia

Dear Mr Archer,
I received your letter yesterday. I really enjoyed reading it. I was very pleased to hear that you are all in good health. My family and I are all well, too. We look forward to seeing you soon. Do not hesitate to telephone us if you have the time. Kindest regards to you and your family.
Emily J. Alderney

Exemple de mail...
Hi all!
Did you get my last email? I'm off to Greece in a few days.
Suppose you and David are on school holidays. Hope you're well and enjoying the summer!
Love – Lucca
PS. Happy birthday Sophie!

['evriwʌn]	[rɪ'siːvd]	['hezɪteɪt]	['teləfəʊn]
everyone	received	hesitate	telephone

S'adresser à son correspondant

Relations familières

(My) dear Sue/Andy
(Ma) chère Sue/(Mon) cher Andy
Dearest Sue/Andy
Très chère Sue/Très cher Andy
Dear all
Chers tous
Hi!
Salut !
Hi everybody!
Salut tout le monde !

Relations formelles

Dear Sir/Madam/Sir or Madam
Monsieur, Madame/Madame ou Monsieur
Dear Mr Johnson/Mrs Johnson/Miss Johnson/Ms Johnson
Cher Monsieur Johnson/Chère Madame Johnson/Chère Mademoiselle Johnson/Chère Mad. Johnson

Commencer la lettre

Relations familières

It's ages since I've written *ou* **since I last wrote, so I thought I'd better catch up with our news.**
Ça fait une éternité que je n'ai pas écrit. J'ai pensé que je ferais bien de me rattraper.
I'm sorry I haven't written before, but I have been overworked/ extremely busy.
Je suis désolé(e) de ne pas avoir écrit plus tôt, mais j'ai été débordé(e)/ très occupé(e).
Sorry not to have replied sooner/earlier/before, but...
Désolé(e) de ne pas avoir répondu plus tôt, mais...
It was just lovely to get your letter/to hear from you again.
Quel plaisir de recevoir ta lettre/d'avoir de tes nouvelles.
I'm finally taking the time to reply to your long email.
Je prends finalement le temps de répondre à ton long mail.

Relations formelles

I've just received your letter.

Je viens de recevoir votre lettre.

Many thanks for your last letter/for your letter of May 6.

Un grand merci pour votre dernière lettre/pour votre lettre du 6 mai.

Further to our telephone conversation, I would like to...

Suite à notre conversation téléphonique, je voudrais...

I'm writing to thank you for your invitation.

Je vous écris pour vous remercier de votre invitation.

Please find enclosed a CV/a cheque/an invoice.

Veuillez trouver ci-joint un CV/un chèque/une facture.

Lettre de candidature

I am writing to you to apply for the job of bilingual secretary as advertised in *The Independent* dated 6 May.

Je vous écris pour poser ma candidature à l'emploi de secrétaire bilingue publié dans «The Independent» daté du 6 mai.

I would like to get a job as a waiter in your restaurant. Alec Mitchard, who used to work for you, has informed me that a position is available at the Cordon Rouge.

Je souhaiterais travailler comme serveur dans votre restaurant. Alec Mitchard, qui a travaillé chez vous, m'a signalé qu'un emploi était disponible au Cordon Rouge.

I am writing to you to enquire about the possibility of getting a job as a language assistant. I have been told that a position is available in your school and, as I have the required qualifications, I wish to apply for it.

Je vous écris afin de savoir s'il serait possible d'obtenir un emploi d'assistant en langues. On m'a dit qu'un emploi était disponible dans votre école et comme je possède les diplômes requis, j'aimerais poser ma candidature.

I was born in France and French is my native language. I have studied English for eight years now, both at secondary school and at university level. I also have secretarial skills which I acquired on a vocational course...

Je suis né(e) en France et ma langue maternelle est le français. Cela fait huit ans que j'étudie l'anglais au lycée et à l'université. Je peux également faire des tâches de secrétariat car j'ai suivi un enseignement professionnel...

Terminer la lettre

Relations familières

Write soon.

Réponds-moi vite.

Hope you are (all) well.

J'espère que vous allez (tous) bien.

Take care of yourself!

ou **Look after yourself!**

Fais bien attention à toi!

Please give my love to Fatima.

Embrasse Fatima de ma part.

Keep in touch.

Donne-moi des nouvelles.

Bye for now! Sorry but I must rush.

À bientôt ! Désolé, mais il faut que je me dépêche.

Relations formelles

I look forward to hearing from you soon.

Je serais heureux(se) de recevoir une réponse de votre part.

Hope to see you soon.

J'espère vous revoir bientôt.

Give my regards to your parents.

Transmettez mon bon souvenir à vos parents.

My kindest regards to John.

Amitiés à John.

Relations professionnelles

I can provide references if necessary.

Je peux vous fournir des lettres de recommandation si nécessaire.

Please find enclosed my CV (GB)**/my résumé** (US)**.**

Veuillez trouver ci-joint mon CV.

I would be grateful if you could send me an application form/more information concerning the post.

Je vous serais reconnaissant(e) de bien vouloir m'envoyer un dossier de candidature/des renseignements concernant le poste.

Thank you in anticipation.

Je vous remercie par avance.

Signer la lettre

Relations familières

With love from Karen. Amitiés. *ou* Je vous embrasse.
With love from us all.
Amitiés de toute la famille. *ou* Nous vous embrassons.
Much love./All my love./(With) lots of love from John./Love.
Amitiés./Tendresses./Bisous.

Relations formelles

Yours faithfully, [si l'on a commencé avec **Dear Sir/Madam**]
Yours sincerely, [si l'on a commencé avec **Dear Mr X/Mrs X**]
Avec mes sentiments les meilleurs.
(With) best wishes (from Patrick). Cordialement (de la part de Patrick).
(Kindest) regards (from Susan).
(Très) cordialement (de la part de Susan).
Yours. Bien à toi/à vous.

☞ Terminer une lettre à un(e) ami(e)

■ Dans une lettre à un(e) ami(e), après la signature, on ajoute parfois des croix, qui symbolisent chacune un baiser. L'équivalent de *Gros bisous* sera donc :
Love xxx

Lexique

Verbes et expressions

appoint sb (to a post)
nommer qqn (à un poste)
ask *ou* **apply for a job, a post, a position**
demander un emploi, un poste
grant sb a job interview
accorder un entretien d'embauche à qqn
send (a letter, a fax, an email)
envoyer (une lettre, un fax, un courriel)
sign
signer
type
taper, saisir [au clavier]
write (wrote, written)
écrire

Noms

a candidate, an applicant
un(e) candidat(e)
a CV (GB), **a résumé** (US)
un CV, un curriculum vitae
an interview
un entretien
notepaper, writing paper
du papier à lettres
a signature
une signature
situations vacant
les offres d'emploi
small ads, classified ads
les petites annonces

Rédiger un CV

name *nom*
first name *prénom*
permanent/temporary address *adresse permanente/provisoire*
personal/professional telephone number
téléphone personnel/professionnel
email *courriel*
date of birth *date de naissance*
place of birth *lieu de naissance*
marital status: married with three children/unmarried
situation de famille : marié, trois enfants/célibataire
nationality: Belgian/Canadian/French/Swiss
nationalité : belge/canadienne/française/suisse
education *formation*
Bac L : **equivalent to Philosophy, Literature, Languages A levels**
Bac S : **equivalent to Maths, Science A levels**
Bac ES : **equivalent to Economy and Management A levels**
work experience *expérience professionnelle*
private tuition/waiter in a fast food restaurant/sales assistant/French assistant
cours particuliers/serveur(se) dans la restauration rapide/vendeur(se)/assistant(e) de français
fluent Spanish, some German (native French speaker)
espagnol parlé couramment, des connaissances en allemand (langue maternelle : français)
other skills and interests *autres activités et centres d'intérêt*
swimming/reading/North African cooking/choir
natation/lecture/cuisine d'Afrique du Nord/chant choral
references provided by... *lettres de recommandation signées de...*

Traduction du texte p. 350

Salut Johnny ! / Bien reçu ta lettre hier. Je me suis bien amusée en la lisant. C'est super de savoir que vous allez tous bien. C'est la même chose pour nous. J'espère te voir bientôt. Appelle-moi quand tu as une minute. Bisous à tout le monde. / Prends soin de toi. / Sylvia.
Cher Monsieur Archer, / J'ai bien reçu votre lettre hier. Cela m'a fait vraiment plaisir de la lire. J'ai été très heureuse de savoir que vous êtes tous en bonne santé. Ma famille et moi-même allons tous bien aussi. Nous espérons vous revoir bientôt. N'hésitez pas à nous appeler si vous avez le temps. Toutes nos amitiés à vous et à toute votre famille. / Emily J. Alderney.
Salut tout le monde ! / Vous n'avez pas reçu mon dernier courriel ? Je pars en Grèce dans quelques jours. / Je suppose que David et toi êtes en vacances scolaires. J'espère que vous allez bien et que vous profitez de l'été ! / Bises, / Lucca / PS Bon anniversaire, Sophie !

60 Écrire un texte

Pour commencer

To begin with *ou* **To start with, I'll say that...**
Pour commencer, je dirai que...
First of all... *ou* **Firstly/secondly/thirdly...**
Tout d'abord... *ou* Premièrement *ou* En premier/deuxième/troisième lieu...
By way of introduction, we could say that...
En guise d'introduction, on pourrait dire que...
In this essay we will first see... then move on to... and end with...
Dans cette dissertation *ou* cet essai, nous verrons tout d'abord... puis nous passerons à... et terminerons par...
In order to discuss this point we first have to wonder if *ou* **consider...**
Afin d'examiner cette idée, nous devons tout d'abord nous demander si *ou* considérer...
This will lead me to the final point concerning...
Cela me mènera à mon dernier argument concernant...
The matter under discussion raises many issues, among which...
Le sujet pose de nombreux problèmes, parmi lesquels...
The question we have to answer is whether...
La question à laquelle nous devrons répondre est de savoir si...
What I'd like to analyse in this paper is...
Ce que j'aimerais étudier dans cet article est...

Exprimer des généralités

It is generally (often) said/believed/claimed that...
On dit/pense/prétend en général (souvent) que...
It is a commonplace (to say) that...
C'est un lieu commun que de dire que...
Nowadays people tend to travel more.
De nos jours, les gens ont tendance à voyager davantage.
It is a well known fact that
ou **It is well known that...**
Il est bien connu que...
It is often the case that...
Il est souvent vrai que...

Donner un exemple

For example *ou* **For instance...** *Par exemple...*
I'd like to illustrate my point. *J'aimerais donner un exemple.*
We can consider the case of Ireland.
On peut considérer le cas de l'Irlande.
To take another example...
Pour prendre un autre exemple...

Parler d'un texte

The article raises the question of income taxes.
Cet article soulève le problème des impôts.
This text sheds light on a burning issue.
Ce texte éclaire un sujet brûlant.
This economist focusses our attention on...
Cet économiste concentre notre attention sur...
The philosopher hints at *ou* **alludes to/points out that...**
Le philosophe fait allusion à/fait remarquer que...
The author clearly approves of/disapproves of/supports/condemns...
À l'évidence, l'auteur approuve/désapprouve/soutient/condamne...
The major themes of power and revenge appear in this passage.
On retrouve les grands thèmes du pouvoir et de la vengeance dans cet extrait.

Pour conclure, résumer

To conclude *ou* **In conclusion, I would say that...**
Pour conclure ou En conclusion, je dirais que...
From all this, it follows that...
Il découle de tout cela que...
This only goes to show that...
Cela prouve bien que...

& Notez bien

- N'abusez pas de **indeed**, qui est moins utilisé que son équivalent français *en effet*.
- On ne dit pas **as a conclusion**, mais **in conclusion**, **to conclude**.

Lexique

Verbes et expressions

comment on sth
commenter qqch.
convey sth
communiquer, transmettre qqch.
depict sth
dépeindre qqch.
enhance sth
mettre qqch. en valeur
stress sth, stress that…
insister sur qqch., sur le fait que…
An interesting approach is to be found in…
On trouve un point de vue intéressant dans…
It is worth remembering that…
Il est bon de se souvenir que…
It could be thought that…
On pourrait penser que…
It is open to debate. *ou* **It is debatable.**
Cela peut donner lieu à débat.
Our starting-point will be…
Notre point de départ sera…
This text is taken from an article/a novel by…
Ce texte est extrait d'un article/roman de…
This is an extract, an excerpt from…
Ceci est un extrait de…
The text/This document deals with/is about…
Le texte/Ce document parle de…

Mots de liaison

first and foremost
avant tout autre chose
on top of that, what's more
qui plus est
besides, moreover, in addition (to), furthermore
d'autre part, par ailleurs, en outre
to sum (things) up
en résumé
in a word, (to put it) in a nutshell, in short
en un mot, en bref
by and large, all things considered, in the last resort
tout bien pesé, tout bien considéré, en dernier ressort
all in all, on the whole, ultimately
en définitive/somme toute
last but not least, last, lastly, finally
enfin et surtout, finalement
The second *ou* **next point is that…**
La deuxième idée ou le prochain argument est que…
Next on the agenda is the problem of…
Le problème suivant à l'ordre du jour est…
After that, I would like to say that…
Après cela, je voudrais dire que…

Noms

a burning/contemporary/topical/controversial issue
un problème brûlant/contemporain/d'actualité/controversé
a current topic
un sujet de discussion actuel
an exciting/fascinating story
une histoire passionnante, fascinante
unusual opinions
des opinions originales
a thought-provoking statement
une affirmation stimulante
an outstanding event
un événement marquant
far-reaching consequences
d'importantes conséquences
a meaningful discussion
une discussion importante
a significant change
un changement significatif
a decisive factor
un facteur décisif

Lexique

Noms du domaine littéraire

→ p. 139 (La littérature et la lecture)

Adjectifs

(un)biased
(im)partial
commonplace
banal
colourless
fade, terne
convincing
convaincant
(un)interesting
(in)intéressant
ironical
ironique
lively
vivant
misleading
trompeur
moving
émouvant
obvious
évident
relevant
pertinent
striking
frappant

61 Dans un magasin

The baker Good morning. Can I help you?
Customer Yes, could I have a loaf of bread?
The baker Certainly. That's three dollars, please.
Customer Three dollars... There you are.
The baker Thanks. Here's your change. Have a nice day!
Customer Same to you. Bye!

@ www.bescherelle.com

[ləʊf] loaf

[tʃeɪndʒ] change

Se renseigner sur le magasin

What are your opening hours?
Quelles sont les heures d'ouverture ?
What time do you open/close? – We are open from 9 to 6 non stop.
À quelle heure ouvrez-vous/fermez-vous ? – C'est ouvert de 9 heures à 18 heures sans interruption.

Se renseigner sur un rayon

Where is the cosmetics department, please?

Où est le rayon parfumerie, s'il vous plaît ?

Straight ahead./Over there to your right.

Tout droit./Là-bas à droite.

On the first floor/second floor (US)**.**

Au premier étage.

At the other end of the shop to the left.

Au fond du magasin à gauche.

Acheter

What size do you take: small, medium, large or extra-large?

Quelle est votre taille : S, M, L ou XL ?

What size are you? – I, myself, am an extra-large but I'd like a shirt for my son who wears medium clothes. He is medium-sized.

Quelle est votre taille ? – Moi, je fais du XL, mais j'aimerais une chemise pour mon fils qui porte des habits de taille moyenne. Il est de taille moyenne.

Do you want *ou* **need a bag for this?**

Vous voulez un sac ?

Do you want me to wrap it up (for you)?

Vous voulez que je (vous) l'emballe ?

Anything else for you? *ou* **Would you like anything else? – No, thanks** *ou* **No, that's it.** *ou* **No, that'll do.**

Vous désirez autre chose ? – Non, merci. ou *Non, ça ira.*

Payer

How much is this bottle? – The price tag says twenty euros.

Combien coûte cette bouteille ? – C'est marqué vingt euros sur l'étiquette.

Excuse me, where's the cash desk *ou* **checkout counter?**

Où est la caisse, s'il vous plaît ?

Can I pay by cheque/check (US)**/with a credit card?**

Je peux payer par chèque/avec une carte de crédit ?

Do you take euros? – Of course we do./I'm sorry but we don't. *ou* **I'm afraid we don't.**

Vous acceptez les euros ? – Oui, bien sûr./Non, désolé(e).

Don't you have (the) change? *ou* **Haven't you got any change?**
Vous n'avez pas de monnaie ?
Here's your receipt. Keep it if you want to return an item.
Voici votre reçu. Gardez-le si vous voulez rendre un article.

Avertissements

- Voici deux avertissements que l'on trouve souvent dans les grands magasins.
  All shoplifters will be prosecuted.
  Tout voleur à l'étalage sera poursuivi en justice.
  Video cameras in operation at all times.
  Des caméras vidéo fonctionnent en permanence.

Lexique

Verbes

can afford sth/to buy sth
se permettre qqch., d'acheter qqch.
queue (GB)**/stand in line** (US)
faire la queue
run out of (money)
ne plus avoir (d'argent)
save
économiser
spend (spent, spent), spend money
dépenser
supply sb with sth
fournir qqch. à qqn

Noms

a (plastic) bag
un sac (en plastique)
a basket
un panier
cash
de l'argent liquide
a customer
un client
a department
un rayon
a department store
un grand magasin
a hypermarket *ou* **a superstore**
un hypermarché
a shopping mall
un centre commercial
a discount
une remise
goods
des marchandises
a (street) market
un marché (en plein air)
an order
une commande
a parcel
un paquet
the price
le prix
a purse (GB)**/a wallet** (US)
un porte-monnaie
a retail shop
un magasin de détail
a shop assistant/sales assistant/salesgirl
un(e) vendeur(se)
a sign
une enseigne
a special offer
une promotion
the staff
le personnel

Adjectif

expensive
cher

Traduction du texte p. 359
La boulangère *Bonjour. Vous désirez ?* / **La cliente** *Je pourrais avoir un pain ?* / **La boulangère** *Oui, certainement. Ça fait trois dollars, s'il vous plaît.* / **La cliente** *Trois dollars… Voilà.* / **La boulangère** *Merci. Voici votre monnaie. Et bonne journée.* / **La cliente** *De même. Au revoir.*

62 Au restaurant ou dans un pub

Commander dans un pub…
Waiter Yes?
Customer I'd like a pint of lager, half a pint of cider and two orange juices, please.
Waiter Any special brand you'd like?
Customer Give me XXL.
Waiter That's sixteen pounds fifty altogether, please.

@ www.bescherelle.com

[paɪnt]	['lɑːgə]	['saɪdə]	['ɒrɪndʒ]	['dʒuːsɪz]	[ɔːltə'geðə]
pint	lager	cider	orange	juices	altogether

Réserver une table

Good evening, we'd like a table for three. Non-smoking.
Bonsoir, nous voudrions une table pour trois personnes. Non-fumeurs.
We'd like to have dinner at nine. *Nous voudrions dîner à 21 heures.*
Did you make a reservation? – No, we didn't. *Vous avez réservé ? – Non.*
Sorry, but we're full. You have to book at least two days in advance, especially at weekends.
Désolé(e) mais c'est complet. Il faut réserver au moins deux jours à l'avance, surtout le week-end.

☞ Bon à savoir au restaurant

■ Dans les restaurants, il faut toujours attendre qu'un serveur vous place.
■ Habituellement, le service n'est pas inclus dans l'addition. Il convient d'ajouter de 10 à 15 %. Cela vaut pour la Grande-Bretagne comme pour les États-Unis, où l'on ajoute parfois jusqu'à 20% pour le service. En France, le service est presque toujours inclus, mais on peut arrondir une addition pour le pourboire. Dans les pays anglophones, on ne fait pas la distinction entre le service et le pourboire.
■ La grande majorité des restaurants dans les pays anglophones proposent des menus végétariens.

☞ Dans un pub

- Les pubs jouent un rôle très important dans la vie sociale des Britanniques. Les dernières consommations ne peuvent pas être servies après 23 heures.
- Dans un pub, on n'est jamais servi à table ; les clients commandent leurs boissons au bar et paient immédiatement. On ne donne jamais de pourboire dans un pub. On ne laisse pas de petites pièces au serveur, contrairement à ce qui se fait en France.

Commander

Are you ready (to order)?
– Yes, we are. *ou* **No, we're not ready yet.**
Vous voulez commander ?
– Oui./Non, pas encore.
This a buffet, so help yourselves to anything you like.
C'est un buffet. Vous pouvez donc vous servir à volonté.
What's today's special?
ou **What's the dish of the day?**
Quel est le plat du jour ?
What would you like to drink with this? We have a fine selection of wine.
Que voulez-vous boire avec ça ? Nous avons une bonne carte des vins.
What wine would you recommend with this?
Quel vin recommanderiez-vous avec ça ?
Could we have a look at the menu?/at the wine list?
On peut regarder le menu/la carte des vins ?
I'm sorry but we don't have much time. Could you possibly serve us straight away?
Désolé(e), mais nous n'avons pas beaucoup de temps. Vous pourriez nous servir tout de suite ?
Could I have some more chips/water?
Je pourrais avoir un peu plus de frites/d'eau ?
I'd like to order a dessert, please. Do you have light desserts?
Je voudrais commander un dessert. Vous avez des desserts légers ?
I'd like a large/small portion.
Je voudrais une grande/petite portion ou assiette.
Is everything all right *ou* **to your taste? Did you enjoy your meal?**
Tout va bien ? ou Tout est à votre goût ? Vous avez aimé ?

Où prendre un repas

- **a restaurant** *un restaurant*
- **an eatery** *un café-restaurant (fam.)*
- **a fast food restaurant** *un fast food*
- **a buffet** *un snack* [surtout dans les gares]
- **a greasy spoon** *(péj.)* : un snack qui sert de la cuisine anglaise, simple, bon marché et de qualité moyenne
- **a take away (restaurant)** un restaurant qui propose des plats à emporter
- **a fish and chip shop** le traditionnel **fish and chips** : filets de poisson frits servis avec des frites
- **a café** comparable avec ce que nous appelons des « snack bars »
- **a sandwich bar** un endroit avec un grand choix de sandwichs (à manger sur place ou à emporter)
- **a tea shop (a tea room, a coffee shop)** un endroit où l'on sert du thé, du café, des boissons non alcoolisées, des sandwichs et de la pâtisserie

Quelques spécialités traditionnelles britanniques

- **Haggis** plat national écossais à base de panse de brebis et d'abats
- **Irish stew** ragoût de mouton
- **Shepherd's pie** proche du hachis parmentier
- **Steak and kidney pie** tourte au bœuf et aux rognons
- **Yorkshire pudding** petite galette ronde qui accompagne traditionnellement le rôti de bœuf
- **Ploughman's lunch** assiette froide servie dans les pubs, composée de fromage, de pain et de condiments

Lexique

Verbes et expressions

pay the bill
payer la note

Noms

a vegetarian meal
un menu végétarien

a menu/a fixed menu
un menu/à prix fixe

service not included
service non compris

the side dish
la garniture

speciality of the house
la spécialité de la maison

the toilets/
the rest room (US)
les toilettes

→ p. 41 (L'alimentation et la cuisine), p. 48 (Les repas)

Traduction du texte p. 362

Le serveur *Oui ?* / **Le client** *Je voudrais une pinte de bière, une demi-pinte de cidre et deux jus d'orange, s'il vous plaît.* / **Le serveur** *Vous voulez une marque spéciale ?* / **Le client** *Donnez-moi une XXL.* / **Le serveur** *Ça fait 16 livres 50 en tout, s'il vous plaît.*

63 À l'hôtel

Customer I'd like some information about your hotel. Do you have any vacancies for next week?
Receptionist Let me check first. Well, we might have a double room, at £190 (one hundred and ninety pounds) plus VAT or a single at £150 (one hundred and fifty pounds) a night plus VAT.
Customer All right, I'll book a single for three nights from Monday to Thursday.
Receptionist Would you like to confirm your reservation now with a credit card?
Customer Yes, I'm definitely coming over. Here's my credit card number 012301234567Y. Expiry date is 02/12/2018 (zero two twelve, twenty eighteen). Good bye.
Receptionist Good bye!... (Hangs up...) A customer, at long last!

@ www.bescherelle.com

[ɪnfəˈmeɪʃən]	[ˈveɪkənsiz]	[rezəˈveɪʃən]	[ɪkˈspaɪəri]	[ˈkʌstəmə]
information	vacancies	reservation	expiry	customer

Réserver une chambre

Do you have any vacancies?
Vous avez encore des chambres libres ?
I'd like to book a single room for tonight.
Je voudrais réserver une chambre à un lit pour ce soir.
How long are you staying? – Two nights from tomorrow.
Vous comptez rester combien de temps ? – Deux nuits à partir de demain.
We'd like a room with a balcony/with television/with a private bathroom/with a private toilet.
Nous voudrions une chambre avec balcon/télévision/salle de bains particulière/toilettes.
Do you have weekend special offers?
Vous faites des promotions pour le week-end ?
Is it cheaper if I book online? *C'est moins cher si je réserve par Internet ?*
Does that include breakfast? *Le petit déjeuner est-il compris ?*

Arriver à l'hôtel

I have a reservation *ou* **I have reserved/booked a room for tonight.**
J'ai réservé pour ce soir.
Would you mind filling in this registration form?
Vous voulez bien remplir cette fiche?
Do I have to sign somewhere?
Est-ce que je dois signer quelque part?

Demander un service

Are you open all night? *C'est ouvert toute la nuit?*
Can someone bring my luggage up/down?
Est-ce que quelqu'un peut monter/descendre mes bagages?
Can I park my car in a car park?
Je peux garer ma voiture dans un garage?
Should we keep the key with us or can we leave it at the reception?
On doit garder la clé ou est-ce qu'on peut la laisser à la réception?
How can I make a phone call from my room? – You have to dial 0 first.
Je peux téléphoner de ma chambre? – Vous faites d'abord le zéro.

Prendre un petit déjeuner

Where is breakfast served? *ou* **Can we have breakfast now?**
Où peut-on prendre son petit déjeuner? ou On peut prendre le petit déjeuner maintenant?
Could you bring us breakfast in our room?
Vous pourriez nous apporter le petit déjeuner dans notre chambre?
How would you like your eggs? Hard-boiled, boiled, fried or scrambled?
Comment désirez-vous vos œufs? Durs, à la coque, au plat ou brouillés?

Quitter l'hôtel

We'll leave at the crack of dawn. Could you wake us up at 6:30 (six thirty)?
Nous partons aux aurores. Vous pourriez nous réveiller à 6 h 30?
Could we have the bill, please? *ou* **We'd like to check out.**
On pourrait avoir la note, s'il vous plaît? ou Nous aimerions régler la note.

How would you like to pay, cash or credit card? – Credit card.
I suppose I can't pay by cheque.

Vous payez en liquide ou par carte de crédit ? – Avec une carte de crédit. Je suppose qu'il n'est pas possible de payer par chèque.

Le petit déjeuner à l'hôtel

Dans les hôtels, on propose habituellement deux types de petit déjeuner.

- **cooked breakfast**

  Cooked breakfast is a rather big breakfast that includes fried bacon, eggs, sausages, cooked tomatoes and sometimes mushrooms. It is served with tea or coffee.

  C'est un petit déjeuner assez copieux qui inclut du bacon frit, des œufs, des saucisses, des tomates cuites et parfois des champignons. On le sert avec du thé ou du café.

- **continental breakfast**

  Continental breakfast is a light breakfast consisting of bread rolls, butter, toast, cereal, marmalade and jam, served with a hot drink.

  C'est un petit déjeuner léger qui se compose de petits pains, de beurre, de pain grillé, de céréales, de confiture d'orange et de confiture, servi avec une boisson chaude.

Lexique

Verbes et expressions

check in, check out
arriver, payer sa note

stay at a hotel
descendre dans un hôtel

→ p. 117 (L'hébergement)

Noms

check-in, check-out
l'arrivée, le départ

a guest
un client

a deposit
des arrhes

an extra blanket/pillow
une couverture/un oreiller supplémentaire

vacancies, no vacancies
chambres à louer, complet

Traduction du texte p. 365

Le client Je voudrais des renseignements concernant votre hôtel. Vous avez encore des chambres libres pour la semaine prochaine ? / **La réception** Attendez. Je vais vérifier. Eh bien, on aurait peut-être une chambre double à 190 livres plus TVA ou une chambre à un lit à 150 livres la nuit plus TVA. / **Le client** Très bien, je prends une chambre à un lit pour trois nuits, de lundi à jeudi. / **La réception** Vous souhaitez confirmer votre réservation maintenant avec une carte de crédit ? / **Le client** Oui. Je suis sûr de venir. Voici mon numéro de carte de crédit : 012301234567Y. Elle expire le 2. 12. 2018. Au revoir. / **La réception** Au revoir ! [Elle raccroche.] / Enfin un client !

64 À la gare

Traveler Hello. A ticket to Reading, please.
Booking office Here's a return ticket to Reading for nineteen pounds.
Traveler But I don't want a return.
Booking office A day return is the same price as a single, so you may as well take it.
Traveler Well I'm meeting my fiancée's parents today.
Booking office Do take the return ticket, then.

@ www.bescherelle.com

['tɪkɪt]	['redɪŋ]	[rɪ'tɜːn]	['sɪŋgəl]
ticket	Reading	return	single

Se renseigner au guichet

I booked a ticket on the Internet. Can I pay for it here?
J'ai réservé un billet sur Internet. Je peux le payer ici?
What time does the first train to Manchester leave?
À quelle heure part le premier train pour Manchester?
What time does the train from Chicago arrive?
À quelle heure arrive le train de Chicago?
Is the train from/to Birmingham on time? Is it late? How late is it?
– There's a delay of twenty minutes.
ou **The train is twenty minutes late.**
Le train de/pour Birmingham est-il à l'heure? Il est en retard? Il a combien de retard?
– Il y a un retard de 20 minutes.
ou Le train a 20 minutes de retard.
What platform does the train leave from/arrive at?
De quel quai part le train? ou À quel quai arrive le train?
I've just missed my train. I'd like to change my ticket. I know there's an extra charge for that.
Je viens de rater mon train. J'aimerais échanger mon billet. Je sais qu'il y a un supplément à payer pour ça.

Acheter un billet

I'd like a second/first class ticket to Philadelphia, please.
J'aimerais un billet de seconde/première classe pour Philadelphie.
I'd like a single/one-way (US) **ticket/a return/ round trip** (US) **ticket to London, please.**
Je voudrais un aller simple ou *un aller-retour pour Londres.*
I'd like to reserve a window seat/an aisle seat, please.
Je voudrais réserver un siège côté fenêtre/côté couloir.
Are there special fares for students/senior citizens?
Y a-t-il des tarifs spéciaux pour étudiants/pour le troisième âge?
How long is my ticket valid? – For two months from today.
Combien de temps mon billet est-il valable? – Deux mois à partir d'aujourd'hui.
Do I have to change trains or is it a through/non-stop train?
– You have to change at Oxford.
Je dois changer ou c'est direct?
– Vous devez changer à Oxford.

Se renseigner sur le quai

Is this the right platform for the train to Toronto?
C'est bien le quai du train pour Toronto?
The express train to Bristol is about to depart from platform 21 (twenty-one).
Mind the doors! The doors are now closing.
Le train express pour Bristol va partir voie 21. Attention à la fermeture automatique des portes!

Se renseigner dans le train

Is this seat reserved/taken? Is it free?
Ce siège est réservé/pris? Il est libre?
Would you mind keeping this seat for me for a few minutes?
Vous pourriez me garder ma place quelques minutes?
Do you know if there's a bar/a dining car?
Vous savez s'il y a un bar/un wagon-restaurant?
How long does it stop in Oxford?
Il s'arrête combien de temps à Oxford?

Prendre le métro, le bus

Where's the nearest underground (GB)**/subway** (US) **station?**
Où est la station de métro la plus proche?
Which line should I take? *Quelle ligne dois-je prendre?*
Does this train go to Broadway?
Cette rame va bien à Broadway?
Do you know what the next station is?
Savez-vous quelle est la prochaine station?
Which bus do I take to Dallas?
Quel bus dois-je prendre pour Dallas?
Could you tell me where I have to get off?
Vous pourriez me dire où je dois descendre?
How many stops are there to the train station?
Combien d'arrêts y a-t-il jusqu'à la gare?

→ p. 120 (Prendre le train)

Lexique

Verbes et expressions

at the front *ou* **in the middle** *ou* **at the end of the train**
en tête ou en milieu ou en queue de train
Don't forget to get your ticket punched.
N'oubliez pas de composter votre billet.
To the trains.
Accès aux quais.

Noms

an upper/middle/lower berth
une couchette supérieure/du milieu/inférieure
a car (US), **carriage** *ou* **coach** (GB)
une voiture
the (luggage) lockers
la consigne automatique
the left luggage office
la consigne
a ticket *ou* **booking office**
un guichet des billets ou des réservations
the lost property office
le bureau des objets trouvés
a waiting room
une salle d'attente
a supplement
un supplément
a ticket machine
un distributeur de titres de transport
a timetable *ou* **a schedule**
un horaire
a (luggage) trolley
un chariot (à bagages)
a travel card
une carte de transport

Traduction du texte p. 368
Le voyageur *Bonjour. Un billet pour Reading, s'il vous plaît.* / **Au guichet** *Voici un aller-retour pour Reading. Ça fait 19 livres.* / **Le voyageur** *Mais je ne veux pas un aller-retour.* / **Au guichet** *Un aller-retour dans la journée coûte le même prix qu'un aller simple. Alors, autant le prendre.* / **Le voyageur** *En fait je vais faire la connaissance des parents de ma fiancée aujourd'hui.* / **Au guichet** *Alors vous feriez bien de prendre l'aller-retour.*

65 À la banque

Tourist Excuse me please, where's the nearest bank?
Londoner There's one just behind you. What do you want a bank for?
Tourist I need to cash traveller's cheques.
Londoner This is a bank holiday.
Tourist A bank holiday?
Londoner Yes, it's a public holiday, but originally only banks had a holiday on these days. That's why we call them "bank holidays". But I'm sure you can still find a bureau de change or a cash machine.
Tourist "Bank holidays"! That's a great invention! Do you also have "post office holidays"? or "airport holidays"?

@ www.bescherelle.com

['trævələ]	[ə'rɪdʒənəli]	['bjʊərəʊ]	['eəpɔːt]
traveller	originally	bureau	airport

Retirer de l'argent

Where can I cash an international money order?
Où est-ce que je peux encaisser un mandat international?
I'd like to withdraw some money with my credit card. Where can I find a cash machine *ou* **cash dispenser?**
Je voudrais retirer de l'argent avec ma carte de crédit. Où pourrais-je trouver un distributeur de billets?
Do you need my passport? Do I need to sign anything?
Vous voulez mon passeport? Est-ce que je dois signer quelque chose?

Changer de l'argent

Where can I change some money/find a bureau de change?
Où est-ce que je peux changer de l'argent/trouver un bureau de change?
Do you charge commission for that?
Vous prenez une commission pour ça?
I'd like to change my pounds into dollars. What's the exchange rate?
Je voudrais changer mes livres en dollars. Quel est le taux de change?

I'd like to cash a traveller's cheque/a eurocheque.
– How would you like your money? Tens or twenties?

Je voudrais encaisser un chèque de voyage/un eurochèque.
– Quelles coupures voulez-vous ? Des billets de dix ou de vingt ?

Lexique

Verbes et expressions

pay sth into an account
verser qqch. sur un compte

transfer money from one account to another
transférer de l'argent d'un compte vers un autre

→ p. 165 (À la banque)

Noms

a blank cheque (GB)**/ check** (US)
un chèque en blanc

a counter *ou* **a position**
un guichet

expenses
des frais

a savings bank
une caisse d'épargne

a commission charge
une commission

Traduction du texte p. 371

Le touriste Excusez-moi, où se trouve la banque la plus proche ? / **Le Londonien** Il y en a une juste derrière vous. Pourquoi cherchez-vous une banque ? / **Le touriste** J'ai besoin de changer des chèques de voyage. / **Le Londonien** Mais c'est un jour férié [*litt.* vacances des banques]. / **Le touriste** Les banques sont en vacances ? / **Le Londonien** Oui. C'est un jour férié pour tout le monde mais, à l'origine, seules les banques étaient en vacances ces jours-là. Voilà pourquoi on les appelle "bank holidays". Mais je suis sûr que vous pourrez quand même trouver un bureau de change ouvert ou un distributeur automatique. / **Le touriste** "Bank holiday" ? Ça, c'est une trouvaille. Est-ce que vous avez aussi des "vacances des postes" ou des "vacances des aéroports" ?

66 Au spectacle, au cinéma, au musée

In big cities there are so many things to do: plays, films and exhibitions to see, parties to go to, museums or historical buildings to visit. You can never get bored. And if you like nature there's always a park or garden nearby, like Hyde Park in London or Central Park in New York or the Luxembourg Gardens in Paris. In a city I always feel that everything pulses with meaning, with history, with life.

@ www.bescherelle.com

[eksɪˈbɪʃənz]	[mjuˈziːəmz]	[hɪˈstɒrɪkəl]	[ˈneɪtʃə]	[ˈlʌksəmbɜːg]	[ˈpʌlsɪz]
exhibitions	museums	historical	nature	Luxembourg	pulses

Acheter un billet

Where can I buy tickets? Where's the box office?
Où est-ce que je peux acheter des billets ? Où est le guichet ?
I'd like two tickets for tonight's performance, please.
J'aimerais deux billets pour ce soir, s'il vous plaît.
Can I reserve tickets for tomorrow/for next Thursday?
Je peux réserver des billets pour demain/pour jeudi prochain ?
Are there still seats available for tonight? Are there still tickets left?
Il y a encore des places pour ce soir ? Il reste des billets ?
Are there cheaper seats? Is there a student discount?
Est-ce qu'il y a des places moins chères ? Il y a une réduction pour les étudiants ?

Se renseigner sur le programme

Is the film/play still on?
Il se donne encore, ce film ?/Elle se donne encore, cette pièce ?
What's on tonight, please?
Qu'est-ce qu'il y a au programme ce soir ?
Who's in it?/Who's singing? *Qui joue ?/Qui chante ?*

What is the play/film/opera about? De quoi parle la pièce/le film/l'opéra ?
Has it had good/bad reviews?
Les critiques sont bonnes/mauvaises ?
Who is it by? – It's a film/play by John Switchy.
C'est de qui ? – C'est un film/une pièce de John Switchy.
What time does the show start/end?
À quelle heure commence/se termine le spectacle ?

S'orienter dans un musée

Where can I find paintings by American artists?
Où est-ce que je peux trouver des tableaux d'artistes américains ?
Where's the Impressionists' room?
Où est la salle des impressionnistes ?
Where's the Barry Flanagan exhibition?
Où est l'exposition Barry Flanagan ?

Lexique

Verbes et expressions

attend (a concert)
assister à (un concert)
play the lead
jouer le rôle principal
play a part (in a film, a play)
jouer un rôle (dans un film, une pièce)
It's sold out.
ou **We're sold out.**
C'est complet.

Noms

the cloakroom
les vestiaires
an entertainment guide
un programme des spectacles
a programme, program (US)
un programme

Adjectifs

packed
comble
booked up
ou **fully booked**
complet

→ p. 150 (Les arts du spectacle)

Traduction du texte p. 373
Dans les grandes villes, il y a tellement de choses à faire : on peut voir des pièces de théâtre, des films, des expositions, aller à des soirées, visiter des musées ou des monuments historiques. On ne s'ennuie jamais. Et si vous aimez la nature, il y a toujours un parc ou un jardin pas trop loin, comme Hyde Park à Londres, Central Park à New York ou le Jardin du Luxembourg à Paris. Dans une grande ville, j'ai toujours l'impression que tout vit au rythme de l'histoire, au rythme de la vie.

67 Au garage

Customer What's the problem with my car?
Mechanic Well, the engine has had it, the wheels are warped, the chassis is full of holes and the bodywork is all rusted.
Customer It's good for scrap in other words.
Mechanic Except for the steering wheel, it could still be used as a spare part. And the cigar lighter is in perfect working order.

@ www.bescherelle.com

['endʒɪn]	[wɔːpt]	['ʃæsi]	['bɒdiwɜːk]	['stɪərɪŋ wiːl]	[sɪ'gɑː]
engine	warped	chassis	bodywork	steering wheel	cigar

Faire le plein

Fill it up, please.
– Diesel or unleaded petrol?
Le plein, s'il vous plaît.
– Diesel ou essence sans plomb ?
I've run out of petrol (GB)**/gas** (US)**. Could I borrow a jerry can?**
Je suis tombé en panne d'essence. Je pourrais vous emprunter un jerrycan ?

Faire réparer sa voiture

My car won't start. The battery is probably dead.
Ma voiture ne démarre pas. La batterie est probablement à plat.
I have a flat tyre (GB)**/tire** (US)**. Could you fix/repair/mend it?**
J'ai un pneu à plat. Vous pourriez le réparer ?
My car has broken down. I don't know what's wrong with it.
Ma voiture est en panne. Je ne sais pas ce qu'elle a.
How long will it take to repair my car?
Il faudra combien de temps pour réparer ma voiture ?
Could I have an estimate?
Je pourrais avoir un devis ?

Lexique

Verbes et expressions

break down
tomber en panne
dim one's headlights
mettre les codes
fill up with petrol *ou* **fill the car up**
faire le plein d'essence
have a (car) crash
avoir un accident (de la route)
put on *ou* **apply the brakes**
freiner
repair *ou* **fix a car**
réparer une voiture
switch on the headlights
allumer les phares

Noms

a front/back seat
un siège avant/arrière
the (petrol (GB)**/fuel) tank**
le réservoir (d'essence)
a breakdown lorry (GB)**/ tow truck** (US)
une dépanneuse
a mechanic
un mécanicien, un garagiste
oil *de l'huile*
a petrol station (GB)**/gas station** (US)
une station service
a spare part
une pièce détachée

Quelques panneaux (a few road signs)

Give way
Cédez le passage
No overtaking
Dépassement interdit
No parking
Stationnement interdit
diversion
déviation
one way
sens unique
pedestrians
piétons
a roundabout *ou* **traffic island**
un rond-point

→ p. 118-119 (Voyager en voiture, Les parties de la voiture)

Traduction du texte p. 375

Le client Qu'est-ce qu'elle a, ma voiture ? / **Le garagiste** Eh bien, le moteur est fichu, les roues sont voilées, le châssis est tout troué et la carrosserie est complètement rouillée. / **Le client** Elle est juste bonne pour la casse, en d'autres termes. / **Le garagiste** Sauf le volant. Il pourrait encore servir comme pièce de rechange. Et l'allume-cigare est en parfait état.

68 Chez le médecin

A doctor and a patient...
Patient What's wrong with me, doctor? I'm always tired. Do you think it's serious?
Doctor I'll take your blood pressure and your temperature. Maybe I'll also have your blood tested. And I'd like a sample of your urine. Do you take any medicine?
Patient None at all.
Doctor Do you often have a fever?
Patient Almost never.
Doctor And how many hours do you sleep at night?
Patient I can't be bothered to go to bed. It's such a waste of time.

@ www.bescherelle.com

['sɪəriəs]	['preʃə]	['temprətʃə]	['jʊərɪn]	['medsɪn]	['bɒðəd]
serious	pressure	temperature	urine	medicine	bothered

Demander un médecin

I need a doctor. Right now.
J'ai besoin d'un médecin. Tout de suite.
Could I have an appointment with Doctor Swan as soon as possible?
Pourrais-je avoir un rendez-vous avec le docteur Swan dès que possible ?

Se renseigner sur un état de santé

What's wrong? Where does it hurt?
Qu'est-ce qui ne va pas ? Où est-ce que vous avez mal ?
Does it hurt when I press here? *Ça fait mal quand j'appuie ici ?*
Please undress and lie down here. *Déshabillez-vous et allongez-vous là.*
Breathe deeply and then cough. *Respirez profondément et ensuite toussez.*
You should stay at home/in bed for a few days.
Vous devriez rester chez vous/au lit pendant quelques jours.
Do you have a health insurance?
Vous avez une assurance maladie ?

Expliquer son état de santé

I've been stung. My cheek is swollen.
J'ai été piqué(e). J'ai la joue enflée.
I've been bitten by a dog. *J'ai été mordu(e) par un chien.*
I've had a fall. Something must be broken.
J'ai fait une chute. J'ai dû me casser quelque chose.
I've hurt my foot/shoulder/head.
Je me suis blessé(e) au pied/à l'épaule/à la tête.
My ankle is broken/sprained. *Je me suis cassé/foulé la cheville.*
I'm in terrible pain. *ou* **It hurts terribly.**
J'ai très mal. ou Ça fait très mal.
I feel a dull/throbbing/on-and-off kind of pain.
J'éprouve une douleur sourde/lancinante/intermittente.
I have toothache. I've lost a filling.
J'ai mal aux dents. J'ai perdu un plombage.
I don't want to have my tooth out.
Je ne veux pas qu'on m'arrache la dent.
Could you give me a painkiller?
Vous pourriez me donner un analgésique?
I hope the medicine you're prescribing is not too strong.
Les médicaments que vous me prescrivez ne sont pas trop forts, j'espère.

Lexique

Verbes et expressions
break one's wrist/leg
se casser le poignet/la jambe
have a checkup
faire faire un bilan de santé
go to the doctor's/to the hospital
aller chez le médecin/à l'hôpital
operate on sb, be operated on
opérer qqn, être opéré(e)
He looks well. He doesn't look well.
Il a bonne mine. Il n'a pas bonne mine.

→ p. 35 (L'hygiène et la santé)

Traduction du texte p. 377
Le patient Qu'est-ce que j'ai, docteur? Je suis toujours fatigué. Vous pensez que c'est grave? / **Le médecin** Je vais prendre votre tension et votre température. Je vais peut-être aussi vous faire faire une analyse de sang et je voudrais un échantillon de votre urine. Vous prenez des médicaments? / **Le patient** Non, aucun. / **Le médecin** Vous avez souvent de la fièvre? / **Le patient** Pratiquement jamais. / **Le médecin** Et combien d'heures dormez-vous la nuit? / **Le patient** Je ne vais pas m'embêter à aller au lit. C'est une telle perte de temps.

Index

Les numéros de pages en bleu font référence au VOCABULAIRE THÉMATIQUE.
Les numéros de pages en orange font référence au GUIDE DE COMMUNICATION.

A

a.m. 269
accepter
(une invitation) 230-231
accord
(être d'~/pas d'~) 323-324
accueillir 228-229
accuser 258
acheter 360
(un billet) 369, 373
activité intellectuelle 29-34
activité physique 26-28
aéroport 121
Afrique 218
âge (parler de l'~) 266-267
agressivité 75
agriculture 168-170
aimer/ne pas aimer 300-302
alimentation 41-44
Amérique 218
amitié 68-69
amour 69
animal 99-105
année 284
Antiquité 206-207
appareil
de cuisine 45
ménager 60-61
apparence physique 15-16
apprécier 300-301
approuver 323-324
arbre 107
architecture 145-146
argent 165
(retirer/changer
de l'~) 371-372
arme 199-200
arriver (à l'hôtel) 366
artisanat 175
art 136-138
du spectacle 150-153
Asie 218-219
au revoir (dire ~) 225
Australasie 219
automobile 118-119
autorisation 236
avenir (renvoyer à l'~) 277-278
avion 121
avoir raison 325-326

B

banque 165-166, 371-372
basse-cour 102
bateau 122
be able to 288
be going to/be about to 278
be to 278
beaux-arts 143-145
besoin (avoir ~ de) 289-290
bienvenue
(souhaiter la ~) 228-229
blessure 38
boire 233
boisson 50-51
bonheur 73-74
bonjour (dire ~) 224-225
bouger 26-27
bricolage 62
bus (prendre le ~) 370

C

c'est... qui/que 295
cadeau 232
campagne 95-96
camping 117-118
can/could 287-288
candidature (lettre de ~) 352
capable (être ~ de) 287-288
capacité 288
cause 343-345
certain (être ~) 338-340
certitude
(exprimer une ~) 338-340
changer
de conversation 251-252
chaussure 54
chiffrer 283-286
chômage 80-82
christianisme 132-133
cinéma 154-156, 373-374
cirque 153
civilités 15
classe d'âge 266-267
climat 213-215
colère (exprimer sa ~) 316-317
combien de temps
(dire ~) 281-282
commande
(passer une ~) 362-364
comme 328
commerce 176-178
communication 161-163
comparer 328-329
compromis
(chercher un ~) 327-328
concéder/
concession 325-326
concert 148-149
conclure 333, 357
condition (exprimer une ~/
mettre une ~ à) 334-335
congé (prendre ~) 224-225
conseiller 246-248
conséquence
(exprimer la ~) 291-292
conte 135
contemporaine
(époque ~) 208
continent 216-220
contraindre 292-293
contrarié (être) 313-314
contraste
(exprimer un ~) 331-332

conversation
(changer de ~) 251-252
coopération
internationale 201
corps. 19-25
couleur. 86-87
courrier 161-162
écrire un ~. 350-354
couture 56
couvert (mettre le ~) 50
craintes
(exprimer ses ~). 314-315
création (artistique). 136-137
criminalité 189-190
croyance 131-132
cuire (faire ~). 47
CV. 355

D

danse 152-153
dater 262-263
déception
(exprimer sa ~) 313-314
décimale 284
décrire qqn/qqch. 244-246
déduire. 333-334
dégoût (exprimer le ~). 301
demander
comment ça va 224-225
l'heure 268
une information. 238-239
un itinéraire 260
une permission 235
qqn
au téléphone. 253-254
un service 238
son opinion à qqn 320-321
démocratie. 184-187
démographie. 192-194
dentiste (chez le ~) 40
depuis combien de temps
(dire ~) 281-282
désaccord. 324
désapprouver 324
désespoir
(exprimer son ~) 307
désirer 303
désolé (être ~). 249-250, 315
détermination. 294-295
détester 301
devoir 289-290
dimensions 88-89
dire en insistant. 294
dire
les années 284
les chiffres. 283-284
les dates 286
les décimales 284
les fractions 284
les opérations. 285
son âge 266
zéro 285
dire qu'on est
bien décidé. 294
dire qu'on est
surpris. 311-312
dire qu'on se souvient/
qu'on a oublié. 279
dire qu'un événement
est révolu. 271
dire que ça va 224-225
discours indirect/
rapporté. 348-349
dissuader 296-297
divorce. 66
dormir 36-37
doute (émettre un ~/
mettre en ~) 336-337
droits de l'homme 190-191
durée (exprimer la ~) 281-282

E

eau. 211-212
école 76-78
économie 164-167
écrire
une lettre/
un mail à qqn. 350-354
une lettre de
candidature. 352
un CV. 355
un texte 356-359
éducation 66-67
élection 184-185
élevage. 170
émotion. 73-75
emploi 80-84
énergie. 110-111, 173-174
enfant. 66-67
enjoindre
(qqn de faire qqch.). 247
enregistrer un message. . . 255
entreprise. 82-83
envies
exprimer ses ~ 302-303
environnement
défense de l'~. 109-111
naturel. 95-98
décrire son ~ 85-90
urbain 91-94
espace
(situer dans l'~) 259-261
espoir (exprimer son ~). 306
État 180-183
étranger. 181
être à l'heure/en retard . . . 265
étudier 76-79
Europe 182, 219-220
évaluer. 327-329
événement passé
(parler d'un ~) 270-272
événement présent
(parler d'un ~) 275-276
exemple (donner un ~). 357
(s') excuser 249-250
explication (demander/
donner une ~) 343-345
expliquer. 343-345
exprimer
la durée. 281-282
un résultat. 273, 291-292

F

faire en sorte que 293
faire faire qqch. 292-293
faire réparer. 375
famille 64-67
festivité 123-125
fête. 123-126, 230-231
fiction 140
film 155-156
finance. 164-167
fleur. 107-108
fleuve 211

foi 131-132
for + durée 264, 272, 274, 282
forcer qqn à 290, 292-293
formalité administrative 122
forme 85-86
fraction 284
fromage 43
fruit 43-44
fruits de mer 42
futur (renvoyer au ~) 277-278

G

garage (dans un ~) 375-376
gare (dans une ~) 368-370
généralité (énoncer une ~) ... 275-276, 356
genre (littéraire) 139-140
géographie 216-220
géologie 210-211
geste 28
goût 24
goûts (exprimer ses ~) ... 300-301
grande surface 177-178
grève 83, 188-189
guerre 198-199, 207-209

H

habiller (s'~) 53
hébergement 117-118
heure (dire l'~) 268-270
histoire 205-209
hôpital (à l'~) 40
horreur (exprimer l'~) 301
hôtel (à l' ~) 117-118, 256-257, 365-367
how are you? 225
how long? 281-282
how much? how old? how tall? 246
humanité 10-11
hygiène 35-36
hypothèse (émettre une ~) 334-335

I

idées
juger des ~ 327-329
résumer ses ~ 346
identité 14-15
s'informer sur l'~ 242
if 335
ignorance 342
imaginer 31
impératif 299
impôt 167
incertitude 339-340
incrédulité (exprimer son ~) 337
indifférence (exprimer son ~) 310-311
individu 14-18
industrie 174-175
inégalités 188-189
information 157-160
(demander une ~) 238
informatique 162-163
informer (s'~) sur qqn 242-243
insecte 101, 103-104
insister 294-295
institution (politique) 186
instrument (de musique) 148
intellect 29-34
interdire 299
Internet 162
inviter qqn 230-231
islam 134
itinéraire (demander/donner un ~) 260

J

jalousie 70-71
jardinage 63
jeu 112-113
joie 73
jouet 112-113
jour 202-203
journalisme 157-158
jours de la semaine 265
judaïsme 134
juger 30-31
des idées 327-329
jurer 316-317
justice 186-187

L

laïcité 131-132
langage/langue 32-33
laver (se) 35-36
lecture 139-142
légende 135
légume 44
lettre
écrire une ~ 350-354
signer une ~ 354
librairie 142
littérature 139-142
livre 141-142
logement 57-58

M

magasin 177-178
(dans un ~) 257, 359-361
mail (écrire un ~) 350
maison 57-63
maladie 37-39
mammifère 102, 105
manger 48-49, 233, 362-364
mariage 66, 124
marketing 163
matériau 56, 87-88
matière (scolaire) 79
may I? 235
mécontentement (exprimer son ~) 309
médecin (chez le ~) 39-40, 377-378
médecine 39
média 157-160
méfiance 70-71
membre
du corps 22
de la famille 64-65
mémoire 32, 279-280
ménage 61-62

mépris 70-71
mer 96-97
message (au téléphone) 255
mesures 88-89, 245
métier 83-84, 138
métro 94
prendre le ~ 370
meuble 60-61
mind 236, 311, 321
mobilier
domestique 60-61
urbain 93
mode 56
mois 265
mondialisation 196-197
montagne 97-98
mort 12-13
mouvement
associatif 190-191
Moyen Âge 207
moyen de transport ... 118-122
musée 146, 373-374
musique 147-149
must 290
mythe 135

N

naissance 12-13
nation 180-181
nationalité 180
nature 95-98
necessary (it is ~) 290
need/needn't 289-290
nombre 88
nom propre 286
nostalgie
(exprimer de la ~) 319
nuancer (ses idées) 346-347
nuit 202-203

O

obligé (être ~ de) 289-290
odorat 24
offre (accepter/
refuser une ~) 233-234
offrir 232-234
oiseau 100-101
opéra 152
opération
mathématique 285
opinion
(exprimer son ~) 320-322
opposer des faits/
des idées 330-332
ordinateur 163
ordonner 298-299
organisations
internationales 201
orienter (s'~)
(dans un musée) 374
ouïe 23-24

P

p. m. 269
paix 198-199
parler
de l'âge 266-267
d'un événement
présent 275-276
du temps
qui passe 264-265
d'un texte 357-358
parole 33-34
parti (politique) 184-185
passé (parler du ~) 270-272
passé relié
au présent 273-274
patrie 181
payer 360
pays 216-220
paysage 92-93, 95-98
pêche 97, 171
peinture 138, 143-144
penser 29-30
permission
(demander/
donner une ~) 235-237
personnalité 17-18
persuader 296-297
petit déjeuner
(prendre le ~) 366, 367
peuple 11
peur (exprimer sa ~) 314-315
photographie 154-155
plaindre (se) 256-258
planète 210-212, 222
plante 106-108
poésie 141
poids 245
poisson 42
politique 183, 184-186
pollution 109-110
population
mondiale 192-194
pourquoi (demander ~) 344
pouvoir
(politique) 183, 185-186
pouvoir 287-288
préférences
(exprimer ses ~) 302-303
préhistoire 206
préposition
de lieu 260-261
de temps 263-264
présent simple/
en V-**ing** 276
présenter (se) 226-227
presse 158
probabilité
(exprimer une ~) 338-340
production 173-175
profession 80-84
proposer 247-248
propriété 166
pub (dans un ~) 362-364
publicité 163

Q

quantité 88-89
quereller (se) 71-72
quitter (l'hôtel) 366-367

R

radio 159
raison (donner ~ à) 325-326
raisons
(donner les ~ de) 344-345
rappeler 280

rapporter des paroles/
des pensées 348-349
rather ('d ~)................ 303
recette (de cuisine) 46-47
recherche (scientifique).. 127-128
réclamation
(faire une ~) 256-258
réconcilier (se)...........71-72
rédiger
un CV..................... 355
une lettre.............. 350-354
un texte 356-359
reformuler 347
refuser
une offre 233-234
une permission 236
regrets
(exprimer ses ~)........ 318-319
relations
humaines 68-72
internationales 198-201
religion................ 131-135
remercier 240-241
remords (exprimer des ~) ... 319
rencontrer qqn........ 226-227
renseigner (se)........ 238-239
au spectacle 373-374
dans un magasin....... 359-360
sur les transports
en commun 368-370
repas.....................48-52
repérer (se) 89
répondre
à une demande
de permission 236
à une demande
de service 238
à des excuses.............. 250
à une invitation 231
à un remerciement 241
au téléphone........... 254-255
reproches
(faire des ~) 256-258
réserver 362, 365
ressources
naturelles 168-172
minières 171-172
restaurant (au ~).... 51-52, 256,
362-364
résultat
(exprimer un ~) 273-274,
291-292
résumer...........346-347, 357
réussir à.............. 287-288
revenu 82, 167
rue 92-93

S

saison................. 213-214
salle (de classe)............77-78
saluer/salutations..... 224-225
santé............37-40, 377-378
satisfaction
(exprimer sa ~) 308-309
savoir/
ne pas savoir........ 341-342
say/tell.................... 349
science................ 127-130
sculpture.............. 144-145
séisme 212
sens (les cinq ~) 23-25
sentiment................73-75
séparation 65-66
service
(demander un ~)...237-238, 366
services 179
servir (se) 233
sexualité 69-70
since 263, 272, 274, 282
situer
dans l'espace 89, 259-261
dans le temps.......... 262-264
un événement
dans l'avenir........... 277-278
un événement
dans le présent 275-276
société 11, 188-191
soin corporel.............35-36
souhaiter (la bienvenue,
un bon anniversaire,
une bonne année)...... 228-229
souhaits
(exprimer des ~) 304-305
sous-vêtement 55
souvenir (se).......32, 279-280
spectacle (au ~)........ 373-374
sport 114-115
style indirect/
rapporté 348-349
style (artistique) 137-138
suggérer 247-248
sûr
(être ~/ne pas être ~) ... 336-338
surprise
(exprimer sa ~) 311-312
système
métrique 245
solaire 221-222

T

taille....................... 360
téléphone 162
téléphoner 253-255
télévision 159-160
tell/say.................... 349
temps
chronologique 202-204
météorologique 214-215
parler du ~
qui passe.............. 264-265
situer dans le ~ 262-264
Temps modernes 208
Terre 221-222
tête......................19-21
texte (parler d'un ~) 357-358
théâtre 150-151
tort (donner ~).............. 258
toucher (sens du ~)...........25
tourisme 116-122
tradition 123-126
train...................94, 120
dans le ~.............. 369-370
traitement (médical)..........39
transition (faire une ~) 252
transport...........94, 118-122
tristesse.....................74
tronc........................21

U

Union européenne........ 182
univers................ 221-222
université 78
ustensile (de cuisine) 45

V

vêtement 53-56
viande 41-42
vie 11-13
de famille 64-67, 243
en commun 65-66
économique 164
professionnelle 80-84
ville 91-94
violence 189-190
voiture 118-119
volcan 212
voyage 116-122
vue (sens de la ~) 23

W

will 278
wish 305
would rather 303

Z

zéro 285
zodiaque 222

TABLE DES ILLUSTRATIONS

26	©	Cartoonstock
64	ph ©	The Bridgeman Art Library
76	©	1993 United Feature Syndicate, inc.
99	©	Cartoonstock
122	ph ©	PYMCA/AFP
127	ph ©	The Bridgeman Art Library
136	ph ©	Museum of London, UK/The Bridgeman Art Library
143	ph ©	Cyril Delettre/REA
150	ph ©	Private Collection/Barbara Singer/The Bridgeman Art Library
168	ph ©	MacLean Alex S./Biosphoto
176	ph ©	Photo12.com/Alamy
188	ph ©	Peter Turnley/Corbis
198	ph ©	Christopher Furlong/AFP
216	ph ©	StockTrek/Getty images
221	ph ©	NASA Goddard Space Flight Center Image by Reto Stöckli

Achevé d'imprimer par Rotolito Lombarda à Seggiano di Pioltello - Italie
Dépôt légal : 92622-8/08 - juin 2013